THIS PUBLICATION IS DISTRIBUTED BY

ELISEO TORRES

P. O. BOX 2

EASTCHESTER, N. Y. 10709

Aun es de día

Miguel Delibes nació en Valladolid en 1920. Cursó la carrera de Derecho y actualmente es director del periódico «El Norte de Castilla». Como novelista se dio a conocer con «La sombra del ciprés es alargada», que obtuvo el Premio Eugenio Nadal 1947. Sus otras obras, que le han confirmado como primera figura de la novela española contemporánea, son: «El camino», «Mi idolatrado hijo Sisí», «Diario de un cazador», «Siestas con viento Sur», «Diario de un emigrante», «La hoja roja», «Por esos mundos» y «Las ratas». En «Aún es de día» Delibes nos ofrece un relato de corte realista desarrollado de una manera perfecta. Obra de plena madurez, nos demuestra que la aportación de Miguel Delibes a las letras de nuestros días es, en opinión de crítica y público, decisiva.

ÁNCORA Y DELFÍN. — 50

MIGUEL DELIBES. — AUN ES DE DIA

MIGUEL DELIBES

AUN ES DE DIA

EDICIONES DESTINO
Tallers, 62 - BARCELONA

PRINTED IN SPAIN

Primera edición: octubre de 1949
Segunda edición: diciembre de 1962

Número de registro: 4.910 - 49
Depósito legal, B. 26.454 - 1962

A mi amigo
Fernando Olmedo

¿Hablaré a mi Señor, siendo yo polvo y ceniza? (KEMPIS.)

CAPÍTULO I

SEBASTIÁN se despertó sin sobresaltos. Por las rendijas del balcón penetraban unos pálidos haces de luz que permitían descubrir las sombras de los muebles. Se oía el correr destartalado de un carruaje por la calle y el golpeteo de los cascos de la caballería que lo arrastraba. De la calle ascendían, también, los rumores y gritos desmesurados de un grupo de escolares.

Sebastián sacó sus cortos brazos del embozo y se estiró por dos veces. Hacía frío. Notó el frío mordiéndole las pequeñas y deformadas manos y volvió a esconderlas bajo las mantas. Era éste, para Sebastián, el único momento feliz del día. Veinte años llevaba pensando, cada mañana, al despertar, que aquel día podría traerle un cambio radical en su existencia. Jamás se le ocurrió presentir en qué consistiría este cambio. Se conformaba con anhelarlo, en la esperanza vaga de que fuese algo renovador, algo que le apartase de la triste monotonía de su vida regular y gris.

La punta de la nariz se le enfriaba y al aspirar fuerte una bocanada de aire advirtió que se congelaba en la atmósfera formando una tenue nubecilla blanca. El frío había venido con prisas este año. No hubo lluvias otoñales y quizá por ello llegó el frío a la ciudad con una considerable anticipación. Era la época de los sucedáneos y Sebastián pensó que, a fin de cuentas, el frío constituía un buen sustitutivo de la humedad.

Paulatinamente Sebastián fue despabilándose del todo. Recordó entonces el sobre azul que dejara al acostarse sobre la desvencijada mesilla de noche y sonrió. «Ya decía yo que hoy tenía un motivo para estar contento», se dijo. Y, alargando la mano, recogió el sobre y tornó a introducirla debajo de las mantas.

Acariciaba el papel con una delectación singular, como si dentro se ocultase aquel maravilloso e inconcreto cambio que esperaba en su existencia. ¿Y por qué no iba a ser así? El señor Suárez le decía que pasase hoy por su despacho, que necesitaba hablarle. En realidad, el señor Suárez no tenía que decirle más que «sí» o «no»; pero, por lo visto, prefería decirle el «sí» o el «no» de palabra y cara a cara. Esta idea deprimió a Sebastián. «Cuando me vea dirá «no», aunque antes haya pensado que «sí», imaginó descorazonado. Y acarició nuevamente el sobrecito azul como si así, extremando las caricias, aumentasen sus probabilidades de éxito. «Bueno, lo que sea sonará», se animó; y dando una patada a la ropa se tiró de la cama.

Gimieron los muelles del camastro de hierro al liberarlos del peso del cuerpo. Sebastián tiritó de frío, dio un puntapié al orinal y lo ocultó debajo de la cama. Atravesó luego el aposento, corriendo de puntillas, abrió las contraventanas y regresó de una carrera a la alcoba. La impaciencia natural y el hondo frío que se le clavaba en los huesos no le aconsejaron lavarse con detenimiento. Por eso se vistió y seguidamente tomó el jarro desportillado que había junto al lavabo y fue a llenarlo al grifo del fregadero.

Al atravesar el pasillo vio, desde la puerta, a la pequeña Orencia levantando su cuarto, aireando las ropas del lecho. Sebastián se detuvo y la contempló un rato, inmóvil y en silencio. Muchas veces se había confesado Sebastián que sufría más por su hermana que por él; que aquella criatura desgarbada, pálida, de mirada huera, le oprimía el corazón, le desazonaba, más que sus propios contratiempos. Parecía un ser insensible, indiferente a los hombres y las cosas; cruzaba la vida con una frialdad glacial, impropia de sus pocos años. Sebastián recelaba la razón de todo esto y le corroía, mas no se atrevía a contrarrestarla de una manera abierta y eficaz. Miraba ahora a la niña en su ir y venir por la pequeña habitación, sin acusar el frío que se adentraba por la ventana abierta. La niña pasaba el escobón por el suelo, torpemente, produciendo la impresión de que era el escobón el que la dominaba a ella y no ella al escobón. Estaba alta para sus trece años, pero su aspecto armonizaba plenamente con su edad.

De repente la niña levantó la cabeza y vio a su hermano en el umbral con el desportillado jarrón en la mano, redondeando su facha grotesca. Apoyó el escobón en la cama, se aproximó a él y le besó en la mejilla:

—Buenos días, Sebastián.

—Hola. ¿Qué tal has dormido?

(A Sebastián le hacía daño la grande, patética mirada de sus ojos negros.)

—Muy bien.

—¿No tuviste miedo?

—Anoche, no.

Sebastián reparó en la bata de manga corta que vestía su hermana:

—Ponte una chaqueta; hoy hace muy mal tiempo y te puedes constipar.

—No tengo frío, ¿sabes?

La acarició la mejilla y continuó pasillo adelante hasta la cocina. Puso el jarro bajo el grifo. El gorgoteo del agua le intensificó la sensación de frío y se frotó una mano contra la otra con aspereza. Aquella casa, desamparada y sucia, no contribuía en nada a atenuar esta sensación. Fuera del cuarto de Orencia, aquello parecía una pocilga; periódicos rotos, cucarachas muertas, mondas de naranja y de cacahuetes, se amontonaban en la cocina, entremezclados con las bolas de porquería de ratón. En un rincón, tres botellas tumbadas, polvorientas y vacías, completaban la deplorable impresión de desaseo. Sebastián pensó en el señor Suárez para animarse. Todo podía cambiar aquella mañana. Sí, podía cambiar. (Y se le nubló la vista sólo de pensar que su vida podría tomar en adelante otro rumbo.)

Regresó a su cuarto, se mojó un poco los ojos y se peinó. Al concluir oyó el grito destemplado de su madre desde el cuarto vecino:

—¡Orencia! ¡Orencia!

Y como la niña se descuidase en acudir, la madre comenzó a rezongar. Al cabo de un rato se presentó la pequeña:

—¿Qué quieres, madre?

—¿Has prendido la lumbre?

—No.

—¿En qué estás pensando, pasmarote?

Orencia no se inmutaba:

—Aún es pronto para Sebastián; hoy no va a bajar a la tienda.

Sebastián notó unas palpitaciones dolorosas en el corazón. Presumía que él sería el objetivo del nuevo ataque. Y le mortificaba aquel entenderse a gritos con un tabique por medio. Pero se equivocó:

—¡Corre y pon una astilla!, ¿oyes? Y luego baja un momento a por el pan.

Ya había comenzado la dura jornada. Orencia no pararía hasta el anochecer, en que, cansada y aburrida, iría a tenderse en su catre, a refugiar en él su lánguido decaimiento.

Su madre ya estaba ante él. A Sebastián le contristaba aquel manojo de carne apretada, sucia y maloliente, envuelta en una cazadora militar que ignoraba por qué ocultos medios apareciese en su casa. Él hubiera deseado para su madre lo mejor, pero no podía evitar un sentimiento de repulsión y asco ante su cochambroso abandono. Por otra parte, la madre no velaba su desprecio hacia él, su arrepentimiento de haberle engendrado. A menudo se complacía en recalcarle que era a su padre a quien debía todas sus taras físicas. «Tu padre, tu padre (y hablaba de su padre con un odio acendrado y sutil, como si fuera su mayor enemigo) era como tú, igual que tú, un horrible hombre deformado.» A Sebastián se le hacía un vacío angustioso en el cuerpo y no respondía. Temía, más que nada, aquella lengua de su madre que le zahería sin compasión, embistiendo siempre a los puntos más vulnerables y sensibles. Ahora se erguía frente a él, embutida en aquella horrible cazadora llena de lámparas, con los brazos cruzados sobre el opulento pecho, asomando por debajo los mugrosos pingajos de una eterna combinación negra.

—¿De manera que estás decidido a salirte con la tuya, cabezota?

—¿Y qué mal hay en ello, madre?

La mujer enrojeció y sus pupilas adormiladas y cruzadas de venitas sanguinolentas parecieron adelantarse hacia él:

—Mal, mal. ¿Te parece poco mal que pierdas tu colocación en casa del señor Sixto?

—No la perderé.

Dio una palmada de irritación:

—Ya lo sabes tú; ¿es que crees que va a gustarle saber que andas buscando otro empleo sin contar con él?

—Le he pedido permiso para esta mañana.

—¿Y le has dicho para qué?

Sebastián adoptaba una actitud sumisa aunque inflexible:

—No se lo he dicho, pero se lo figura. Él ya sabe que no me gustan los ultramarinos.

Se acercó Aurelia a una silla de paja, se sentó y ocultó sus manos achorizadas debajo de los sobacos:

—Eres muy finolis, Sebastián. ¿Qué hay de malo en ser dependiente de ultramarinos? ¿Y en estos tiempos?

—Yo no soy dependiente, madre. ¿O es que lo es uno que va repartiendo de la mañana a la noche raciones de casa en casa?

—¿Y las propinas?

—No quiero vivir de propinas. Quiero una colocación más seria. — Aurelia no se alteró; hizo discurrir una leve corriente de aire a través de los intersticios de sus dientes, como era su costumbre, para purificarlos de los residuos de la última comida, y acercándose al muchacho dijo:

—No sé si te he insistido bien alguna vez en tu mala estampa, Sebastián. El señor Suárez te despachará de un puntapié en cuanto te ponga la vista encima. Tú no vales para estarte detrás de un mostrador en un comercio elegante. Eres muy poca cosa, Sebastián; muy poca cosa — recalcó —. Tienes muy mal porte, ¿comprendes? Y desengáñate, para esos menesteres se necesitan hombres un poquitín más decorativos...

Sebastián miraba sin decir nada las piernas blancas, deformadas por las varices, de su madre. Le dolían sus frases, se le clavaban como dardos, muy adentro, en un lugar inlocalizable. Respiraba entrecortadamente. Aún no se había acostumbrado a la insolencia de Aurelia, machacándole sobre su insuficiencia física. Tragó saliva y añadió:

—Lo intentaré; al menos lo intentaré. No creo que pierda nada con ello.

Se oyó crujir la cerradura de la puerta y seguidamente los pasos breves pero firmes de Orencia por el pasillo. Al corto rato se presentó con un tazón de leche humeante y un gran bollo de pan. Lo dejó en la mesa y luego se quedó quieta mirando a su madre y a Sebastián alternativamente. Éste comenzó a engullir. Aurelia había vuelto a sentarse y se soplaba con fruición las manos amoratadas.

—Siéntate; come sentado. Así no te puede aprovechar, Sebastián.

—Es lo mismo.

—Eso, cómete ahora tu ración de pan y luego a la noche tendrás que comerte las uñas.

Le desazonaba a Sebastián esta inmediata fiscalización de su madre, esta constante vigilancia para aquilatar sus defectos y cada uno de sus descuidos. Aurelia miró a la niña, que permanecía inmóvil, con los ojazos enormes enfocados hacia su hermano:

—Vamos, ¿qué haces ahí, pasmada? Vete a acabar tu cuarto.

Salió la niña. En la habitación, en silencio, resonaban las mandíbulas de Sebastián triturando el panecillo. «A la noche tendrás que comerte las uñas.» Sebastián se mordía las uñas, pero no se las comía. Eso le constaba a su madre. No obstante, la cuestión era no perder ripio y echarle en cara todos los defectos. Aurelia con crispeante cominería seguía pendiente de él. Sebastián no pudo resistir más:

—Hasta luego, madre — dijo con la boca llena.

Aún oyó pronunciar con ironía el nombre del señor Suárez y algo alusivo a él y a la risa, mientras se ponía el abrigo. Sebastián descendió las estrechas y polvorientas escaleras que lo separaban del portal. Al llegar a la última se miró la mano llena de mugre y comprendió que en esto tenía razón su madre: él parecía estar contratado por la dueña de la casa para quitar diariamente el polvo a la barandilla. No podía evitarlo. Veinte años, día a día, haciendo lo mismo, constituían una respetable tradición. Sebastián miró al pequeño monstruo que remataba el pasamano y le sonrió. (Era un bichejo repugnante con cara de león, orejas de gato y pechos muy cónicos de mujer.) Era el mejor amigo de Sebastián. Le dio un golpecito y murmuró:

—Deséame suerte.

El idolillo permaneció inmutable con un gesto estúpido torciéndole la boca. Silbó Sebastián mientras cruzaba el angosto y alargado portal. Todo él se hallaba decorado de carteles obscenos y confesiones de amor o de deseo, con nauseabundas ilustraciones gráficas, a Pepita, la vecina, muy descocada, del piso de arriba. Al llegar a la puerta, Sebastián se alzó el cuello del abrigo. Entraba en el mundo y la sociedad le cohibía. Sebastián se encontraba a gusto cuando estaba solo. La compañía le estrangulaba y le ponía los pelos de punta. Además, hoy tendría que pasar de prisa ante la tienda del señor Sixto, situada frente por frente de su casa. A Sebastián no sólo le disgustaban los ultramarinos; le disgustaba también el señor Sixto, aunque esto no se lo confesase a su madre; aquel hombre tremendo, coloradote, que hedía profundamente a patata y a pimentón. Le repugnaba su inmoralidad, aquella su manera de entender el negocio, estrujando el hambre del prójimo. Le revolvía su muletilla de que veinticinco gramos escatimados en cada ración a nadie mataban y a él le hacían mucho bien. Con esto y el enigmático sótano, atestado de mercancías intervenidas, el señor Sixto había amasado sus buenas pesetillas. Edificó la casita de encima de la tienda con los beneficios de los tres años de guerra, y ahora, tras la escasez y el desequilibrio económico ocasionados por la conflagración mundial, posiblemente estaría en condiciones de construir un rascacielos.

Sebastián cruzó rápido ante su puerta y, rebasado este

obstáculo, respiró sin trabas el frío seco de la meseta. Una neblina muy vaga se agarraba a las calles y a las casas. A Sebastián le agradaba esta bruma que diluía los perfiles y los contornos de las cosas. Daría algo porque el señor Suárez tuviera que enfrentarse con él a través de una capa de niebla, adivinándole más que viéndole.

Estimuló a Sebastián el rumor mañanero del barrio. Era el suyo el barrio más alegre y jaranero de la pequeña ciudad. Allí todos reían o voceaban a toda hora, sin abismarse en las preocupaciones que parecían exclusivas de otros lugares y otros seres. Cantaban las dueñas de casa al sacar los colchones a airear o mientras sacudían, sin miramientos, las esteras desde los balcones.

Sebastián miró hacia el cielo y vio confirmada su creencia de que los aleros de los tejados terminarían por juntarse. La calle se estrechaba por arriba y resultaba innegable que el pasillo de cielo que se descubría al levantar la cabeza era más angosto y estilizado cada día. En realidad, esta calle, larguísima y estrecha, constituía el barrio entero; un barrio de horteras, artesanos y pequeños comerciantes. A veces, a Sebastián le hería la alegría un poco insensata de su barrio. Se decía que aquel jolgorio era puro artificio para envolver las penas y las miserias, para eclipsarse la conciencia de una vitalidad efímera. Pero no era cierto; el barrio tenía una alegría natural, flúida y espontánea, y, tal vez, el dolor que producía este optimismo en el pecho de Sebastián estribaba en la comprensible incompatibilidad del alma del barrio con su propia alma.

La larga calle se remataba, en los extremos, por dos plazuelas con un mercado cada una. Yendo hacia el centro, se topaba con el mejor mercado de la ciudad. Una vez en él podía determinarse la estación del año y la hora del día con sólo dejarse guiar por el olfato. En las madrugadas de otoño e invierno se percibía un jugoso aroma de frutas frescas, recién cortadas. Un húmedo vaho de savia vegetal impregnaba la Plaza del Mercado. Al mediodía, las fruteras y verduleras se habían retirado y el suelo aparecía cubierto de mondas de todas clases, de los paquetes de paja de los envases y de un sin fin de frutos podridos y aplastados. Olía, entonces, a jugo vegetal pisoteado, a un olor especial entre agradable y desagradable.

En el verano predominaba un tufo especial a pescado putrefacto, a carne atrasada o en malas condiciones. Así, en estío, a toda hora, y este hedor intensificábase y se hacía irresistible cuando el sol arreciaba hacia el mediodía.

Muchas veces se había dicho Sebastián que, colocado en el centro de la ciudad con los ojos vendados y las manos amarradas, hubiese acertado con su casa sin un titubeo, orientándose sólo por el olor. Los hedores del mercado se venteaban desde muy lejos. Ya en él, Sebastián se hubiese guiado por el penetrante olor a amoníaco del urinario público que se abría en la plaza, justo en la confluencia con su calle. Una vez allí, el viaje no tenía pérdida: la cantina de Ernesto con su característico aroma a vino de Rueda, la droguería de Pérez, la frutería de don Santiago Cerrato...

Ahora pasaba ante ella Sebastián, y el señor Santiago le decía adiós, encerrado entre sus cajones llenos de naranjas, de manzanas, de castañas, de las estalactitas de los plátanos verdosos, sin madurar aún. Se entendía, con su simpatía proverbial, con un enjambre de compradoras de mantoncillo que reían sus ocurrencias o le daban golpes en la espalda con la mayor confianza...

Al extremo opuesto de la calle se hallaba la iglesia, un edificio románico, pardo y pesado, sin nada que admirar si no fuera su apariencia de fortaleza. Pero, en realidad, allí estaba la cabeza del barrio. La iglesia era, en última instancia, el lugar por donde todos los vecinos pasaban, siquiera un par de veces en sus vidas. Alrededor de ella estaban la confitería y un cine apañadito, pintado de tonos chillones.

Sebastián avanzaba poco a poco, rumiando la entraña de su barrio. Aquel barrio significaba, ahora lo advertía, como un pueblo autónomo incrustado en el corazón de la ciudad. Allí todos se conoc'an, para ser amigos o enemigos, pero lo que no se autorizaba era a ignorarse. «Si es caso —pensaba Sebastián—, yo soy la excepción; a mí, por mis condiciones, se me ha forzado al aislamiento.»

Los chicos del barrio no salían de él para buscar sus novias. Era muy raro hallar uno que rompiese la tradición. Y, además, se casaban más jóvenes que en ninguna otra parte, como si allí el problema económico estuviese resuelto de antemano. Algunos se casaban al tiempo que bautizaban su primer hijo, pero esto no indicaba relajamiento, sino un poco de ingenuidad. No había apenas gente mala o torcida en el barrio; todo lo más que existía era un poco de despreocupación, una despreocupación y una ligereza que, a veces, empujaba a los vecinos a cometer censurables faltas. A Sebastián lo que más le mortificaba de todo era el optimismo de grupo que le inundaba; un optimismo que, se le antojaba a él, se nutría un poco a su costa. Porque Sebastián, sin tener ningún amigo, constituía un personajito allí. Le designaban por frases conmiserativas como: «ese muchachito cargado de espaldas» o «el pequeñín ese», todo lo cual le hundía en un lamentable tósigo.

Sebastián abocaba ya a la Plaza del Mercado. A la izquierda se levantaba el muro ciego de un convento de capuchinos (un paredón desconchado y gris que significaba una frontera de Dios en la Tierra). Atravesó el mercado aturdido por la variada policromía de los frutos maduros y los gritos estridentes de las vendedoras. A medida que se aproximaba a los «Almacenes Suárez» se hacían más sensibles las palpitaciones de su corazón. Recorrió otras dos calles y fue a parar a la arteria principal de la ciudad, por donde, en invierno y verano, se apretujaba la gente paseando. Ya se divisaban los Almacenes, y Sebastián presintió que le faltaría valor para introducirse allí, en aquel magnífico edificio moderno, donde ocho grandes lunas brillaban inmaculadas. Sin embargo, se acercó cruzando la calzada. Los escaparates produjeron en él un efecto prodigioso. Nunca se había dado cuenta del lujo que se encerraba allí, de lo remunerador que resultaría «limpiar» una noche aquella fascinadora vitrina. «Y yo, yo, puedo salir por esa puerta, dentro de cinco minutos, como un empleado de la casa», se dijo, turbándose.

Aquello era demasiado para ser verdad. Se arrimó a la puerta y, luego, se separó, recorriendo lentamente, mirando los escaparates, toda la fachada del establecimiento. La tienda, vacía, le asustaba un poco. Siempre prefería el tumulto que todo lo tapaba y diluía. Presentarse en un lugar donde nadie acaparara previamente la atención le imbuía un fastidioso recelo. «Esperaré a que entre algún cliente y a que la dependencia esté entretenida con él», pensó. Y así lo hizo; comenzó a pasear de arriba abajo y de abajo arriba hasta que divisó a un hombre, con una gran cartera de piel bajo el brazo, que se zambullía en el establecimiento. «Esta es mi vez», se dijo, y, decidido, penetró tras él.

Sebastián estuvo a pique de sufrir un desvanecimiento. La tienda era amplísima y estaba muy limpia, caliente e iluminada. Los largos mostradores corrían paralelos, enormes y encerados, a lo largo del local. Tras ellos varios hombres charlaban en voz baja y volvieron la cara hacia él al oír el ruido de la puerta. A mano derecha de la entrada había un pequeño mostrador, aislado del resto, y, encerrada en él, una mujer rubia de una extraordinaria belleza. Todo evidenciaba un lujo y un orden a los que

Sebastián no estaba habituado. Las piezas de tela de distintas clases y colores reposaban en los estantes que se alzaban hasta una altura inconcebible. Del techo pendían unas grandes y relucientes arañas con colgantes de cristal. Al fondo se veían varias puertas que, en este instante, permanecían cerradas.

Sebastián se aturdió. Del hombre que le precediera y que él, neciamente, tomara por un viajante, no se veía rastro, de modo que todas las miradas convergían en su liviana humanidad. Notó que dos dependientes se hacían señas con el codo y que otro se tapaba la boca para que no le vieran reír. También la mujer rubia volvió un momento la cara un poco enrojecida. Pero lo que le resultó a Sebastián más doloroso fue el gesto instintivo de dos de los hombres de agarrarse con fuerza a la madera del mostrador.

Entonces advirtió Sebastián lo que no había advertido nunca: que su indumentaria estaba sucia y andrajosa y que en los codos de su abrigo detonaban dos piezas de otro color. Todo esto le importaba más que su corta estatura y la curva de la espalda. Esto, después de todo, era una cosa irremediable. Azorado se desabrochó el gabán, pensando que el traje estaría más presentable. Mas, inmediatamente, volvió a cerrarle al recordar los lamparones que invadían las solapas.

Hubiera querido, en ese instante, haberse transformado en un gusano y desaparecer de allí por la rendija de la puerta. Pero uno de los hombres, esbelto y repeinado, salía ya de detrás del mostrador y se le acercó solícito:

—¿Qué desea usted?

Sebastián se aturulló. Apreció entonces que el llavero se le escurría por un agujero del bolsillo del pantalón, y, en su movimiento por contenerlo, precipitó la caída. Sintió el frío de las llaves a lo largo de su piernecita y, luego, el deslizarse presuroso de dos monedas por el mismo agujero. Las llaves y las monedas produjeron un tintineo cristalino al chocar con el suelo, y éstas rodaron prestas hasta topar con el mostrador. Estallaron varias risas, y Sebastián, al agacharse a recoger los objetos, se encontró más desamparado que nunca en su vida. Cuando se enderezó, muy sofocado, le pareció que la joven rubia le sonreía desde su encierro. Esto le animó un poco. Habló, trémulamente, entonces:

—Querría ver a don Saturnino Suárez.

¡Oh, cómo resonaban sus sílabas en aquella estancia! Se le hacía que las piezas de tela repetían su frase en distintos tonos. (Aquellas piezas coloradas del fondo voceaban, indudablemente, más alto que las demás.)

—Pase, pase...

Le precedía amablemente el joven esbelto y repeinado. «Verse ante don Saturnino no tiene importancia después de salir de ésta», se dijo Sebastián. Y cruzó una de las puertas del fondo que, servicialmente, le abría el caballero repeinado, con una relativa seguridad en sí mismo.

Un hombre calvo, con un matiz de carne rosado, se levantó al verle. Sebastián tuvo la impresión de que aquel rostro le había visto antes en alguna parte. En un rincón hacía números en un librote descomunal el hombre de la cartera de piel. Al entrar le miró de reojo. El calvo le sonreía con un gesto simpático. Sebastián dudaba entre si debía abrirse o cerrarse el abrigo.

—Siéntese, siéntese usted —le dijo el caballero calvo, y le estrechó cordialmente la mano.

Sebastián se sentó en el borde de un gran sillón y con vergüenza constató que en aquel sillón ingente quedaba espacio más que suficiente para sentar a otros cuatro o cinco Sebastianes.

—Usted es don Sebastián Ferrón, ¿no es así?

—Sí, sí, señor...

Don Saturnino, que era sin duda el hombre calvo, le trataba con gran consideración, como si no hubiera reparado en su horrenda presencia física.

—Me ha hablado de usted con gran interés don Julio Longa...

—Sí, sí, señor... Era amigo de mi padre.

—Sí, ya lo sé. — Meditó unos segundos mirando al techo y rascándose la calva. Luego añadió: — Me ha dicho que le gustaría a usted trabajar con nosotros, ¿no es así?

—Sí, sí, señor...

Cuando más seguro empezaba a sentirse Sebastián, advirtió que una moquita, helada con el frío de la calle, empezaba a derretirse en la ventana izquierda de su nariz. Sorbió un poco, ocasionando un ruidito desagradable. Don Saturnino se hizo el desentendido, pero el contable le censuró con una altiva mirada.

Sebastián volvió a perder las riendas de sí mismo. Ahora toda su atención se concentraba en que la moquita no llegase a asomar por el agujero de la nariz. Oía la conversación de don Saturnino como un rumor accesorio, como un murmullo lejano, intrascendente y banal. La moquita resbalaba, y allí estaba Sebastián, al acecho, para truncar a tiempo la trayectoria. En último extremo recurriría al sorbetón, ante la imponente mirada del contable, que se emancipaba un momento del despotismo del Debe y del Haber para censurarle.

Al fin, Sebastián echó mano al bolsillo y extrajo un mugriento pañuelo archivado allí un mes atrás. Furtivamente se frotó la nariz intentando cubrir la totalidad del pañuelo con su pequeña mano. No obstante, la mirada incendiaria del contable le evidenció que no lo había conseguido.

Don Saturnino continuaba hablando, hablando y haciéndose el desentendido, y, casi sin darse cuenta, Sebastián se vio de nuevo apreciando el alcance de sus palabras:

—En realidad la dependencia está ahora completa, anótelo bien...

(Se deshacían las ilusiones de Sebastián; tantas zozobras, tantos sobresaltos, tanto bochorno, iban a terminar en nada, en unas buenas palabras sin ninguna traducción práctica.)

El señor Suárez se levantó y Sebastián se creyó en el deber de no continuar sentado. Don Saturnino le envolvía en una corta mirada. «Me está midiendo, me está midiendo», tembló, horrorizado, Sebastián, y estiró sus miembros, tensó su pobre cuerpecillo, esperando alargarle al menos una pulgada.

—De todos modos, puede usted quedarse como mozo en el almacén. Ya sabe, son trescientas pesetas con arreglo a la última reglamentación. Y el plus de vida cara... Y, ¿es usted casado?

Sebastián imaginó que don Saturnino hacía un chiste y se rió para complacerle. Pero se rió con una risa cortada, seca, como un quejido:

—No, no, señor; claro que no soy casado.

(Se aclaraban las perspectivas de Sebastián con una ignota, diáfana luz... Una luz que parecía provenir de las pupilas inmóviles del contable clavadas en él.)

—De momento no es mucho lo que le ofrezco, pero andando el tiempo, si usted trabaja, puede llegar a dependiente y...

—Oh, es usted... es usted demasiado amable...

Le sonreía el señor Suárez con una sinceridad tal que se diría que la sonrisa iluminaba hasta su rosada calva. De pronto, le asaltó a Sebastián la idea de que a don Saturnino le movía únicamente la compasión. Tuvo un momento de desfallecimiento, mas en seguida se encogió interiormente de hombros: «Bah, no es mi caso como para desdeñar la compasión». Deseaba hablar, hacerse el simpático, el afectuoso para con todos. Maquinalmente se aproximó a la mesa del contable:

—Estoy pensando que esto debe de ser muy complicado.

Sonreía; repartía sonrisas a voleo, con generosa prodigalidad, al señalar con su dedo regordete y deforme el Debe y el Haber del grueso volumen. El contable no respiró. Don Saturnino, en cambio, celebró la oportunidad de exponer su punto de vista contable:

—No, no es tan difícil como parece; es como un burro con unas aguaderas... Lo interesante es mantenerlas bien niveladas...

Al cruzar la tienda le parecía a Sebastián que el ambiente no era tan complejo y esquinado como había supuesto al entrar. Había dos clientes agobiadas de incertidumbre ante unas piezas que no se ajustaban plenamente a sus deseos. Don Saturnino mismo le abrió la puerta de la calle. Al pasar ante la rubia cajera, Sebastián le sonrió y le dijo, muy bajito: «Buenos días». Ella le sonrió también. El señor Suárez, ya en la puerta, le estrechó la mano:

—Mañana mismo puede usted incorporarse. Ya sabe que será bien recibido.

Camino de su casa, le pareció a Sebastián que hacía menos frío que cuando, minutos antes, recorriera aquellas calles en sentido inverso, hacia los Almacenes...

CAPÍTULO II

EN los primeros días de su empleo en los «Almacenes Suárez hermanos» Sebastián recordó mucho a su padre. Le hubiera gustado prolongar la vida de aquel ser lo bastante para que pudiese haber contemplado su triunfo. Porque Sebastián se consideraba un triunfador. Le sostenía un íntimo convencimiento de que en el barrio todos le envidiaban. Constituían los «Almacenes Suárez» el establecimiento de tejidos más acreditado en la ciudad, y Sebastián presumía que su buena estrella se comentaba y apostillaba en todas partes. Su pobre padre hubiese muerto más tranquilo con la conciencia de este éxito del hijo. Pero Dios quiso que su padre se apagase sin esta mínima satisfacción; en verdad, su padre se apagó sin conocer satisfacción de ninguna especie.

Sebastián recordaba su casa, en vida de su padre, como un verdadero infierno. Jamás el señor Ferrón coincidió en nada con su mujer, y estas discrepancias provocaban ingentes e ininterrumpidos conflictos domésticos. Desde muy joven, desde niño, había sido Sebastián el confidente forzoso de las bestiales reacciones de Aurelia hacia su marido. No podía contar las veces que su madre le había sintetizado, en una gráfica frase, la historia de aquel amor: «Yo remedié a tu padre sus bajos deseos; él, a mí, mi pobreza. Yo creo que fue un contrato bien equitativo». Y, en apariencia, la razón del matrimonio, aunque muy triste era reconocerlo, ésa fue.

Aurelia se colocó de criada en casa del señor Ferrón cuando éste comenzó a ejercer como pedicuro. Don Sebastián no tenía malas manos para la profesión, y no tardó en hacerse con una discreta clientela. El señor Ferrón era muy bajo, cargado de espaldas y con un algo más, inarmónico y desafinado, en su ser que le hacía, físicamente, repelente y monstruoso. Por eso el infeliz no aspiró nunca a hacer un matrimonio normal; jamás dispuso de una mínima capacidad para despertar afecto; admitió como inevitable que si algún día alguna mujer se encadenaba a él no sería, desde luego, por cariño. Por esta razón aceptó resignado la fácil posesión de Aurelia, que, mediante un hábil juego de tira y afloja, le condujo al matrimonio. Después ocurrió lo que tenía que ocurrir. Surgió la disidencia desde el primer instante porque Aurelia aborrecía a su marido. Se daba a él, pero le soliviantaba constantemente con sus desprecios, sus ultrajes y sus insultos. Al pobre señor Ferrón se le saltaban los nervios; sus manos eran, cada día, menos expeditivas y seguras. Un día les nació un hijo. A Aurelia la horrorizó la crianza de un hijo imperfecto como era Sebastián. Aquello le dio pie para zaherir más a fondo a su marido. Le increpaba, llamándole egoísta; le denostaba por motivos insignificantes o sin motivo alguno. Sebastián recordaba haber sorprendido varias veces a su padre llorando. Sabía Sebastián que lloraba por él, previendo la amargura del camino que aún le quedaba por recorrer y presintiendo, proféticamente, que él, su padre, tan débil, no podría acompañarlo mucho tiempo. Y así fue.

El señor Ferrón aparecía cada mañana más gastado y decrépito. Era joven aún, pero no lo aparentaba. Se le venía encima su profesión, su mujer, su hogar y la preocupación de aquel hijo. Y así fue consumiéndose poco a poco. Un día (¡qué fijo y claro conservaba Sebastián este recuerdo!) acudió a su consulta un personajillo muy conocido en la ciudad en aquel entonces. El señor Ferrón vio enderezarse un poco su fortuna. Aquello podría ser, de conseguir un buen trabajo, el comienzo de una necesaria rehabilitación. Y puso, como era natural, todas sus mermadas facultades en el empeño. Sólo le fallaron los nervios; un movimiento inoportuno, una palabrota, un grito terrible, advirtieron a Sebastián, el niño. El personajito abandonaba la consulta cojeando y amenazando al señor Ferrón con el bastón. Cuando Sebastián entró en la clínica vio a su padre agarrándose la cabeza desesperado y rezongando dicterios contra sí mismo. A su lado había una palangana y en el centro de ésta, rodeado de un charco de sangre, como el cadáver desnudito de un niño, estaba el dedo meñique del pie izquierdo de aquel buen señor. Sebastián hijo podía dar fe de estar arrancado de cuajo.

Aquel contratiempo apremió el desenlace. El señor Ferrón sobrevivió poco al dedo meñique del personajito. Se postró en cama y una noche su homeopática humanidad se quedó rígida y fría, sin despertar a nadie ni decir oxte ni moxte. A los once meses justos de fallecido don Sebastián, Aurelia parió a la Orencia. Cuando alguna amiga la interrogó sobre la irregularidad del proceso de gestación de la pequeña, Aurelia se echó a reír y respondió «que la condenada cría era oncemesina». También se lo dijo así a su primogénito, aunque entonces Sebastián no tendría arriba de diez años.

Sebastián evocaba estos episodios cuando avanzaba, entre la bruma mañanera, camino de los Almacenes. Le agradaba sentir en el rostro los picotazos de la niebla e imaginarse a su padre allá arriba, en un cielo difuminado, sin Dios ni satisfacciones, regocijarse de su buena suerte. Aurelia no se alegró demasiado con el nuevo empleo; se limitó a decir con aires de pitonisa a Sebastián:

—Eres un bobo; ya veremos lo que esto dura.

Y le forzó a presentarse en casa del señor Sixto a despedirse de él. Al señor Sixto no le costó prescindir de sus servicios; lo accesorio no le perturbaba nunca demasiado. Le manchó la mano de pimentón al oprimírsela y le dijo, francamente, que le deseaba muchos éxitos. Luego se situó tras su balanza mágica y se dispuso a escamotear unos gramos de arroz de la débil ración de una cliente. Así, concisamente, cerró Sebastián su trato con el ultramarinero a quien sirviera con lealtad durante seis años.

Sebastián estaba contento en los Almacenes. Sus manos pequeñas y nudosas se estremecían al palpar las suaves piezas de seda, de raso o de terciopelo. Existía una honda diferencia entre este género y el que antes manejara en la tienda de ultramarinos. Lo de ahora se acercaba más a su manera de ser sutil y delicada, casaba mejor con su espíritu hipersensible. De los compañeros no tenía queja. En aquellas dos primeras semanas se habían comportado humanamente con él. Es cierto que le costó algún berrinche la adaptación, que la manía de algunos en tocar madera al divisarle y la de otros a sofocar las carcajadas al verle encaramado como un mono en la picuruta de la escalera le mortificaban, amargándole un poco su actual bienestar. «Pero — se preguntaba Sebastián —, ¿por qué sitio he ido yo que mi irrupción haya pasado inadvertida?» Y se consolaba así; sobre todo, observando la manera paternal de enseñarle y aconsejarle que utilizaba don Saturnino; la etiquetera y digna conducta de don Arturo, el apoderado, hacia él.

El señor Suárez le presentó a los compañeros el primer día de su incorporación a los Almacenes. Después, poco a poco, Sebastián fue presentándoselos a sí mismo de verdad, sondeándolos, examinándolos, aquilatando todos esos pormenores íntimos que no caben en un apretón de manos por muy aparentemente sincero y cordial que éste sea. Así, don Arturo, el joven repeinado y etiquetero que le atendiera el primer día, se le iba definiendo con una rotunda claridad. Era, a su juicio, un comerciante perfecto. Las clientes no se privaban de esperar media hora si con ello conseguían verse despachadas directamente por don Arturo. Don Arturo las sonreía, las complacía, halagaba ceremoniosa y sutilmente su vanidad. El pobre Sebastián comprendió pronto que era éste un buen espejo donde mirarse; que por muchas vueltas que le diese a la esfera mercantil de la ciudad, no encontraría un maestro con mejores cualidades que las que don Arturo reunía.

—Usted, que sabe distinguir lo bueno de lo malo, no debe llevar esto.

Y don Arturo retiraba la pieza barata con cuquería y metía por los ojos de la cliente la pieza cara. Esto lo repetía con todas, empleando las mismas o parecidas palabras. Y a las clientes las enorgullecía el que don Arturo creyese, sinceramente, «que ellas sabían distinguir» y no se conformaban con cualquier cosa. Acababan, casi siempre, comprando lo que a don Arturo convenía que comprasen.

—No, por Dios, esto no es para usted; usted no puede vestirse con estos harapos.

La cliente sonreía, y por nada del mundo hubiese llevado aquello que Arturo juzgaba indigno de ella.

Sebastián miraba y analizaba, escuchaba y aprendía. Estaba decidido a hacerse un experto y competente comerciante. Él se abriría camino, aunque sólo fuera para desentumecer la memoria de su padre, su congoja postrera.

Envidiaba a don Arturo porque don Arturo había ascendido ya varios escalones por la escalera del triunfo personal cuyos primeros peldaños pisaba él, tímidamente, ahora.

Don Arturo comenzó como él, de mozo en los Almacenes; mas el señor Suárez se dio cuenta inmediatamente de su valía y lo ascendió a dependiente. Don Saturnino sabía que manejaba un arma de dos filos, y actuaba con discreción y astucia. Los demás establecimientos de tejidos de la ciudad iban conociendo la competencia de Arturo y le hacían ofertas tentadoras. El señor Suárez se veía obligado a acallar las llamadas de la ambición en el pecho de don Arturo e iba de concesión en concesión: mozo, dependiente, apoderado, partícipe, en buena cuantía, en los beneficios, asociado... Era un proceso ineluctable. Un día se alcanzaría el tope: don Saturnino no podría ofrecer más. Don Arturo se encontraba en la cumbre de la popularidad y era el momento. Entonces aquel cuerpo social se escindiría y la unidad de acción quedaría desarticulada y rota. La masa de sangre que le vivificaba se dividiría en dos y a partir de entonces los dos antiguos asociados lucharían en campos opuestos. Don Arturo inauguraría un comercio propio y arrastraría en pos de sí toda aquella clientela que aguardaba pacientemente horas y horas a que él concluyese con los que habían llegado antes. Era la evolución fatal del comerciante; el comerciante, como algunas células, se reproducía por bipartición.

Pero don Arturo, hombre prudente y mesurado, no veía aún la oportunidad; no consideraba lograda todavía la plena madurez, ni realizadas la totalidad de las conquistas. Se hallaba en medio de la evolución. Sebastián le miraba actuar, embelesado; contemplaba los movimientos rápidos, intensamente armónicos y sugeridores, de aquellas manos de dedos finos y blanquísimos.

—Tengo algo nuevo y magnífico para usted.

¡Cómo se lo agradecía la cliente! Vigilaba de hito en hito a su alrededor, para que nadie le arrebatase aquella tela maravillosa que Arturo le reservaba con tanta amabilidad. Sí; ya lo creo que la quería. Que se la envolviese Arturo a hurtadillas para que no fuese demasiado descarada la atención. Luego se alejaba sonriente, pasaba por la caja, donde Anita, la bella mujer rubia, permanecía encerrada, y, por último, marcharía a casa, a contar a su marido, con la condición de que no lo divulgase, el gesto liberal de Arturo, el simpático apoderado de los «Almacenes Suárez».

Sebastián observó, nada más ingresar, que don Arturo conseguiría ser uno de los comerciantes más ricos y acreditados de la ciudad. Comprendió también que únicamente en este ramo de la economía cabía aún el encumbramiento en unos años; esa labor sorda y callada que culminaba un buen día en un negocio redondo y próspero. La gente diría luego:

—Yo conocí a este hombre vendiendo cacahuetes en la Plaza Mayor.

Y así era, en efecto, sobre poco más o menos, con muy ligeras variantes:

—Ese hombre no era nadie cuando empezó.

Y hoy lo era, efectivamente, gracias a sus dotes singulares y a su esfuerzo ininterrumpido, casi heroico.

Ninguno de los otros dependientes estaba hecho de la misma pasta que don Arturo, en opinión de Sebastián. Martín, un hombre algo y guapo, con un bigotito recortado debajo de la nariz, trataba de imitarle con escaso éxito. Por sobre todas las cosas, Martín era un presuntuoso que alardeaba de conquistador. Se vanagloriaba de entontecer a la mujer que se proponía, aunque, a la vista, jamás trascendiese este supuesto entontecimiento. Martín las arrastraba con melosas sugestiones hasta el probador y, al salir de allí, aseguraba «que aquella pobre cliente estaba ya en el bote». Afirmaba que se había citado con ella y a la hora de cerrar, por la tarde, marchaba de prisa, o decía marchar, al problemático lugar de la cita. Martín pertenecía a una familia distinguida de la ciudad, pero su falta de talento para el estudio le condujo a recalar en el Almacén como único remedio asequible para resolver su porvenir. Constituía Martín, por tanto, una rara excepción de su época. En este tiempo, los jóvenes estudiaban todos, los que tenían condiciones y los que no, tanto si existían fondos disponibles en el hogar como si había de recurrirse a procedimientos extremos para costear la carrera.

Hugo era menos competente que Martín, pero también menos fatuo, aunque resultaba aún más ostentoso en su constante preocupación de exhibir sus dotes de Tenorio sin miramientos ni remilgos. Vivía con una muchacha en una modesta pensión y se jactaba de esto tanto como de sus aventuras pasajeras. Era bajo de estatura y muy moreno de pelo y piel. Los ojos, exageradamente negros, despedían fuego como los de un árabe. Poseía un temperamento exaltado y sensual. A las clientes las rozaba la mano intencionadamente o las musitaba piropos al oído. Anteponía el menor contacto furtivo a la posibilidad de hacer una buena venta. No le poseía, pues, la ambición de medrar, sino la ambición de la carne y la vanidad de ser admirado. El señor Suárez le reprendía y, a veces, se le inflaba, al hacerlo, una gruesa vena en la iniciación de la calva. Eso denotaba que la furia henchía su sangre, forzándole a buscar un desagüe que no encontraba. Pero Hugo era así y no hubiese cambiado aunque le intimidaran con la horca. Sus dos manos eran morenas y peludas como las de un mono, pero Hugo se ufanaba de ellas, convencido de que el hombre, cuanto más velludo, más irresistible e interesante resultaba a las mujeres. «El hombre y el oso, vellosos», afirmaba con retintín siempre que se aludía a ello mostrando al auditorio el piloso envés de sus extremidades.

Otro dependiente, el de más edad, y por el que más atraído se sentía Sebastián, era Manolo. Siempre se mostraba triste y cariacontecido. Tenía un cuerpecillo enclenque, formado, al parecer, de una urdimbre de huesos y nervios, y constantemente cavilaba en las dificultades de la vida y en la enmarañada y oscura perspectiva de dar salida a siete hijos, todos varones. Con Manolo congeniaba bien Sebastián. Era con el único con quien no se sentía oprimido al entablar conversación. Con los demás no hablaba a ser posible, y si lo hacía, procuraba siempre pasar inadvertido.

Por último, había otros dos dependientes en los Almacenes que eran hermanos, jóvenes, rubios y muy aficionados a los deportes. Habían ingresado recientemente y aún permanecían precintados y sin destapar, sin abrirse a una peligrosa confianza.

Después de la dependencia propiamente dicha, venían los mozos. Además de Sebastián, existía otro mozo que se llamaba Emeterio. Éste era muy joven, apenas un niño, pero Sebastián receló desde los primeros días que era de él de quien principalmente debería guardarse. Tenía una nariz muy larga, con dos ventanas prolongadas y estrechas en las que se hurgaba activamente con los dedos a toda hora. De cuando en cuando, extraía de ellas un pedacito de materia viscosa con la que elaboraba, imprimiendo un movimiento uniforme e iterativo a las yemas de sus dedos, una pelotita oscura que lanzaba, sin miramientos, en cualquier dirección, mediante un hábil ejercicio combinado de índice y pulgar. Emeterio tenía un carácter expansivo y desmesurado. Charlaba mucho, casi siempre para decir tonterías o puerilidades, pero era a estos temperamentos expansivos y locuaces a quienes más temía Sebastián.

En este ambiente y entre estos compañeros comenzó a desenvolverse la nueva vida de Sebastián. Llegaba al Almacén a las nueve menos cinco, hora en que todavía no había comenzado el barullo y los dependientes comentaban en corro las incidencias de la tarde anterior. Los dos hermanos rubios solían formar tertulia aparte con Emeterio y hablaban de fútbol y de aviones, pero sobre todo de fútbol. Las charlas se celebraban, por lo general, en torno a los radiadores.

El otro mozo y Sebastián alternaban el encendido de la calefacción. Correspondía este quehacer una semana a cada uno. Al principio, Sebastián se las vio y se las deseó hasta que logró prenderla tres veces. En lo sucesivo aquella tarea no le planteó problemas de ninguna clase.

Hasta las once sólo caía por el establecimiento algún comprador espaciado, y en esos casos un dependiente se destacaba del grupo para atenderle. Poco después tenía lugar la invasión. Comenzaba a entrar gente y gente y la dependencia se multiplicaba, iba y venía, con un dinamismo enloquecedor. Se oía el rumor de muchas voces, el timbre de la caja, el retumbo compacto de las piezas al ser desenrolladas sobre el mostrador, todo simultáneamente. Sebastián se dividía para no frenar la vitalidad del negocio.

—¡Pequeño, el piqué de 21,80!

Y Sebastián trepaba ágilmente por la escalera, las piezas desfilaban ante sus ojos—rojo, amarillo, beige—a gran velocidad. En los primeros días se aturullaba. Apenas distinguía el piqué de la franela y tanteaba las piezas tímidamente, aguardando que desde abajo le confirmasen: «¡Esa!» Y Sebastián se descolgaba, entonces, con la pieza al hombro. En pocos días se puso al corriente de los tejidos más vulgares y de su ubicación en la estantería. Subía y bajaba, bajaba y subía con pasmosa celeridad. «Después de todo—se decía Sebastián—, yo no tengo el temor de caer y torcerme la columna vertebral.» Oía, desde arriba, el tintineo del timbre de la caja, las frases persuasivas de don Arturo, la galante indicación de Martín invitando a alguna señorita a pasar al probador a ponerse las pieles; veía los furtivos desvíos de la mano de Hugo buscando el contacto de otra mano femenina; el salir y entrar de docenas de personas, la sonrisa de Anita encerrada en su mostrador; y, al fondo, erguido y complacido, don Saturnino, con los pulgares metidos bajo el chaleco, junto a las axilas, viendo su máquina en marcha, el espectacular funcionamiento de aquel taller con piezas y engranajes humanos. E, inesperadamente, otra voz:

—¡El cheviot marrón, muchacho!

Sebastián era el «pequeño», el «chico», el «muchacho»... Le dolió un poco, al principio, esta despectiva forma de designarle, pero acabó persuadido de que en ello no había ofensa, ni desprecio, ni mala voluntad hacia él, aunque algunas veces, sobre todo por parte de Hugo, lo pareciese.

A la una, Sebastián echaba el pestillo y volvía el cartelito de «cerrado». Los rezagados ponían cara de haber perdido un ser querido al topar con el cartel que les vedaba el paso. Aún continuaba el movimiento durante un cuarto de hora. El local se desahogaba por una puerta secundaria. Allí don Saturnino estrechaba manos y decía adiós, muy sonriente, a aquellos que le permanecían fieles hasta el instante de cerrar. Poco a poco iba remitiendo aquella fiebre hasta que el último cliente abandonaba el local. Se oía, en ese instante, un suspiro colectivo, se amontonaban y ordenaban algunas piezas y cada uno tomaba su abrigo del ropero y marchaba a comer.

Don Arturo permanecía un rato con el señor Suárez, hablando y riendo de cosas del negocio. A Sebastián le daba la sensación de que a don Saturnino, entre risa y risa, le iban quedando desgarrones del alma al constatar que cada palabra y cada carcajada de don Arturo le desasía un poco más del fructífero cuerpo social. Poco después el apoderado se marchaba a dar una vuelta por la calle Principal. Era la hora del paseo de los estudiantes y las jovencitas. Pero don Arturo no iba allí a perder el tiempo. Espiaba los escaparates de los competidores con el rabillo del ojo — el pararse detenidamente a examinarlos estaba mal conceptuado —, observaba las preferencias de los jóvenes y las jóvenes y de todo ello extraía luego ventajosas consecuencias que redundaban en la prosperidad del negocio.

Sebastián, embutido en su abrigo raído, con las dos piezas detonantes en los codos, salía solo hacia su barrio. Pronunciaba un «adiós» colectivo y, pasito a paso, se encaminaba a casa, rumiando los nuevos conocimientos, la astucia mercantil de don Arturo, la posibilidad de que algún día pudiese él contemplar, con los dedos pulgares bajo el chaleco, la feliz marcha, fecunda y crematística, de una empresa propia.

Con alguna frecuencia se detenía en la Plaza del Mercado. Allí tenía su cuartel general una pareja pintoresca que concentraba a la multitud a su alrededor. La mujer actuaba como adivinadora y el hombre, que se calificaba a sí mismo como el «doctor cubano», la explotaba y vendía un ungüento prodigioso para cicatrizar heridas. Sebastián había oído hablar con desprecio de aquella mujer, pero él la admiraba. Admiraba aquellas facultades excepcionales que le permitían adivinar las penas y miserias y, también, las alegrías de sus prójimos; admiraba la sencilla manera de mostrar en público su talento y, sobre todo lo demás, admiraba su escasa ambición, ya que, a juicio de Sebastián, de haber explotado sus condiciones en un teatro cualquiera hubiera salido en menos de un año de la miseria.

El hombre formaba el corro, con minuciosidad de artesano, en torno a la mujer, encaramada sobre dos cajones y con los ojos vendados. La gente se arremolinaba esperando el comienzo. Salvo alguna excepción, podía asegurarse que a la pintoresca pareja la circundaba un corro de fe.

—Se pide que te concentres.

Sonaba ronca, gutural y poderosa la voz del hombre, mientras perfeccionaba el círculo de oyentes, empujando a unos y rogando a otros. Su voz, de improviso, se hacía monótona, inarticulada casi, como un murmullo:

—Concentra, concentra, concentra...

El corro iba cobrando una precisión geómetrica. Crecía la expectación y los chiquillos ganaban a empujones la primera fila. Alguien, impaciente, llamaba con un susurro al «doctor cubano» y le hablaba, después al oído. El espectáculo comenzaba:

—¿Quién te pide consulta?

La voz ronca del hombre iba dirigida a la mujer. Ésta se estremecía un tanto por el esfuerzo de la concentración. Al cabo, respondía con una voz agudísima, como un chirrido:

—¡Una señora!

Continuaba el hombre:

—¿Qué desea esta señora?

Y ella, tras leves vacilaciones:

—Esa señora tiene en el pensamiento a su esposo.

La «paciente», arrebujada en su mantón negro, asentía. La adivinadora proseguía desde su improvisado estrado:

—... y desea saber si su marido sanará de su enfermedad.

Se hacía un silencio de muerte. A la consultante comenzaban a brillarle los ojos y una lágrima furtiva rodaba mejilla abajo. Todos la miraban con ansiedad; leían en su rostro como la intimidad que ponía la pitonisa patas arriba era muy cierta. El fallo se hacía desear siempre. Al fin, la adivina sentenciaba de modo inapelable:

—El marido no sanará totalmente de su enfermedad, pero mejorará grandemente.

Hervía el respetable en un murmullo de compasión. A Sebastián le arañaba la garganta la desgracia de la mujeruca del mantón que se alejaba haciendo pucheros y enjugándose las lágrimas con un pañolón de lunares negros.

Y seguían las consultas. De cuando en cuando, el hombre agrandaba o perfeccionaba el corro, y una gran serpiente que le acompañaba sacaba la cabeza de una cesta ante el estupor y el susto de los chiquillos.

—Yo soy el «doctor cubano», y les juro a ustedes que siempre he respetado la primera fila de butacas — reía, nerviosa, la concurrencia — para los niños. Vamos, un poquito más atrás. Se ve lo mismo. — Y nuevamente elevaba su voz, ronca y omnipotente: — Aquí se admiten toda clase de consultas, a excepción de las religiosas, políticas, de abastos y de tasas...

Algunos se marchaban. Entre consulta y consulta, el «doctor cubano» encajaba tubos de pomada con gran facilidad. Los que la habían usado se hacían lenguas de su maravillosa eficacia, y estos elogios constituían un estímulo para los regazados. Ante estas ventas considerables, Sebastián no podía por menos de recordar a don Arturo y establecer un paralelo entre él y el «doctor cubano».

Una mañana, la víspera de Todos los Santos, Sebastián vio acercarse al corro de espectadores a la Aurora, la hija del señor Sixto. La Aurora era muy conocida en el barrio de Sebastián. Llamaba la atención por lo ridículos que resultaban la presunción y el engallamiento en un ser tan poco atractivo. Usaba unas gruesas gafas que acentuaban el ungüento verde oscuro con que se acicalaba los bordes de los ojos. Era corta, ancha y culibaja, y, aunque gastaba mucho en vestirse, tenía un aspecto desolador.

Parecía preocupada aquella mañana. Con una marcada habilidad de tornillo logró internarse hasta la primera fila. Desde allí siseó varias veces al «doctor cubano», hasta que éste se aproximó a ella. Sebastián se preguntó qué es lo que aquella criatura tendría, en su intimidad, de consultable.

—¿Quién te pide consulta?

Por centésima vez en aquella mañana repitió el doctor su interrogante.

—Una jovencita...

Aurora se arreboló un poco.

—Y, ¿qué desea esta jovencita?

—Esta joven tiene en el pensamiento a su novio... Y desea saber... —se detuvo la pitonisa, como midiendo el alcance de su futura frase— si su novio volverá a ella.

Los soldados y varios hombres de mono y tabardo que rodeaban al «doctor cubano» estallaron en una carcajada. Fue todo visto y no visto. La Aurora se arrepintió de su osadía, volvió la espalda al doctor y se abrió paso a codazos entre la multitud. Luego echó a correr como si la serpiente del «doctor cubano» la persiguiese. La carcajada, entonces, se hizo general. El hombre se encogió de hombros y prosiguió, dando forma al corro:

—Yo, el «doctor cubano», les juro a ustedes que siempre...

Sebastián se alejaba también. Pensaba en la Aurora, en la inexplicable conducta de la Aurora. Después de todo, a él nada de ella le importaba, pero aquella absurda consulta al «doctor cubano» le colmaba de curiosidad.

Al llegar a casa encontró a su madre atendiendo la cocina y a Orencia, con los ojos llorosos, que encendía un braserillo. Sebastián se fue a su cuarto. En la cabecera de su cuarto había un pintarrajo de San Ignacio de Loyola. Y, al verle, por un momento, se le hizo a Sebastián que aquella mañana no había salido aún del Almacén. En seguida se dio cuenta de que la pintura de San Ignacio era una reproducción exacta del semblante de don Saturnino Suárez, y aquello le pareció un gran milagro.

La Orencia entraba ahora con el brasero y lo introdujo en una pequeña camilla, vestida indecorosamente con una falda de color claro, llena de manchas de vino y churretes de grasa. Tres sillas y un aparador polvoriento y desvencijado completaban el mobiliario. En los cuartos de los lados dormían Aurelia y Orencia, y, en la alcoba de la misma habitación, Sebastián.

La niña, como era frecuente en ella, se quedó quieta mirando a su hermano. A Sebastián no le agradaba esta silenciosa y concentrada contemplación. «Me está midiendo, me está midiendo», no podía por menos de pensar cuando veía unos ojos posados en él, aunque éstos fuesen los de su hermana. Carraspeó y se sentó al brasero. La pequeña continuaba observándole, indiferente.

—Oye, Orencia... — murmuró de pronto Sebastián.

La niña no se inmutó. Prosiguió el hermano:

—Mañana son los Santos y pienso ir al cementerio a llevar unas flores a nuestro padre. ¿Querrás venir conmigo?

—Bueno, te acompañaré.

Aceptaba Orencia como si con ello le hiciera un favor, no por impulso espontáneo.

Por la puerta del pasillo se adentró la avinagrada voz de Aurelia, llamando a la niña:

—¡¡Orencia, Orencia!!

A Sebastián le arrastraba una impresión de asco al escuchar aquella llamada conminatoria, como si el nombre de la pequeña llegase sumergido en vino y arropado en la grasienta cazadora militar. Le mortificaba ver a su hermana trabajando como un burro de carga de la mañana a la noche, sin una expansión ni un rato de regocijo. Y las punzadas lancinantes que le asaeteaban el alma se hacían más dolorosas cuando escuchaba en la calle el murmullo jaranero de sus pequeñas vecinas, las de la edad de Orencia, jugando al corro o saltando a la comba.

Comió poco y, sin un rato de sobremesa, salió para los Almacenes. Eran aquellos unos días de mucho movimiento; la gente se preparaba para sortear el invierno y se vendían muchos artículos de abrigo. Sebastián subió y bajó, trepó y descendió cientos de veces por aquella escalera de la tienda que, en dos semanas, se le había hecho familiar. En tanto pensaba en Orencia sin conseguir tampoco desentenderse de la imagen de la Aurora frente al «doctor cubano», indagando por el novio fugitivo. Entre el repiqueteo del timbre de la caja y las frases persuasivas de don Arturo se alzaban las sombras de su hermana y de la Aurora eclipsándolo todo, como si se erigiesen en los núcleos fundamentales de su existencia.

Ya de noche salió del Almacén. La gente paseaba por la calle a pesar del frío inclemente. Las confiterías iluminaban bandejas repletas de buñuelos de viento y huesos de santo. (Imaginó Sebastián que entre éstos se encontrarían los de su padre: pequeñitos y dulces, así se había imaginado siempre él los huesos de su progenitor.) La Plaza del Mercado se hallaba alfombrada de pétalos de flores y la gente los pisaba sin inmutarse, los mataba con los tacones, pensando, quizá, que no les estaba permitido evadirse de la función de preservar el reposo de los muertos.

Aquella noche, al desnudarse, se avergonzó Sebastián de hacerlo ante los ojos húmedos y paternales del señor Suárez. Alargó la mano y volvió el cuadro de San Ignacio contra el tabique. Más tranquilizado, se desprendió de los calzoncillos y de la renegrida camiseta — ambos llenos de agujeros, como si estuviesen comidos de las cucarachas —, se metió en la cama y apagó la luz. Luego se quedó pensando mucho rato en la oscuridad.

CAPÍTULO III

DESPUÉS de comer, Orencia y Sebastián salieron de casa para ir al cementerio. Las calles, aunque arrasadas por un viento helado, se veían muy transitadas. Había en ellas más luto que de costumbre, como si todos hubiesen reservado los trapos negros con que se tocaban para ir a saludar a sus muertos. Se adivinaba en la gente un afán de emulación, de adornar las tumbas familiares con mayor primor que el vecino.

El mismo Sebastián no se libraba de este sentimiento. En la Plaza del Mercado se detuvo para comprar unas flores. Los tenderetes, que usualmente expendían puntillas, carretes y ovillos de hilo, plumines, horquillas, herretes y otras bagatelas, se veían hoy atestados de flores y coronas mortuorias. Había allí claveles, dalias, pensamientos, crisantemos... Sebastián caviló, antes de decidirse, durante unos minutos; al fin, sonriente, escogió dos ramilletes de crisantemos. En el fondo, aun sin él darse cuenta, pensaba: «Sí, con esto mi padre estará más guapo y distinguido que los demás muertos. Sobresaldrá de todos sus contertulios del camposanto». Y, cogidos de la mano, Orencia y Sebastián se perdieron en un laberinto de calles.

Formaban una pareja inefable y grotesca. Sebastián,

con su traza física, acentuada por las deplorables prendas que vestía, y, a su lado, la niña, alta y espigada, más alta que Sebastián, con los ojos muy grandes, muy abiertos y muy asustados, el cuerpecillo embuchado en un raído abrigo gris claro que apenas le ocultaba los flacos muslos y con una tiñosa pielezuca de conejo protegiéndole el cuello.

Pronto dejaron atrás el casco urbano. Los edificios de pisos iban diseminándose y aparecían primarias barracas y casechas miserables de una sola planta, rodeadas de pequeños huertos. La carretera, bordeada de cipreses, semejaba una interminable procesión de capuchones como las que recorrían la ciudad durante la Semana Santa. Orencia y Sebastián apenas hablaban; si es caso, se transmitían sus emociones por el contacto de las manos. La gente iba y venía, unos despacio, de prisa otros, algunos en lujosos automóviles, muchos en los gruñones y renqueantes autobuses de la ciudad que, al tomar cada curva cerrada, amenazaban con acostarse allí para no volver a levantarse. (Soñarían con nostalgia los viejos trastos que al cabo de los años, cuando el comercio se normalizase entre los pueblos llegarían, quizá, a la ciudad brillantes y aerodinámicos autobuses que acudirían, como ahora hacían los hombres, a regar de crisantemos sus lechos eternos.)

Orencia y Sebastián adelantaban, perdidos en el barullo. La gente hablaba a su alrededor con una locuacidad desenfrenada, como si acabaran de percatarse de la conveniencia de flexionar la lengua un número determinado de veces antes de servírsela de pasto a los gusanos.

Encerraba mucha belleza aquel camposanto; una belleza de tránsito, no enteramente de este mundo, pero tampoco del otro. Sebastián recorrió varios paseos con respeto y un tanto sobrecogido. Orencia miraba a los lados y, de repente, soltó la mano de su hermano y se llevó las dos suyas al rostro sofocando un grito:

—¡Sebastián, me ha rozado un ánima; me ha dado en la cara, te lo aseguro!

La niña se había exaltado y estaba a punto de llorar. Desmanotadamente trataba de arrancarse la turbadora sensación que notaba impresa en la mejilla.

—¡Tonta! Si es una tela de araña — rió Sebastián.

—No lo es, no lo es. ¿Dónde está la tela de araña?

—Anda, dame la mano y no tengas miedo.

(Los temores inconcretos de Orencia preocupaban mucho a su hermano; esto era lo único que arrancaba a la niña de su habitual indiferencia por todo. Ni los golpes ni las reprimendas de Aurelia la rozaban; sólo podía con ella aquel pánico infundado, absurdo, que la poseía a toda hora.)

El señor Ferrón tenía su última morada en un extremo del cementerio. Allí una humilde losa gris decía simplemente: «Don Sebastián Ferrón. 1893-1932. R. I. P.» Y arriba de la losa había sido horadada una cruz.

Sebastián se detuvo y esparció, con minuciosa precisión, los crisantemos sobre la tumba; después comenzó a orar un poco maquinalmente. A poco, observó de reojo a la Orencia y se dio cuenta de que la niña no rezaba. Interrumpió un Padrenuestro:

—¿Por qué no rezas por nuestro padre, Orencia?

—Él no era mi padre.

Sebastián se agitó sobresaltado:

—No digas esas cosas, mujer.

—¿Por qué no voy a decirlo, si es cierto? No vayas a crer que todavía soy una tonta.

Orencia advirtió la compunción de su hermano:

—Anda, Sebastián, rezaré por él contigo, si tú lo quieres. No importa que él no fuera mi padre.

Rezaron muy quietos y muy juntos, bajo la atmósfera reposada y yerta del camposanto. La tarde iba cayendo imperceptiblemente sobre ellos. Una picaza infatuada galleaba desde la picuruta de un alto y fantasmal ciprés. Transcurrido un corto rato, Sebastián se levantó, volvió a tomar de la mano a su hermana y ambos caminaron pausadamente hacia la puerta.

En una plazoleta del cementerio se erguía un severo monolito de mármol con una pequeña capilla en la base. En el frontis de la capilla decía: «Panteón de hombres ilustres», y a continuación, en una lápida blanca, se alineaban hasta dos docenas de nombres. (Sin querer le recordó a Sebastián aquella sucesión de líneas negras los castigos del Colegio — en los tres años anteriores a la muerte de su padre — cuando le ordenaban copiar hasta un centenar de veces aquello de que «los niños deben ser educados».) Sebastián leyó algunos nombres ilustres y suspiró. «Después de todo — se dijo —, su cama no es ahora mejor que la de mi padre; ni sus huesos serán tampoco más duros y resistentes.»

La puerta del camposanto vomitaba toneladas de gente negra. Las tragaba con flores y sonrientes y las devolvía sin flores y apesadumbradas. De aquel constante ir y venir dedujo Sebastián que la vida, la vida toda, consistía simplemente en eso: en ir y venir, en fluctuar, hasta que la guadaña de la muerte segaba la última trayectoria.

Se adentraron por el camino de cipreses, en ruta hacia la ciudad. Se iba haciendo de noche y algunos farolillos mortecinos comenzaban a encenderse a los costados de la carretera. El viento había amainado o les daba ahora de espaldas y se hacía menos sensible. En las calles, la multitud festejaba el día saliendo de casa, sin motivo ni rumbo, deseosos de dejar volar tres horas grises a la intemperie, badulaqueando, para convencerse de que aquello era, a la postre, un día de fiesta y se veían libres de la tiranía de la oficina, de la tienda o del taller.

Al pasar ante una confitería, Sebastián se detuvo. Acababa de experimentar como un irresistible impulso de ternura que le impelía a abrazar y estrechar contra sí aquel manojo desgalichado de huesos que era la pequeña.

—Te voy a convidar, ¿sabes?

—¡Uy, qué gusto! —sonrió Orencia.

Y pegó su roja naricita a la vitrina. Tras unos minutos de indecisión, señaló con el dedo un hueso de santo relleno de pasta de fresa:

—Ese, yo quiero ese.

Penetraron los dos, y Sebastián pidió dos huesos de santo. Mientras comía el dulce, observaba la delectación de la pequeña socavando el canuto con la afilada punta de la lengua. Al pretender pagar se dio cuenta de que las golosinas importaban un real más de sus posibilidades. Se aturdió Sebastián:

—Mire, no tengo más que dos veinticinco. Yo creí... Me parecía que tendría bastante y...

La mujer, una mujerona como una torre, obesa y coloradota, torció el gesto. Añadió Sebastián, tartamudeando:

—Yo puedo dejarle en prenda lo que usted quiera... Desde luego...

—No hace falta; ya pasarás mañana por aquí.

Sebastián se sonrojó:

—El caso es que hasta el domingo no podré disponer de dinero.

—Bueno; pues el domingo te espero.

Salieron. Su impotencia económica le había arrebatado a Sebastián el buen gusto del dulce; su impotencia y el tuteo impertinente de la confitera. A Sebastián le dolía ver cómo pasaban los años sin que su personalidad aumentase por ello; le mortificaba que en todas partes le considerasen como un chiquillo, sin pizca de poder de representación. Parte de ello lo achacaba a su dependencia económica, a aquel no poder desprenderse de dos pesetas sin amenazar gravemente el equilibrio de su asignación dominical. Pero otra parte la llevaba él mismo a cuestas, con su insignificante porte y aquella cara de niño pequeño, de niño triste y atolondrado. Sebastián hubiera deseado sólo por esto, sólo por verse tratado de usted y oírse llamar «don Sebastián», alcanzar un puesto importante, codiciado, en la vida. Añadía un nuevo grado a su depresión el hecho de que Orencia hubiera sido testigo del despectivo trato de la confitera. La pequeña, colgada de su brazo, se relamía aún los labios de placer. De pronto pareció conectar sus pensamientos con los de su hermano:

—¿Cuánto te da ahora madre los domingos?

Le molestaba a Sebastián tratar este problema con Orencia.

—Lo mismo que antes.

—¡Uy! ¿Lo mismo que cuando trabajabas en la tienda del señor Sixto?

—Igual.

—¿Siete pesetas, entonces?

—Sí.

—Es poco.

—Sí, no da para comprarse un coche.

Atravesaban ya la Plaza del Mercado y penetraban en su calle, estrecha y animada. A la derecha, el pacífico paredón ciego del convento de los capuchinos parecía una sucursal del cementerio, tal era su imperturbabilidad y su reposo ancho y macizo. Allí, al lado, unos chicos ataban una lata al rabo de un perro. El chucho acabó perdiendo la paciencia y, revolviéndose contra ellos, soltó dos potentes ladridos. Los chiquillos, atemorizados, rompieron a correr, desparramándose y riendo convulsivamente. Mas, al poco rato, los rapaces tornaron a la carga y era el can, ahora, quien trotaba arrastrando un llanto quejumbroso y agudo a lo largo de toda la calle.

Los portales del barrio eran lóbregos y oscuros como carboneras. Las tiendas mantenían cerradas las trampas. Algunas mujerucas vendían naranjas y cacahuetes desde los tenderetes montados en las aceras. Los novios pasaban cuchicheando muy juntos y, algunos, se escondían, amartelados, en los negros portales. Al fondo de la calle, el cine iluminaba los muros pardos de la parroquia situada enfrente, con un resplandor rojizo. Ante la taquilla se retorcía la cola como una serpiente de un centenar de segmentos articulados. Los tenderetes se multiplicaban ante la puerta del teatrillo y las vendedoras no se retraían de pregonar sus mercancías a voz en grito.

Orencia y Sebastián se zambulleron en el portal de su casa. El monstruíto de la cabeza de león y los pechos cónicos les observó desde el remate de la barandilla. (Aparentaba abrir más los ojos cuando alguien se aproximaba.) El portal se mantenía casi a oscuras, apenas rotas las tinieblas por una bombilla de luz amarillenta, encerrada en una jaula en el vano de la escalera. Ascendieron Orencia y Sebastián y llamaron en su piso. Salió Aurelia a abrirles. Sebastián se quedó pasmado, mirándola incrédulo. Se había despojado de la horrible cazadora parda y hasta se había peinado sus cabellos débiles y zarriosos.

—Pasad, niños; tenemos visita.

Orencia y Sebastián se miraron en silencio. Aurelia les sonreía y les daba palmaditas en los hombros como una madre derretida de ternura.

—Venid, venid por aquí...

Les abría la puerta de la habitación de la camilla. Pasaron. A Sebastián fue la presencia de la visita lo que le hizo reparar en el aspecto desolado de la habitación. (La camilla se levantaba triste y fría en el centro de la estancia polvorienta. En derredor, tres sillas, con el asiento de paja, dos de ellas ocupadas por doña Claudia y la Aurora y la otra caliente aún del opulento trasero de Aurelia. Un viejo y mohino aparador apartado en una esquina completaba el frugal mobiliario.) Sebastián se dirigió hacia su antigua patrona y la saludó, preguntándole, en un murmullo, por el señor Sixto. Luego estrechó la mano de la Aurora, a quien, no sabía si por los efectos de luz de su casa, encontraba pálida y desmejorada. La niña se quedó tiesa e inexpresiva bajo el marco de la puerta.

—Vamos, saluda a estas señoras.

Su madre la conminaba, mas Orencia se encerraba en su hosquedad un poco salvaje. La imponía el sombrero aparatoso de doña Claudia y los ojos abesugados de Aurora que se la metían en la carne, agrandados por aquellos cristales como culos de vaso.

—Hola.

Pronunció, al fin, la niña un «hola» como un ladrido y salió disparada a encerrarse en su habitación.

—Discúlpela, doña Claudia, es muy hurona.

Se estiró la boca de doña Claudia en un amago de comprensiva sonrisa:

—¿Y cómo te va, Sebastián, en tu nuevo cargo?

Doña Claudia le interrogaba con ironía. Sebastián se sintió incómodo:

—Bien; hasta ahora estoy contento.

Su madre se había sentado de nuevo y él era ahora el único que permanecía de pie.

—Creo que estás de «botones» en los Almacenes Suárez, ¿no es así?

—No, señora; estoy de mozo.

—¡Ah!

Al decir «¡ah!» levantó la cabeza y un pájaro artificial encaramado en la copa de su sombrero retembló. Habló Aurelia:

—Doña Claudia se ha acordado del aniversario de tu padre, Sebastián. Ése es el motivo de su visita.

Sebastián quiso agradecerlo, pero no pudo; no se sentía capacitado para comprender cómo aquellas dos mujeres se acordaban del señor Ferrón al cabo de catorce años. Por primera vez en la vida, creía recordar Sebastián, ocurría esto. Por más que el aniversario de su padre no era ahora, sino en julio. No se pudo contener:

—Pero mi padre murió el 13 de julio.

Se sonrieron entre sí las tres mujeres. Su madre tomó la palabra:

—Ya lo saben, Sebastián; pero mañana son las Ánimas Benditas y es el aniversario de todos los «fiambres».

Fue muy desagradable para Sebastián oír tratar a su progenitor de esta manera. Y más por boca de Aurelia. No obstante, como tantas veces, no dijo nada. Doña Claudia cambió el rumbo de la conversación, después de mirar en torno:

—Es ésta una habitación muy guapa. (¿Por qué le infundían desaliento a Sebastián estos adjetivos tan traídos y llevados por los vecinos del barrio?) ¡Vaya que sí! Podrían ustedes sacar mucho partido de ella...

—Ya lo creo; no le falta razón, doña Claudia.

Prosiguió la señora de don Sixto:

—Si vieran ustedes qué maja hemos puesto ahora nuestra salita de estar, ¿verdad, Aurora?

—Sí, mamá.

—La hemos puesto al estilo Luis XV. Hemos comprado en un «antiguario» unos mueblecitos muy estilizados. Estilizados Luis XV, ya les he dicho antes...

(Sebastián sufría por su madre. La veía rígida como

una roca, con una sonrisita boba curvándole los labios; impenetrable por completo a las insensateces de doña Claudia. Tan sólo de vez en cuando lanzaba un ruidoso chorrito de aire por los intersticios de los dientes para purificarles de elementos nocivos. Y el sonido que producía entonces era semejante al de un ruiseñor joven que aún no ha aprendido a cantar.)

—Luego hemos forrado la sillería con un raso muy mono de florecitas, ¿verdad, Aurora?

—Sí, mamá.

—Ha quedado muy cuco; sí, muy cuco. Pero todo tan caro. Los «antiguarios» se han puesto por las nubes. Me acuerdo yo antes de la guerra...

(Sebastián recordaba pocas cosas de la preguerra; pero las suficientes para evocar la ínfima tiendecita del señor Sixto, en un cuchitril próximo al lugar que ahora ocupaba el cine y donde sólo se despachaban bolas de anís, regaliz de palo, canicas de dos colores, ajos, castañas pilongas y cajas de chiclé conteniendo dos pastillas rosadas. Si la señora Claudia acudió a un anticuario antes de la guerra sería, a no dudar, para desprenderse del resto de un posible patrimonio familiar.)

—Entonces se encontraban las cosas a un precio razonable. Pero ahora, ahora todo el mundo no piensa más que en ganar aunque sea a costa de la sufrida piel del prójimo.

Aurelia pudo, al fin, intervenir:

—Y que usted lo diga, doña Claudia; la vida está cinco veces. Antes se vivía con nada.

—No tiene usted que decírmelo. (Retemblaba otra vez el pajarito del sombrero de doña Claudia.) Vea usted los automóviles. Sixto hace tiempo que anda tras uno, pero no se decide. Y hace muy bien. ¿Qué dirá usted que le piden por un «Sevrolet» del año treinta?

—¿Cinco mil duros?

Aurelia puso los ojos en blanco sólo de insinuar esta cifra.

—Ponga cinco mil más.

—¿Diez mil duros por un automóvil viejo?

—Ni uno más, ni uno menos.

Aurelia quiso demostrar bien a las claras su pasmo:

—¡Hay que amolarse!

(Sebastián se sintió invadido por una corriente muy viva y caliente de sangre. Se sofocó. Aquellas explosiones de perplejidad de Aurelia le ocasionaban náuseas, le hacían tener presente continuamente la maldita cazadora parda, plagada de lamparones de vino y de grasa.)

Aurora arrastró hacia atrás la silla y se aproximó a Sebastián. Las dos madres cambiaron una mirada de entendimiento.

—¿Me quieres enseñar tu casa, Sebastián?

Éste se acogió al escape que se le presentaba:

—Bueno, pero te advierto que es muy fea.

Pasaron al cuarto de Aurelia. Allí languidecía sus penas la horripilante cazadora, tumbada sobre la cama de su madre. Todo estaba sucio, desbaratado y en desorden.

—Es una habitación muy hermosa, ¿qué tendrá? ¿Seis metros por tres?

Aurora se mostraba discreta. De aquella destartalada habitación no cabía decir otra cosa. Sebastián asintió y se sobrecogió de un íntimo rubor cuando se adentraron en su alcoba:

—Aquí duermo yo.

Aurora soltó una risita:

—¿Y es capricho tuyo poner los cuadros del revés?

Reparó Sebastián en el San Ignacio vuelto de espaldas la noche última. Le era duro confiar a Aurora los motivos de esta particularidad. Se hubiesen visto complicados en la confidencia don Saturnino, las cucarachas y, sobre todo, sus calzoncillos; por eso prefirió callar.

—Lo habré hecho sin darme cuenta.

—¿Eres sonámbulo?

Notaba Sebastián que jamás Aurora se había comportado con él con la cordialidad agresiva con que ahora lo hacía. Aurora, aunque fea, se había visto siempre muy solicitada, porque en el barrio, casi en la ciudad entera, tenía fama de atrevidilla y pindonga. A Sebastián le miraba por encima del hombro, sin olvidarse de que aquel hombrecillo ruin y torcido era, a fin de cuentas, el recaderillo de la tienda de su padre. De repente, todo aparecía distinto. Una Aurora instintivamente pegajosa y cordial le hablaba en melosos tonos y le dirigía, por entre los pequeños círculos concéntricos de sus gafas, húmedas y melancólicas miradas de carnero degollado. Sebastián atribuyó el cambio a la importancia de su colocación actual.

Alrededor de la camilla proseguía el monólogo de doña Claudia, mientras la mirada tonta de Aurelia continuaba dilatándose con asentimiento. Aurora y Sebastián alcanzaron el pasillo. Aquél señaló a su huésped la primera puerta a la derecha y dijo en voz baja:

—Ésta es la habitación de Orencia. —Y añadió, disculpándose: —Pero ella está dentro ahora.

Pasaron de largo hasta la cocina. Pensó repentinamente Sebastián que era absurdo todo cuanto acontecía esta tarde en su casa. Y lo más absurdo de todo, aquella detenida inspección de su hogar por parte de la Aurora. (Un hogar deplorable, sin nada que ver, como no fuese la inmundicia y el polvo que se acumulaba en los rincones.)

Al dar la luz de la cocina, tres ratones pequeñitos y de una nerviosa movilidad saltaron de la lata de la basura, que apestaba a restos podridos, y se refugiaron en el cuchitril de la leña. A Sebastián le abochornó este detalle:

—Ésta es una casa muy ratonera — se justificó.

Aurora trascendía optimismo y comprensión:

—Todas las casas viejas son ratoneras.

Él se vio plantado, sin nada que añadir, pero el recuerdo de la tarde anterior vino en su auxilio:

—Ayer te vi donde el «doctor cubano».

Se sonrojó Aurora y comenzó a retorcer mecánicamente las cuatro puntas de un pequeño pañuelo. Ambos se recostaban en el fogón y oían, lejano como un arrullo, el rumor del monólogo de doña Claudia. Inesperadamente Aurora le miró con confianza, sin disimulo:

—Estoy muy desengañada, ¿sabes, Sebastián?

Este desahogo confidencial le aturdió momentáneamente:

—¿Qué te ocurre, Aurora?

La costaba arrancarse. No respondía en seguida, sino después de una pausa reflexiva:

—Nada concreto, pero estoy harta de tontear.

Él se aventuró:

—¿No tienes novio, ahora?

—¿No me viste en el «doctor cubano»?

Se azoró Sebastián:

—Sí.

—Entonces ya sabes que no. — Guardó silencio un momento. — Toda esa serie de novios no me ha dado ninguna felicidad, créeme.

(Se preguntaba Sebastián qué habría imprimido en el alma de Aurora un viraje tan radical y qué es lo que la llevaba ahora hasta él para desembucharle de este modo sus desengaños. Aurora inclinó la cabeza sobre el pecho.)

—He flirteado mucho, mucho... Tal vez demasiado, Sebastián...

Parecía apesadumbrada y mustia:

—... y no creas que por ello tenga el alma más llena

—añadió. A Sebastián comenzaba a removerle por dentro un inconcreto sentimiento de compasión. Se percataba de que no siempre las desgracias propias son las más lamentables de las que pueblan el Universo; que a veces hay criaturas que parecen dichosas, plenas, y luego están huecas y vacías como un tambor. Y en un minuto de intimidad vuelcan sobre nosotros su podredumbre y su miseria espiritual. La sensibilidad de Sebastián se estremeció al contemplar cómo se empañaban de lágrimas los gruesos cristales de las gafas de la Aurora:

—Si yo puedo hacer algo por ti.

—¡Oh, no te preocupes! Son tonterías mías. Todo esto son tonterías mías.

Puso una mano sobre los dedos deformes y achatados de Sebastián y el infeliz se sobrecogió al notar la tenue caricia. Era la primera vez que recordaba haber percibido sobre su piel el tibio contacto de otra piel humana acariciándole.

—Anda, vámonos allí; me ha gustado mucho tu casa; es un mundo de posibilidades...

Avanzaron por el pasillo hasta el cuarto donde departían Aurelia y doña Claudia. Ésta se levantó al entrar ellos:

—Te estaba esperando, Aurora. Yo creo que debemos marchar.

Aurelia intentó retenerlas. Sebastián se confundió al ver abalanzarse a su madre sobre doña Claudia y sellarle las mejillas con dos espontáneos y ruidosos besos. Con Aurora hizo otro tanto y a Sebastián le pareció advertir en el rostro de la chica una mueca de repugnancia. Cuando él le estrechó la mano se sonrieron levemente con una sonrisa de sabrosa complicidad.

Aquella noche fue para Sebastián un constante revolverse en un mar de incertidumbres. No comprendía nada de lo que había acontecido por la tarde; la visita de los

Fernández, las confidencias de la Aurora, el brusco afecto de su madre hacia ellas; todo, todo, le llenaba de estupor. Pero, sobre las demás cosas, le enardecía el recuerdo de la mano de Aurora sobre la suya, palpándole, confiándosele, como si se sintiese más sola e impotente que él mismo. No se le ocultaba la fealdad de la hija del señor Sixto; mas, al tiempo que la reconocía, notaba cobrar vida dentro de sí un anómalo y vago sentimiento, mezcla de compasión y desconocida ternura.

Sebastián daba vueltas sobre sí mismo sin lograr dormirse. Se le calentaba la oreja emparedada entre la almohada y la cabeza y cambiaba de postura poniéndose boca arriba. Tampoco así se encontraba bien. Se le hacía que el almohadón iba endureciéndose paulatinamente hasta hacérsele irresistible el duro contacto con la nuca. Se recostaba del otro lado y, a consecuencia de estos movimientos, las sábanas se plegaban y se le hincaban en el cuerpo, desazonándole.

Había oído dar las once en una torre lejana y luego repetirlas como un eco al viejo reloj de los Capuchinos. Por la calle discurrían, hablando a gritos o cantando, algunos grupos de borrachines. Sebastián tornaba a estirarse o a encogerse entre las sábanas. Llegó a pensar si la visita de doña Claudia y Aurora a su madre no perseguiría su regreso a la tienda del señor Sixto. Ante esta posibilidad todos los nervios de su cuerpo se tensaron en una maquinal rebeldía. En seguida rechazó esta figuración absurda, repitiéndose que él, en realidad, era un material humano de desecho que si se adquiría era por simple conmiseración.

Los minutos seguían huyendo, desvaneciéndose. Sebastián no paraba inmóvil un momento. Oyó dar el cuarto, las once y media y las doce más tarde. Apenas terminó la última campanada comenzó, austero y crispante, el toque de ánimas. Los tañidos, distanciados y profundos, parecían acariciar el barrio como una aspersión de eternidad, imprecisa y queda. Rebotaban las campanadas en el silencio, arrastrando una estela lúgubre y monótona que trepidaba, un momento, en las tinieblas. Pero era el intervalo, largo, denso, entre una y otra campanada, lo que ponía a Sebastián al acecho, sobresaltado. Esta expectativa enredaba sus nervios de una manera diabólica. De pronto, percibió un grito de terror en la habitación de al lado. Seguidamente escuchó el movimiento alocado de un cuerpo que choca con sillas y trastos al tratar de rebullirse presuroso en la oscuridad. Sebastián se erizó todo él al oír, acto continuo, junto a sí, entre las tinieblas, un llanto crispado y convulsivo. Tanteó en la oscuridad buscando la pera de la luz y cuando apretó el botón pareció cerrarse aún más la tenebrosidad por encima de sus ojos. Oyó entonces la voz entrecortada de la Orencia a su lado:

—No te molestes, Sebastián... El apagón es a las doce.

Se acordó súbitamente del nuevo régimen de restricciones eléctricas. (Creyó oír la voz del señor Sixto, echándoselas de gracioso, repitiendo que el español era un temperamento tan original que inventaba antes el automóvil que la gasolina. Luego, añadía, ha de esperar a inventar ésta para hacerle andar. Y se reía. Se reían todos los que llenaban en aquel momento la tienda, la dependencia y la clientela.) Con un esfuerzo se incorporó Sebastián a la actualidad:

—¿Qué te sucede, Orencia?

Le contestaron varios agitados sollozos. Él se sentó en la cama:

—Dime, ¿qué te pasa? — insistió.

—¿No oyes?, ¿no oyes? — repetía la Orencia, horrorizada. (Y el toque de ánimas se filtraba por las rendijas del balcón, pausado y espectral.)

—¡Bah! ¿Eres tonta? Son las campanas.

La sintió apretar la cara contra la colcha convulsivamente. Pesaba la noche por encima de ellos como si la atmósfera fuese de plomo.

—No seas niña, Orencia; las campanas tienen que tocar así toda la noche.

Por la cabeza de la niña desfilaban fugazmente imágenes aterradoras. Se figuraba a los espíritus rozando con las sábanas blancas los bronces de las campanas, chocando y rebotando contra los vanos de las altas torres.

—Son las almas en pena las que tocan así, Sebastián; estoy segura.

—¿Tienes una cerilla? —inquirió él.

—Las tiene madre; yo no tengo.

Un tañido más grave que los demás produjo un ataque de histerismo en la chiquilla:

—Ésa es el alma de tu padre, Sebastián. ¿Crees que me atormentará así por no haber querido rezar nunca por él?

—Mi padre está en gloria; era muy bueno, Orencia.

—Tengo un miedo horroroso; ¿te importa que traiga mi colchón y duerma aquí?

Sorbía los mocos la pequeña de un modo mecánico, al tiempo que se comía las lágrimas. Los cuchicheos en la oscuridad matizaban misteriosamente la conversación.

—Bueno.

—Voy por él.

La oyó correr de puntillas, por la tarima, con los pies desnudos. El «tan-tan» de las campanas se repetía con una insistencia de pesadilla. Se le ocurrió, de súbito, a Sebastián que estaba obrando egoístamente y se tiró de la cama dispuesto a ayudar a Orencia.

Hacía un frío terrible en la casa, un frío que los tañidos metálicos y lejanos avivaban. Atravesó su habitación y entró de puntillas en el cuarto de su hermana. Avanzó dos pasos en la oscuridad y tropezó con ella. Un grito desgarrado de la niña le hizo vacilar:

—Soy yo, Orencia; no te asustes.

La pequeña se revolcaba sobre la cama, poseída de un irrazonable pánico. Entre sollozo y sollozo gritaba, sin preocuparse de atenuar la fuerza de su voz:

—¡Dios, qué susto me has dado! ¡Dios, qué susto me has dado!

Sebastián la incorporó y tomó el colchón en sus brazos:

—Vamos, ven conmigo; eres una boba.

Entraron en su alcoba. En este momento oyeron a Aurelia murmurar algo ininteligible. Los dos se quedaron quietos, Sebastián con el colchón el alto y su hermana pegada a él. Aurelia seguía rezongando cuando apareció en la puerta de comunicación con una vela en la mano. Se sorprendió al ver aquel cuadro inesperado:

—¿Qué andáis haciendo, condenados? Parece ésta una casa de locos.

Sebastián se explicó:

—Orencia tiene miedo; quiere dormir aquí, conmigo.

La llama iluminó la faz estupefacta de la madre, inundándosela de espectrales contraluces.

—¿Miedo? ¿Miedo de qué?

Sonó, hueca, la voz de Sebastián:

—De las campanas.

Los dos ojos enormes de la pequeña se centraban implorantes en su madre. Temía lo que seguidamente aconteció:

—¡Basta de tonterías! —dijo a gritos Aurelia—. Cada uno a su cuarto...

—¡¡No!!

La rotunda oposición de Orencia resonó en la casa en tinieblas como un estampido.

—¿Cómo no, mocosa? Tú a dormir a tu cuarto, aunque te ensucies las bragas de miedo, pedazo de histérica. Ya te voy a quitar yo a ti esos ridículos nervios...

Orencia rompió a llorar crispadamente. Aurelia se acercó a ella y la golpeó dos veces con violencia:

—¡Calla ya, puerca!

La niña ahogó su llanto y se encaminó nuevamente a su habitación. Detrás de ella caminaba lentamente Sebastián con el colchón a rayas en alto.

Poco después no se oía en la casa más que el eco solemne de los bronces, entreverado de los sollozos de Orencia. Y cuando Sebastián, al empezar a amanecer, hizo una visita a la niña, la encontró dormida debajo del colchón y con dos pedazos de trapo sucio metidos en los oídos.

CAPÍTULO IV

La temporada de otoño fue magnífica para los Almacenes. Se superaron con mucho las ventas de años anteriores y todo hacía presagiar que los rumores de crisis económica de que la gente hablaba con la convicción que da el desconocimiento no pasarían de ser una falsa alarma. La nave marchaba viento en popa, bien avituallada por su capitán, don Saturnino Suárez, y expertamente arrumbada por don Arturo, el segundo de a bordo.

A mediados de noviembre, el señor Suárez marchó a Barcelona a hacer unos pedidos importantes para la temporada de primavera. A los quince días regresó, y cuando se vio rodeado de sus fieles subordinados pronunció, con énfasis, las añoradas palabras:

—Amigos míos, eso de la crisis es un camelo.

Y cada cual redobló su actividad pensando que no había nada que temer en lo sucesivo; que don Saturnino venía de Barcelona y tenía sobrados motivos para saberlo todo a ciencia cierta. Y la máquina continuó funcionando sin un fallo, don Arturo persuadiendo a la clientela a la vista de todos, Martín desde el probador y los dos hermanos altos y rubios entreverando su actividad mercantil con los pronósticos futbolísticos para la jornada inmediata.

A Sebastián no le hacía gracia constatar que la atmósfera un poco tirante y respetuosa, por lo que a él se refería, de los Almacenes, iba trocándose, con el correr del tiempo, en un clima chocarrero y de confianza, en el que él llevaba la peor parte. Siempre le había sucedido lo mismo. En cualquier agregación humana que cayese se desarrollaba análogo proceso. Primero un irónico actuar a sus espaldas que se delataba en tenues y espaciados cuchicheos, una carcajada contenida o un simbólico tocar madera en su presencia que tenía más bien una raíz de concesión a la galería, sensacional y espectacular, que íntimamente supersticioso. Los que esto hacían creían conseguir de esta manera una gracia fácil. Esta primera etapa la soportaba bien Sebastián. Le dolía ser centro de un callado espionaje, de una minuciosa y constante observación. Pero temía más por el futuro que por el presente. Él sabía que con el correr del tiempo llegaría, ineluctablemente, la segunda etapa, en la cual este proceder velado se destaparía en una clara ofensiva. No desconocía Sebastián que los hombres necesitan siempre de un hazmerreír para eclipsarse a sí mismos la propia ruindad de sus barros. Sebastián, por ello, se libraba de entablar confianzas, de dar pie a sus compañeros para bromas excesivas. Mas el roce constante, el trato de todos los días acababa por formar un ambiente propicio para bromear y hacer chacota de su mezquindad física.

Así, al mes de su ingreso en la casa, nadie reparaba en que tras aquella imagen pequeña y retorcida se ocultaba un alma que sufría y que conservaba eternamente sangrantes las huellas de los impactos. Sebastián soportaba las pullas con una frágil sonrisa y de sus amarguras internas sólo él tenía conciencia. A sus compañeros les parecía que aquel manojo inarmónico de músculos y huesos no tenía razón de sufrir.

Su compañero, el otro mozo de los Almacenes, era

quien más se distinguía en aquel burdo e inhumano juego. En cualquier claro de la febril actividad del establecimiento se creía obligado a sacar a colación a Sebastián para recreo de la dependencia. Sebastián hablaba con él en tono respetuoso, a veces suplicante, aguardando ingenuamente que aquel jovenzuelo le correspondiese. Pero Emeterio, su compañero, no tenía tiempo para fijarse en estas esperanzas del otro. Había optimismo en los Almacenes y esto era lo fundamental, cayera quien cayese.

—Para hablar conmigo póngase usted de pie — decía, con frecuencia, adoptando una grotesca actitud de superioridad, a Sebastián.

Y Sebastián se retorcía por dentro, maldiciendo de su estatura. O bien, remedando un concurso que celebraba en aquellos días un importante diario madrileño, afirmaba a voz en grito:

—Era tan pequeño, tan pequeño, que la cabeza le olía a pies.

Sebastián inventaba un quehacer para hacerse el desentendido. Pero las carcajadas retumbaban en todas partes y él se veía obligado a responder a la burla con una fría sonrisa de conformidad; se veía forzado a aplaudir su propio desgarramiento.

De aquí que Sebastián deseaba que la actividad del establecimiento no languideciese a ninguna hora del día. Palidecía, encaramado en la escalera, al ver que el flujo de clientes remitía y poco a poco la tienda iba vaciándose. Allá arriba, tieso en un palo, como un canario, Sebastián comenzaba a temblar esperando el sarcasmo. Y Emeterio, que se mantenía al quite para hacer gala de su ingenio, voceaba, al abandonar el local el único comprador, elevando los ojos a lo alto de la escalera y sin sacar el dedo de uno de los agujeros de la nariz:

—Caramba, Sebastián, hoy estás más alto.

Sebastián rumiaba luego a solas todos estos improperios. Se enfangaba, sin percatarse, en un oscuro masoquismo. Casi hallaba una voluptuosidad enervante en la digestión solitaria de las chocarrerías de Emeterio.

Así iban discurriendo las semanas en los Almacenes. El estado de ánimo de Sebastián oscilaba como un péndulo. Ni él mismo hubiera acertado a definirse.

Una tarde, cuando comenzaba a decrecer la riada humana, don Saturnino le envió a la trastienda a buscar una caja de mantillas. Jamás había entrado Sebastián en aquella estancia; por eso, al introducirse en ella por primera vez, percibió una impresión rara, como si violara un recinto clausurado para el mundo muchos años atrás. (Las estanterías se alzaban desde el suelo al techo, cuajadas de cajas, de baúles y de trastos inservibles y viejos. Todo cooperaba a forjar una idea rígida de paralización y entumecimiento. Apenas había luz. La tarde, plomiza e invernal, se filtraba cobardemente por dos ventanucos de ordenanza rayanos al techo.) Al cerrar la puerta aspiró un aroma extraño, mezcla de polvo antiguo y de puntillas amarillentas por el decurso de los años. Sebastián miró hacia los rincones antes de aventurarse. Entonces le llamó la atención un maniquí femenino, tirado en un rincón, desnudo y desamparado como una mujer pública. A Sebastián le conmovió su desamparo; y quizá más que su desamparo, la rotundidad explosiva de sus curvas, turgentes y apretadas.

Aquella tarde, al llegar a casa, encontró allí a doña Claudia con Aurora. Sus visitas menudeaban desde el día que la Aurora le confiase su decepción. Su madre y doña Claudia aparentaban haber hecho buenas migas; charlaban de muchas cosas y reían como dos locas de cualquier cominería. Sebastián no se explicaba aquella amistad. Doña Claudia era rica y Aurelia no tenía una peseta; doña Claudia bullía y Aurelia vivía encajonada en su mugriento agujero, dada al vino y al mal humor. Pero, sin embargo, la amistad existía y se manifestaba claramente en aquellas conversaciones interminables alrededor de la camilla, sazonadas de ruidosas carcajadas.

Cuando Sebastián llegaba era corriente organizar una partida de tute de compañeros en la que Sebastián y la Aurora jugaban juntos. Las señas tradicionales apenas si bastaban para que la Aurora le transmitiese sus posibilidades de baza. Casi siempre las refrendaba con golpecitos por debajo de la mesa, incrustándole a Sebastián una rodilla en el muslo o de otro modo semejante que aturdía al muchacho.

Otras veces salían juntos a la calle. A Sebastián le avergonzaba que en el barrio lo viesen acompañando a la Aurora. No era su fama de fresca lo que le turbaba, sino el hecho de que creyesen que él presumía de conquistador.

Aquella tarde la Aurora le esperaba con impaciencia para ir al cine. Echaban una buena película en el teatro del barrio. Sebastián se quedó perplejo al comunicarle su madre que le había sacado las localidades. (Notaba Sebastián que a su madre la halagaba aquella amistad, que por conservarla sería muy capaz de hacer sacrificios que por cualquier otro motivo no hubiera aceptado nunca.)

Salieron a la calle. La noche estaba fría y las luces del barrio brillaban con la mitad de su potencia habitual, debido a las restricciones. Los novios caminaban más juntos que de ordinario; tanto que a Sebastián se le ocurrió pensar si no serían los novios de su barrio los que chupaban el agua de los pantanos. En la taquilla se arremolinaban los golfillos pidiendo una perra para completar el importe de una entrada. Siempre a aquellos muchachos desharrapados les faltaban diez céntimos para tener derecho a forzar la frontera del teatrillo.

—Ande, señorito, que hoy es apta para menores.

Y los señoritos les daban la perra gorda y, perra a perra, los golfillos iban sumando para la localidad y para un real de cacahuetes.

Aurora y Sebastián entraron en el teatro. Sebastián se sonrojó al cruzarse en el vestíbulo con Hugo, el moreno dependiente de los Almacenes, que daba el brazo a una mujer de edad y muy pintarrajeada. Penetraron en la sala. El aparato, chillón y agudo, llenaba los ámbitos del local. Proyectaban el No-Do y la chiquillería se impacientaba con aquel extracto de cultura superficial. Sebastián se acordó del maniquí de los Almacenes al ver que el acomodador les iluminaba, para que se sentasen, dos butacas de la anteúltima fila. Experimentó una instintiva repulsa, pero se sentó junto a la Aurora sin decir nada. Poco después comenzó la película y la chiquillería aplaudió frenéticamente para soltar los nervios. En derredor, la película interesaba tan poco como el No-Do. Todo eran parejas que se arrullaban en la penumbra. Y a veces sonaba una bofetada y una mujer ahuecaba el ala taconeando ruidosamente. Transcurridos unos segundos, un hombre salía detrás de ella, abrazado a los abrigos, al paraguas y a la cartera de la mujer.

La película prometía ser interesante. Sebastián apenas había ido al cine y miraba la pantalla sin pestañear. Aquel pobre padre incomprendido le recordaba mucho al suyo y aquella mujer tan poco complaciente podría ser muy bien una caricatura de Aurelia. Sí, era interesante. Inopinadamente le rozó, como un susurro, la cálida voz de la Aurora:

—Me gustan estas películas que reflejan la vida.

Sebastián pensó que no era precisamente la vida de Aurora lo que reflejaba el film, pero le respondió que también a él le gustaban mucho. Las voces de los intérpretes tenían un matiz campanudo de ultratumba. Entre frase y frase se oía en la sala el crujir de cientos de cacahuetes, castañas y giganteas mondándose al mismo tiempo. Y si por azar se cortaba un momento la película, un pataleo trepidante y estruendoso sobrecogía a los más pacientes. Otras veces se hacía un gran silencio, mientras los actores seguían moviendo convencionalmente los labios, y entonces un rugido atronador aleteaba por el local:

—¡¡¡Que es sonoro!!!

E inmediatamente las imágenes, como convencidas de que estaban defraudando al respetable, reanudaban sus cavernosas voces hinchadas y retumbantes. A la media hora la película comenzó a decaer, a juicio de Sebastián. En ese instante advirtió que la Aurora miraba su perfil sin pestañear a través de los gruesos cristales de las gafas.

—¿No te diviertes? —le dijo ella.

—Es menos interesante ahora.

—Tienes razón.

Si hubiesen hablado así cuatro filas más adelante, un siseo múltiple se hubiese abalanzado sobre ellos cortando en flor su conversación. Pero allí detrás no parecían estorbar a nadie.

—Es que también la vida va haciéndose menos interesante a medida que se vive, ¿no crees, Sebastián?

Aurora le hablaba muy cerca, tan cerca que casi notaba temblar sus labios en la mejilla. Sebastián había ido olvidando paulatinamente la fealdad de Aurora. Día a día reconocía nuevas virtudes en su alma e ignotos alicientes en su fachosa presencia física. Con todo, lo que más le conmovía era su sinceridad con él, aquel destapar el alma sin prejuicios ni recelos. Se había enamorado de muchos hombres, había flirteado mucho, era muy cierto, pero a la hora de la verdad le buscaba a él, un ser despreciable para todo el mundo, para decirle que la vida tenía destellos de bisutería, que era una joya falsa.

—Yo creo que la vida no es interesante nunca, la verdad — respondió él, al cabo de una pausa.

—¡Oh, tampoco es eso! No seas tan categórico.

De nuevo acariciaba la mano de la Aurora sus dedos deformados.

—¿Cuándo puede serlo? — dijo Sebastián, con voz temblorosa.

—Cuando se encuentra comprensión y fe.

Notaba Sebastián recorrerle el cuerpo como un líquido muy cálido y flúido, como si todo lo que encerrase bajo su piel se derritiese de repente. Habían enlazado sus manos y entonces Sebastián comprendió que sólo así podría recorrer la vida con un poquito más de seguridad y confianza en sí mismo. Le bailaban en la lengua muchas palabras de amor, tiernas alusiones a la bondad y blandura de corazón de su compañera; pero aquellos ojazos de Aurora, agrandados por los vidrios de las gafas, le detenían la palabra al posarse fijos en él. Ya no oía la voz cascada de los intérpretes, ni la crepitación de las resecas cáscaras de los cacahuetes, ni recordaba las chanzas de Emeterio y Hugo en los Almacenes. Disfrutaba, por primera vez, de un mundo acotado e invulnerable, un mundo tierno y sencillo construido para él solo.

—La vida es hermosa cuando en ella se logra hacer un remanso para dos.

Aurora se acercaba y se acercaba al susurrarle al oído frases bonitas. Aquella criatura parecía desglosada, absolutamente desasida, de la prosa pimentonera de su padre, el señor Sixto, y de los alardes vanidosos de doña Claudia.

Justo en el momento más emocionante del film, el teatrillo se inundó de luz y se hizo el descanso. Las parejas se separaron de un salto y Aurora se replegó en el brazo opuesto de la butaca. Tenía las mejillas arreboladas y parecía nerviosa. Sebastián divisó a Hugo unas butacas más allá y se sintió cohibido cuando éste le sonrió maliciosamente y le guiñó un ojo.

Los hombres salían al vestíbulo a fumar, mientras los chiquillos armaban un vocerío desapacible desde las filas baratas. El hechizo de Sebastián se había roto y al reanudarse la función no logró concentrarse en sí mismo, temeroso de que Hugo le espiase desde su asiento para hacer chuflas a su costa al día siguiente. Todo concluyó, pues, en la bella frase de Aurora de que «la vida es hermosa cuando en ella se logra hacer un remanso para dos».

En los días que siguieron se multiplicaron las cuchufletas sobre Sebastián y su habilidad de conquistador. Hugo había pronunciado el grito de alarma en los Almacenes. Al pobre Sebastián le mortificaba el escuchar, interpretado por todas las lenguas, el éxtasis de su intimidad.

No obstante, cuando salía con la Aurora olvidaba estos sinsabores y se decía que constituían los satélites inevitables de toda gran pasión. Doña Claudia y Aurora continuaban visitándoles y en la polvorienta habitación de la camilla se repetían las animadas partidas de tute o las interminables conversaciones sobre el ornato de la casa, las prendas de vestir o los medios de locomoción de doña Claudia.

Así se echó encima la Navidad. La tarde de Nochebuena cerraron antes el Almacén. Todos marcharon presurosos, con su paga extraordinaria en el bolsillo y el corazón henchido, después de recibir del propio señor Suárez sus inmejorables deseos de que pasasen unas felices Pascuas.

Sebastián corrió a casa de la Aurora en cuanto se vio libre. Se habían citado en el portal para salir juntos. Y Sebastián no acertaba a explicarse el porqué aquellos encuentros iban haciéndosele imprescindibles como el pan de cada día.

El señor Sixto no había cerrado aún la tienda. Los clientes rezagados acudían a comprar el vino, los mazapanes y el turrón. Detrás de la balanza el señor Sixto, orondo y saludable, escatimaba unos gramos en cada venta. (Los beneficios suplementarios de aquel día alcanzarían para comer pavo y turrón durante las dos semanas que aún faltaban hasta Reyes.) Se mostraba contento. El balance de aquel año remontaba las cifras más fantásticas y satisfactorias. «No creo — se decía — que haya muchas sociedades de envergadura que cierren con un margen mayor de beneficios.» Y el insensato olvidaba que su bolsa se henchía a costa de los glóbulos rojos del barrio.

Sebastián paseó ante la casa de Aurora repetidas veces. Enfrente se alzaba, sucia y desconchada, su propia casa. En el cuarto de Orencia había luz. Escapaba por el redondo agujero de la contravidriera, por el que un día tuviese salida el cañón de una estufa. Sebastián se aproximó y, agarrándose a los barrotes de la ventana, flexionó sus cortos brazos y miró a través del boquete. La Orencia se hallaba sola, mustia e indiferente, hurgando en su mesilla de noche. A Sebastián se le comprimió el corazón, notó su peso en el pecho como si, de pronto, se le hubiese hecho más denso y compacto. Mientras los demás niños del barrio bailaban y entonaban villancicos alrededor de un ingenuo Nacimiento, la Orencia se consumía en su soledad apática y laxa, como una vieja sin ilusiones.

Aurora ya salía de su casa. Estrenaba un bonito abrigo de pieles que cohibió a Sebastián.

—Andando — le dijo, sonriente.

Y Sebastián comenzó a andar a su lado, atemperado por el fuerte perfume que emanaba el cuerpo de Aurora.

—Callejearemos un rato, si no te importa. A mí me gusta entrar en ambiente para estar en forma al celebrar la Nochebuena.

Le sedujo el plan a Sebastián. La niebla se apretaba contra los transeúntes como los novios en el cine del barrio.

Hacía frío, pero la ausencia de viento le hacía menos sensible. La gente abundaba en todas partes. Vagaba en diversas direcciones, con cestos y capachos desbocados pendientes del brazo. Los niños miraban los escaparates con ojos ilusionados y a Sebastián se le antojaba que todos, los niños y los grandes, estaban elaborados aquella noche de turrón y colorines. Tenía otro aspecto la gente, como si de súbito se hubiera dado cuenta de que todos formaban parte de un mismo rebaño y que cada cual precisaba del calor del prójimo para subsistir.

Sebastián andaba de prisa al lado de la Aurora, hablando, como se imponía, de temas accesorios. De vez en cuando reían y sus risas parecían también, como los niños y los grandes, de turrón y colorines. Sebastián se confesaba que desde niño no había entrado en unas Navidades tan íntegro y optimista como en éstas. El corazón volteaba dentro del pecho con un júbilo inusual y le agradaba que los niños tropezasen con él al hacer cabriolas y tonterías. Tan sólo conservaba un resentimiento oscuro y turbio allá en el fondo de su alma: la memoria de aquel maniquí abandonado en la sucia trastienda de los Almacenes. Su recuerdo se le imponía de vez en cuando y lamentaba que una mujer tan atractiva hubiese de pasar la Nochebuena arrinconada y yerta como un perro vagabundo.

Los escapates sonreían con sus luces despiertas, olvidándose un día de las duras restricciones. Entraban ya en el centro y el deambular de la multitud dificultaba el paso. Aurora se detuvo ante un gran escaparate. Se apiñaban allí las cestas de Navidad, rebosantes de embutidos, turrones y botellas, plenas y opulentas, adornadas con lazos de distintos colores, con blancas peladillas y con brillantes serpentinas de escarcha artificial.

—Yo preferiría una cesta de éstas a un regalo en metálico.

A Sebastián le hubiese agradado que Aurora dijese «dinero» en vez de «metálico»; pero su interna alegría no le permitió recapacitar en esta desilusión. Después de todo, «metálico» y «dinero» eran dos conceptos equivalentes.

—Yo, francamente, elegiría el dinero.

Sebastián hablaba con el corazón. Tal vez después de verse embutido en un abrigo decoroso y libre de los lamparones de su traje, hubiese antepuesto la cesta al dinero; pero mientras su decoro y dignidad no estuviesen a salvo, era indiscutible que prefería las pesetas.

—No me seas materialista, Sebastián.

Él sonrió quedamente:

—No es materialismo; es necesidad, Aurora.

—Me disgusta que hables de eso esta noche.

—Es un tema importante todas las noches, ¿sabes?

Sebastián había meditado seriamente sobre este punto. Admitía que estaba enamorado de la Aurora, o al menos que se sentía atraído hacia ella por un tierno, indefinible impulso. Pero, salvando las distancias físicas, aún quedaba aquel abismo económico que situaba a cada uno en una vertiente. Nada importaban los rumores de los chismosos, ni el método seguido por el señor Sixto para amasar su fortuna. La realidad era que la Aurora era rica y él pobre, y el amor sólo parece limpio y saneado cuando surge de una equivalencia económica de las dos partes. Era este obstáculo, sobre todos los demás, el que contenía la lengua de Sebastián.

—A mí, en cambio, me parece que el dinero no tiene demasiada trascendencia.

—Porque te sobra, Aurora.

Prosiguieron su paseo. Oleadas de gente se precipitaban en todas direcciones y, de vez en cuando, la copla tartajeante de un borracho ponía un lunar en el suave e íntimo júbilo de la ciudad.

—Viviendo mi padre era distinto; él tenía su buena carrera y ganaba lo suficiente.

—Pero ocurre una cosa, Sebastián. Hay veces que juntándose un pobre y un rico pueden salir dos ricos. Otras salen dos pobres, pero eso no es lo corriente.

Miraba Sebastián el perfil de Aurora, tratando de ayudarse con los ojos en la interpretación de sus palabras. Al fin se dibujó en su rostro una expresión obtusa y confesó:

—Apenas si te entiendo.

Ella se detuvo:

—Quiero decir que no hay problema cuando uno es lo suficientemente rico para dos.

Sebastián creyó entrever la luz:

—Pero es poco digno para el protegido.

—Si trabaja y aporta lo suyo no es nada denigrante.

Resultaba evidente que la Aurora trataba de allanar obstáculos, de facilitar de una vez la solución al problema planteado. Ahora le miraba con los ojos saltones, que si no escapaban de las cuencas era sólo, al parecer, debido a la contención que procuraban los gruesos cristales de las gafas.

Pasearon por varias calles y, al aproximarse las nueve, tomaron el camino de su barrio. Iban muy juntos, mirándose a los ojos y sin hablar. Sebastián, más canijo que su pareja, alzaba los ojos hasta ella, embebecido. De vez en cuando bajaba los ojos y observaba en derredor, medroso de que cualquier dependiente del Almacén, o algún conocido del barrio, pudiera gastarle alguna cuchufleta de mal gusto. A ratos, indagando en la expresión de Aurora, descubría una curva burlona, casi imperceptible, en los labios o un atisbo de fatiga y aburrimiento en los ojos. «Si será todo una broma», recelaba Sebastián. Pero, al momento, volvía a surgir en la faz de su acompañante un brillo indefinible de complacencia, y Sebastián se tranquilizaba.

Se oían los villancicos de la «radio» desde diversos balcones cerrados y, en la calle, apenas transitaba ya gente. Apremiaron el paso. En el portal de ella se detuvieron. Impensadamente Sebastián advirtió que Aurora se había desprendido de los guantes y su piel cálida vivificaba la sangre aterida de sus manos.

—No sé por qué esta Nochebuena tengo ganas de llorar. Noto... ¡no sé!

Sebastián volvía a ser arrastrado por un empuje compasivo incontenible:

—Eso les sucede sólo a los que son buenos.

—¿Crees tú que es un privilegio?

Tenían las caras muy juntas y por la calle oscura, fría, no deambulaba nadie. Desde las tabernas del barrio se levantaban gruesas voces de borracho desafinando hermosas canciones. El aliento de ella, tan próximo, le llenó de una excitada embriaguez.

—Creo en ti, Aurora — musitó, entrecortadamente —. Nada me importa todo lo demás.

Se empinaba sobre las puntas de los pies para que ella le oyera más cerca. Escuchó la tremenda confesión de Aurora:

—Sebastián, estoy pensando que me eres imprescindible. Te amo con toda mi alma.

Sebastián, si hubiera podido elegir, hubiese elegido un «te quiero» en lugar de aquel opaco y sofocado «te amo», pero el momento no era como para reparar en vacuas sandeces. Sintió una oleada rápida y tibia que le ascendía desde los pies a la garganta.

—Eres mi vida, Aurora; eres toda mi vida, ¿sabes?

—¿No es cierto que no volveremos a pasar una sola Nochebuena separados?

—Si tú lo quieres...

—¿No ves, tonto, que me muero porque así sea?

Le apretujaba, nerviosa, los dedos hinchados en los nudillos, amoratados de frío. Sebastián recostaba la frente en el hombro de ella y temía que su corazón sufriese un colapso. Permaneció así unos minutos. Después oyó la dulce voz de la Aurora:

—Hace cientos de años aconteció un hecho maravilloso en un Portal, tal día como hoy. ¿No te parece significativo que hoy haya ocurrido esto, precisamente en un portal también?

Todo le parecía prodigioso a Sebastián, incluso la irreverente comparación de la Aurora; todo aparentaba ser de dulce, como las Navidades.

—Parece un milagro, Aurora, de verdad...

De repente las manos de ella se escurrieron. Habló con voz sofocante:

—Tengo que subirme; es ya muy tarde, Sebastián.

—Bueno, querida; hasta mañana.

—Adiós.

Se volvía a cada paso que daba para sonreírle. Luego, a cada escalón que subía; cuando desapareció de su vista, Sebastián hubo de hacer un gran esfuerzo para cerciorarse del lugar que ocupaba. Después, cruzó la calzada y entró en su casa.

El idolillo abría los ojos al aproximarse él; Sebastián se paró a su lado y le atusó las melenas:

—¿Has visto, amigo mío? Voy a tener más suerte que mi padre.

Se le hizo que el monstruito se estremecía bajo su palma. De dos saltos subió la media docena de escaleras que separaban su piso del portal y abrió la puerta silenciosamente con el llavín. Tropezó con Orencia en el pasillo.

—He de decirte una cosa, pequeña, ¿sabes?

—¿Qué?

—Aurora y yo somos novios.

Frunció la boca la niña. Sebastián añadió:

—¿Es que no te alegras?

—No.

—¿Por qué, si puedes decirlo?

—No me gusta la Aurora.

—¿Qué vas a pedir para mí? ¡Dilo!

—Tú, siquiera, eres bueno.

—Y ella, ¿es que no lo es?

—Nadie es bueno en esa casa.

Sebastián se impacientaba. Por primera vez en la vida hubiera abofeteado con gusto a la niña.

—¿Es que sabes algo?

—¿De qué?

—De lo que sea. ¿Sabes algo?

—Yo no sé nada de nada, Sebastián.

—Eso, tú lo has dicho; tú no eres más que una tonta.

Sebastián se dirigió a su alcoba, de mal humor, se descalzó pisándose el contrafuerte de los zapatos y se echó sobre la cama. De pasada vio la mesa dispuesta para la Nochebuena. En el fondo, le intranquilizaba la desaprobación de Orencia. Era muy joven, una niña, desde luego, pero tenía un sentido muy despierto para localizar en qué parte la dañaba el zapato. «Bah, tonterías de una mocosa.» Sebastián pretendía, en vano, tranquilizarse. Su espontáneo rencor hacia la niña nacía del difuso temor de que pudiese tener razón. Oyó el penoso arrastrarse de su madre por el pasillo y, de un brinco, se arrojó en la cama y estiró los pliegues de la colcha apresuradamente. Descorrió la cortina de la alcoba y se encontró con Aurelia.

—Buenas noches, madre.

—Ah, ¿ya estás aquí? Si se cae la casa no te va a coger debajo.

—He estado de paseo con la Aurora.

Cambió la expresión de su madre:

—¿Y qué?

Le envolvió una bocanada de olor a vino y miró con el entrecejo fruncido la cazadora de Aurelia.

—¿Cómo, y qué?

—¡Concho, que si te vas decidiendo!

Le molestó a Sebastián la expresión de su madre y decidió mentalmente, en un instante, no manifestarle nada. A fin de cuentas, tampoco ella merecía ni hacía nada por merecer su confianza.

—Yo soy un desgraciado que no puede querer a nadie.

Apareció Orencia con un gran chicharro crujiendo todavía en una fuente desportillada. Se sentaron los tres en torno a la camilla. Sebastián reparó en que su madre vacilaba antes de sentarse. Luego le cruzó la cara con una desafiadora mirada y dijo con retintín:

—Mira tu padre.

Sebastián no pensó al responder:

—No quiero que me ocurra lo mismo.

—¿Qué más podía pedir él, pedazo de memo?

Dio el plato a Aurelia para que le sirviera y determinó zanjar la cuestión:

—Ya lo sé.

—¿Entonces?

No respondió Sebastián. Inclinó su cabeza sobre el plato y devoró calladamente su ración. Su madre apuraba con gran frecuencia los vasos de vino y, entre sorbo y sorbo, hacía discurrir, por los intersticios de sus dientes, fugaces y sonoras corrientes de aire.

—Vamos, bebe, Sebastián; hoy es Nochebuena.

Alzó la vista, y las pupilas turbias, atravesadas de filamentos rojos, de Aurelia le produjeron un ataque de risa. Sin embargo, se dominó:

—Yo no quiero beber, y tú no deberías beber más, madre.

Pero a Aurelia la excitó su interés protector:

—Yo sé hasta dónde debo beber, necio. Y para que veas, brindo por tu Aurora.

Y bebió de nuevo. Orencia la observaba asustada, sin decir palabra. Al concluir la cena, Aurelia se levantó de la mesa tambaleándose y se limpió los labios con la bocamanga de la cazadora.

—Me voy con la señora Luisa a la misa del gallo.

Sebastián se dirigió a ella:

—Tú debes acostarte; no debes salir.

Le apartó de un empellón:

—Tú, botarate, a callar y a honrar padre y madre.

Y empezó a reír y a reír sujetándose la redonda barriga con las dos manos. A continuación se echó su raído abrigo sobre los hombros y dio un gran portazo al marchar. Aún se la oyó reír a carcajadas en el portal, ella sola, antes de salir a la calle.

Orencia y Sebastián se fueron a la cama sin despedirse. Sebastián veló largo rato. Cuando comenzaba a sujetar el sueño entre los párpados oyó roncas voces en la acera, frente a su cuarto. Prestó atención y escuchó la voz de su madre simultaneada con la de la señora Luisa, la del punto. Ambas cantaban, prolongando de una manera desafinada e hiriente el final de las estrofas:

Tengo una vaca lechera,
No es una vaca cualquiera...

CAPÍTULO V

TRANSCURRIERON dos semanas del nuevo año y Sebastián podía atestiguar que, aparte de haber comenzado a deshojarse ya los nuevos tacos del calendario, este año era igual al otro como dos flanes hechos con un mismo molde.

Faltaba un cuarto de hora para las nueve y Sebastián avanzaba lentamente por la larga calle central de su barrio. Se cruzó con un carro de la basura y un lechero a lomos de un borrico que hacía sonar los cántaros con el traqueteo de su trotecillo nervioso. Seguía haciendo frío. La nariz de Sebastián se congelaba al recibir el soplo del vientecillo helado. Con frecuencia había de dar un profundo sorbetón para evitar que la moquita resbalase hasta las solapas del abrigo. Los hombres y los animales iban precedidos de una tenue nubecilla de aliento. Pegadas a los bordillos de las aceras había unas roderas de barro endurecido por la helada, encima de las cuales se hacinaban las mondas de naranja, las cáscaras de cacahuete y los frutos podridos que arrojaban, sin el menor reparo, las vendedoras de los tenderetes.

En la cantina de Ernesto andaban de limpieza después de las jornadas bulliciosas de la Navidad. Dos mujerucas restregaban el suelo con zotal, mientras otra iba amontonando las sillas y las mesas en los rincones. Olía intensamente a vino de Rueda en aquel trecho de la calle. Un poco más allá, el señor Pérez se disponía a abrir su droguería, y, casi en la esquina, el señor Santiago se movía entre enormes canastas de fruta seleccionada, derramando bromas y piropos sobre la extensa clientela. Al pasar Sebastián, le divisó el frutero:

—¿Quieres una manzana, Sebastián? —le gritó.

Y, sin aguardar su respuesta, le arrojó una fruta colorada y sana por encima de las cabezas que se arracimaban frente a la tienda. Sebastián, azorado, la atrapó en el aire, preguntándose cuándo querría darse cuenta el señor Cerrato de que él había dejado de ser aquel rapaz escuchimizado y buscón que rondaba el establecimiento en espera de las frutas tocadas. «Nada, hasta esto —pensó—. Un día es igual a otro día y un año igual a otro año.»

Así abocó a la Plaza del Mercado, donde los gritos aturdían y los olores a frutos jugosos y maduros se hacían especialmente penetrantes. La atravesó y, tomando el camino habitual, arribó a los Almacenes.

Emeterio había encendido ya la calefacción. El aire, caldeado a trechos, olía a radiador incandescente. Saludó como de costumbre, entró en el ropero, se despojó del gabán y salió frotándose las manos. A través de la puerta del despacho oyó hablar a don Arturo con el señor Suárez. En torno a un radiador conversaban los dos hermanos rubios con Emeterio y con Hugo.

—Hombre, aquí viene el conquistador. Chico, ¿pero puede saberse qué les das?

Las negras pupilas de Hugo resplandecían con destellos intensos. Al reírse enseñaba dos hileras de dientes blancos y perfectos resaltando sobre su cutis oscuro. A Sebastián le mortificaba su insistencia, su tono monótonamente irónico y mordaz. En aquellos primeros momentos, Sebastián no sabía qué hacer ni dónde detenerse. Prefería engancharse al extremo de una conversación, donde nadie le advirtiese, y escuchar sin decir nada. Pero, a veces, reparaban en él y su fachosa presencia pasaba, entonces, a primer plano para regocijo general. Por eso Sebastián hubiera deseado disolverse, desaparecer, cada día, hasta la llegada del primer cliente.

Sin embargo, aquella mañana la actividad se inició muy temprano en el Almacén. La cuesta de enero no hacía mella en el público. Alguien opinaba que este era el milagro de las pagas extraordinarias. Las pesetas extraordinarias se multiplicaban como los panes y los peces y la gente comía pavo y turrón y se trajeaba a costa de ellas.

Sebastián se escurría entre los dependientes y las telas, se multiplicaba, con Emeterio, por atender presuroso todos los pedidos. Subía, bajaba, andaba, deshacía el camino andado, consciente de que bien irían las cosas económicamente para él mientras lo fuesen para los Almacenes. Don Arturo, Martín, Hugo, Manolo, los dos hermanos altos y rubios, se deshacían en sonrisas de amabilidad y embaucaban con hábil destreza a los recelosos.

—Como este género no vendrá en mucho tiempo...

—¿De verdad?

—Es lo último que fabrican mientras no se normalice el suministro de flúido.

Hugo despedía a una señora respetable acompañándola hasta la puerta. Apenas salió ésta, Hugo acogió con amabilidad a una gentil pareja. Ambos eran muy jóvenes y, sin saber por qué, Sebastián les observó un momento, como si tuviera un anuncio anticipado de que algo iba a acontecer. Hugo pasó detrás del mostrador y se plantó cara a cara de la jovencita, sonriéndole.

—Necesito unos metros de hilo fresa para una mantelería.

—Un momento, señorita. ¡Pequeño, el hilo fresa, doble ancho!

Sebastián precipitó la pieza encima del mostrador. En ese instante se fijó en la cara de pocos amigos del acompañante de la muchachita. Hugo se bandeaba, como de costumbre, con ostentosa presteza. A su lado, don Arturo desenrollaba una enorme pieza de paño de espiga. Ambos luchaban por el espacio vital del mostrador. El joven había cogido ahora la vara del metro y se golpeaba con ella, un poco irritado, la palma de su mano izquierda. Era alto y fornido, aunque apenas contaría veinte años. Su compañera se mantenía un poco forzada ante la excesiva familiaridad de Hugo. De buena gana, Sebastián hubiera advertido a éste que se anduviera con cuidado, que la actitud del joven no presagiaba nada favorable. Mas Hugo se desenvolvía con su característica inconsciencia, considerando a aquella jovencita como terreno conquistado. A la joven no le agradaba el género:

—El tono es bonito —con sus deditos rosados palpaba la tela concienzudamente—, pero no me parece hilo de verdad.

Sonrió Hugo y la miró de frente. Sebastián, desde lo alto de la escalera, no se perdía un detalle de la escena.

—Es hilo y muy hilo; parece mentira que con esos ojos no lo vea usted.

Efectivamente, los ojos de la joven eran bonitos; mas su acompañante debía considerarse con la exclusiva de piropearlos. Saltó como un gato al oír aquello y, sin decir palabra, comenzó a dar golpes con la vara en la cabeza de Hugo hasta que el metro se quebró con un chasquido. Entonces comenzó a injuriarle:

—¡Maldito, tú a despachar el hilo que se te pide y deja en paz los ojos de mi novia!

El escándalo fue más que regular. Hugo saltó a la torera el mostrador y se enfrentó con el joven. La muchacha, aterrada, empujaba a su novio hacia la calle. Las transacciones se suspendieron y dependientes y compradores se quedaron mudos ante el inusitado espectáculo. El novio hacía frente a Hugo con tesón y se zafaba de la coacción de la muchacha:

—¡Déjame, déjame, que a este cochino tenorio voy a escarmentarle de dos mamporros!

Y Dios debió estimar digno tal empeño, porque puso tanta fuerza en sus dos puños, que Hugo salió despedido contra el mostrador, chorreándole sangre por la nariz. Aún intentó el vapuleado Hugo la revancha, pero ya don Arturo había mediado, separando a los contendientes. Los novios se marcharon; ella asustada, él farfullando aún amenazas e insultos. Emeterio atendía a Hugo, dolorido en un rincón, y don Arturo hacía esfuerzos por encauzar todo aquello por las vías normales. Al ruido de la bronca salió don Saturnino de su despacho. Sebastián le vio encararse con Hugo, hinchada la vena de la frente, y, por primera vez desde su ingreso en los Almacenes, contempló al señor Suárez enardecido por un ataque de furia:

—Ya le había advertido a usted que no quiero dependientes zalameros ni tenorios baratos en mi establecimiento. Aquí se viene a trabajar, anótelo bien, y el que no quiera trabajar se marcha a su casa y ¡santas pascuas!

Sebastián aquilató que este final era una reminiscencia de la reciente Navidad. Pero el momento era demasiado solemne para manifestar en alta voz su observación.

Hugo estaba airado, y respondió a don Saturnino con modales insolentes:

—¡Qué habla usted sin saber, viejo chocho! Yo he cumplido con mi deber y no tengo la culpa de que entren chiflados en su establecimiento.

Se colmó la paciencia del señor Suárez. Don Arturo lamentaba que tan ingrata escena se desarrollara ante un nutrido grupo de clientes.

—¡Usted se marcha ahora mismo a la calle, mequetrefe! Y no vuelva a pisar por esta casa porque saldrá de mala manera.

—¿Ah, sí?

Parecía que Hugo trataba de tomarse la revancha con el viejo.

—Sí, sí y sí.

Le latía con violencia la vena de la frente a don Saturnino al aferrar a Hugo por las solapas. Éste se libró de sus garras de un tirón. Se metió en el ropero y salió en seguida con el abrigo puesto. Al pasar al lado del señor Suárez, le dijo irónico:

—Voy a tener mucho gusto en que la Magistratura del Trabajo le pegue a usted en la nariz.

Don Saturnino casi le gritó:

—¡Váyase usted a paseo, botarate!

Hugo miró a sus compañeros con gesto de superioridad, como si dijese: «Vaya, que con toda vuestra escuela, yo he sido el único capaz de cantarle cuatro cosas al viejo», y avanzó hasta la puerta. Al franquearla se volvió a Anita y le guiñó un ojo:

—Adiós, preciosa; hasta muy pronto.

Anita sonrió disimuladamente.

Sebastián notó que sus piernecitas no bastaban para sostenerle, y se sentó en el borde del butacón.

—No, señor; no quiero más tipos apolíneos para dependientes. Voy a ver si así acabo de una vez con esta ralea de conquistadores. Usted, Ferrón, es inteligente y educado; me basta con eso. Me basta con su inteligencia y con su educación.

El despacho le daba vueltas a Sebastián. Veía varios contables y varios don Saturninos. Pensó, fugazmente, que su vuelo hacia lo alto era rápido como el de los vencejos, aunque más directo que el de éstos y vertical hacia una meta determinada. Se quedó tan confuso, que no supo responder. Don Saturnino le contempló, un poco estupefacto. Desde la mañana Sebastián había observado que su patrono no se parecía ya al pintarrajo de San Ignacio de su alcoba. La irritación endurecía sus rasgos, bastardeando la mística luz de sus ojos.

—Bueno, ¿qué me dice a todo esto?

Tartamudeó Sebastián:

—Que le estoy muy agradecido por todo... por todo... señor Suárez.

—Sólo es justicia, amigo Ferrón; usted es pundonoroso y se merece este ascenso.—Algo iba a añadir que se le hacía difícil, y Sebastián adivinó cómo su cerebro se contraía cavilando. Al fin dijo: —Quiero antes hacerle un ruego, ¿verdad? Se refiere a algo que usted comprenderá. No quiero darle ningún motivo de enojo, anótelo bien... Pero sería conveniente... En fin, convendría que usted se hiciese un traje nuevo y... ¡ejem!... dejase de morderse las uñas. Es algo... ¿cómo le diría yo?... denigrante... no, vamos, más bien... desagradable; eso es, desagradable tratar al público con unas manos descuidadas. Las manos de un dependiente de comercio son el secreto del éxito, anótelo bien... En este ramo, unas manos son un negocio, no lo olvide.

Sebastián se sofocaba. De buena gana se hubiese cortado aquellas extremidades que, de repente, le sobraban, que no sabía dónde ocultar. Las colocó bajo los muslos y asintió con la cabeza.

—Entonces, de acuerdo. Usted es desde hoy un dependiente de los Almacenes Suárez.

Se levantó don Saturnino y le empujó cordialmente hasta la puerta. Nada más salir del despacho, Sebastián se detuvo, pasándose los dedos por los párpados. Había ascendido. En menos de tres meses se le doblaba el sueldo y la categoría. Se sujetó al picaporte de la puerta y permaneció un rato agarrado a él, sin darse cuenta exacta de la realidad. Sólo reaccionó al percatarse de que tiraban por dentro de la puerta del despacho y casi le arrastraban tras ella. Era don Saturnino. No se enfureció, como temía Sebastián, sino que se conformó con preguntarle de pasada:

—¿Qué le ocurre, Ferrón?

—Estoy... estoy confundido... confundido, señor Suárez; eso es todo.

De nuevo se atusó Sebastián los párpados cerrados y avanzó hasta el mostrador. Los dos hermanos rubios le miraban. Había poca gente en el establecimiento. Sebastián se vio en el compromiso de tener que denunciar su nuevo cargo. «Si lo hago sonriente, dirán que me jacto de elevarme sobre las cenizas de Hugo —se dijo—. Si me pongo cariacontecido, pensarán que soy un abúlico, que todo me resbala.» «Ellos dirán», pensó, y profirió con gesto inescrutable:

—Don Saturnino acaba de nombrarme dependiente de los Almacenes.

Los dos hermanos tenían algo de deportivo en sus movimientos. El salto que dieron hacia Sebastián podía confirmarlo. Y también las palmadas que le propinaron en sus breves y dobladas espaldas.

—¡Enhorabuena, chico; esto hay que celebrarlo!

Se aproximó Martín frunciendo el bigotito, como si temiese que una sonrisa demasiado distendida pudiese rasgarlo:

—¡Magnífico, hombre; luego lo mojaremos!

Todos lo enfocaban por el lado por donde podían sacar algo. Era ésta una época que todo se reflejaba en los estómagos. Las cosas, de cualquier matiz que fuesen, terminaban por desembocar en la comida o en la bebida o en las dos cosas juntas. Sebastián no pudo rehuir las solicitudes:

—Gracias, gracias a todos; luego lo festejaremos.

Y pensó que le venía bien que la Aurora no saliese aquella tarde para poder cumplir con sus amistades.

A la hora del cierre, Sebastián pidió a don Saturnino un anticipo de veinte duros y salió rodeado de sus compañeros. La gente paseaba en grandes grupos por la calle Principal. La ciudad exhalaba a estas horas un confuso rumor vital y Sebastián sonreía a las constantes chirigotas de Emeterio y de los dos hermanos rubios.

—Vamos, aquí, ¿os parece?

Entraron en un bar minúsculo. Los grandes cafés iban desapareciendo desde la guerra, absorbidos por los Bancos y las tiendas de tejidos. Se pagaban grandes sumas por sus traspasos. Y los lugares de esparcimiento se reducían a pequeños apeaderos, con una barra niquelada a lo largo y un par de diminutas mesas enfrente.

—Seis chatos — exigió Sebastián con acento dictatorial.

Los vasos, cortos y pesados, rodaron, uno tras otro, por la bruñida superficie de mármol. Por primera vez en la vida, Sebastián notaba depender de él a otros seres; aunque fuese para tan mermada satisfacción como vaciar un vaso de mal vino.

No le agradó a Sebastián la bebida, pero le agradó, en cambio, el excitante calorcillo que suscitó en su estómago. Constataba que la sangre se inflamaba y su humana realidad tomaba una trascendencia desmesurada en el espacio. Sebastián pagó los chatos y salieron. Los dos hermanos chicoleaban con desparpajo a las muchachas, y Martín casi enredaba las narices en sus melenas para murmurarlas al oído piropos picantes. Emeterio lo hacía a voz en grito, más para que le admirasen sus compañeros y le aplaudiesen que para que las destinatarias se diesen por aludidas. Se diría que a Emeterio le apremiaba la idea de ocupar el puesto de conquistador ostentoso que Hugo había dejado vacante. Eran distintas técnicas del chicoleo, pero todas igualmente nuevas y desconocidas para Sebastián.

Entraron en otro bar y, al abandonarle, Sebastián apreció que no le importaba caminar por una calle tan concurrida, ni que la gente le mirase y le midiese. Después de todo, que uno sea bajo y feo no significa nada si es simpático y generoso. Y tiraba las pesetas en las barras de los bares como quien está habituado al despilfarro.

La calle iba llenándose de ecos lejanos para Sebastián. Sus compañeros emanaban una alegría contagiosa y estridente que les imprimía a todos la necesidad de hablar a gritos. Era una locuacidad desenfrenada la que les había abierto el vino. Los grupos les miraban al pasar, pero a Sebastián no le importaba. «Soy el eje de esta alegría; si yo me planto, se concluyó el optimismo», se decía. Y sentía una vanagloria primeriza y pueril de ser cabeza, razón y motivo de algo, que, poco a poco, iba adquiriendo su importancia. Tras el cuarto vaso, Sebastián imaginó que no le importaría piropear a una muchacha; y, tras el quinto, que no se achicaría si Emeterio le exigiera palmear a cualquier transeúnte y llamarle, cuando volviera la cabeza, «tío cornudo». Aquellos vocablos chocarreros que tanto daño le hacían normalmente, se le presentaban ahora como ingeniosas combinaciones de sílabas, que encerraban la gracia en sí mismas, prescindiendo de su significado. ¡Oh, qué optimista se sentía Sebastián! Pasaba de un extremo a otro del grupo y se reía a carcajadas cuando Emeterio le decía «chiquitín». Sebastián empezaba a comprender a su madre. El vino no sabía bien, ¡pero cómo cambiaba la fisonomía de las cosas! Y la alegría de seis solamente le había costado cuatro duros. Aún podría gastar otros dieciséis, y entonces el júbilo les haría reventar a todos. Sus compañeros le consideraban, le trataban como a un amigo más, tal vez el más importante, y ya no tenía que esconderse recelando una alusión. ¡Que le aludiesen cuanto les diese la gana! A él le hacían gracia todas las alusiones. Incluso que uno de los hermanos le apretase la ligera chepa y le afirmase «que debía ser muy hermoso caminar siempre con un teso a las espaldas». ¿No era gracioso esto? Todo era muy gracioso y alegre esta noche. La calle, llena de gente, que otros días la temía como a un monstruo, era esta noche campo conquistado; él la hacía exuberante con sus gritos y sus contorsiones.

Paulatinamente fue perdiendo Sebastián la noción del tiempo. Entraban y salían en los bares, y los vasos achatados, colmados de dorado líquido, se le aparecían por todas partes. Una muchacha retaquillo y absurda de formas propinó un sonoro bofetón a Emeterio, y todos se caían de risa, tropezando, indecisos, unos con otros. Martín, de improviso, animó a Sebastián a piropear a una mujer. A Sebastián le sedujo la idea y recordó, como por un milagro, un requiebro que leyera una vez en la envoltura de un caramelo. Significaba una grosera solicitud de un beso. Se reían todos al verle vacilar en la elección de víctima. Sebastián experimentó una satisfacción reconfortante al constatar con cuánta facilidad hacía reír a sus compañeros.

Entonces empezó a pintear. Llovía, al fin, y la gente miraba al cielo anubarrado, aguardando que las precipitaciones fuesen más copiosas, suficientes para acabar con la paralización que hacía unas semanas se observaba en la ciudad. Habló Martín, frunciendo el bigotito, y sus palabras sorprendían a Sebastián como si partiesen del fondo de una alcantarilla.

—Se ha lucido don Saturnino; mañana van a instalar en el Almacén un grupo electrógeno.

Estalló una atronadora carcajada. La verdad era que la broma que la Naturaleza le jugaba al señor Suárez era como para estallar de risa. Cuando los pantanos iban a llenarse, don Saturnino se gastaba las pesetas; era el colmo de la inoportunidad. Sebastián recordó a los novios de su barrio y volvió a reír sin comunicar a nadie los motivos de su hilaridad. Las luces daban vueltas sobre Sebastián y éste pensó que se encendían otras nuevas en vista de que la lluvia les visitaba al fin. Sí, no cabía duda. La calle se hallaba más iluminada que de costumbre y además los focos vacilaban y hacían guiños de alegría.

La gente seguía paseando, y el murmullo de pies que se arrastran y de conversaciones que se entrecruzan mareaba a Sebastián.

—¡Mira! A esa.

Emeterio le empujaba hacia una mujerona muy pintada y que paseaba del brazo de otras, a cuerpo como si fuese primavera. Recordó que se había comprometido a piropear a una muchacha y se lanzó hacia ella sin pensarlo más:

—Ojalá me convierta
en botijo sin pitorro,
y tú, muertita de sed,
tengas que beber a morro.

Sonó una estruendosa bofetada y Sebastián quedó sentado en el bordillo de la acera. Sus amigos le rodearon agarrándose el vientre para no estallar, poseídos de una agitación espasmódica. Emeterio comenzó a recular; Martín le empujó un poco y los dos chocaron, retorcidos de risa, contra la luna de un escaparate, que se quebró con un tintineo trágico. Un grupo de chicas dio un grito y la gente se arremolinó en torno a Sebastián. Éste se reía, babeando, con la barbilla incrustada en el pecho. Se reía maquinalmente, impotente para contener la expansión. Oyó, difusamente, parlotear en derredor. Parecía que la multitud enfurecida censuraba algo, la enojaba que él se riese como un tonto desde el bordillo de la acera y sin hacer ningún mal a nadie. Levantó los ojos y se vio desoladoramente solo, abandonado de los suyos. La sonrisa se fue helando en sus labios, transformándose, imperceptiblemente, en una mueca de congoja. Entonces se oyó el crujir de una cerradura y un hombre se presentó ante él, iracundo, temblando de rabia.

—Muy gracioso, ¿verdad? Me has destrozado la luna del escaparate; pero me la vas a pagar, ¿oyes? La broma te va a costar mil duros; pero me alegro, por animal...

Sebastián se sintió izado sin su voluntad por los brazos del hombre. Veía muchas bocas sonriendo en torno; muchas, una muchedumbre. Examinó los alrededores y comprobó que sus amigos habían escapado. Activada por el vino, su inteligencia perspicaz le advirtió que este era el fin de todos los que caen.

—Yo no sé si he...

—Yo sí lo sé, borracho indecente. Tú me has roto la luna y tú me la vas a pagar.

Sebastián no poseía razones para negar que hubiese roto la luna. No podría confirmar ni negar nada de cuanto quisieran atribuirle aquella noche.

—Está bien, se la pagaré... ¡Hip! Pero ahora no tengo dinero. — Pasmado, miró a su interlocutor como si se despertase de repente. — ¿Ha dicho usted mil duros?

El hombre rehuyó la respuesta, tal vez pensando que entre los numerosos espectadores bien podría existir un perito en lunas.

—No lo sé; tú me pones un cristal igual y asunto concluido.

—Bueno — se conformó Sebastián, y, al pensar en los mil duros, experimentó una necesidad imperiosa de llorar. Conteniendo las lágrimas murmuró:

—Yo soy...

—Sí, ya te conozco; con tu caparazón a cuestas eres inconfundible.

Volvía la multitud a convertirse en un monstruo para Sebastián. Sus risotadas le despertaron e intuyó que su espíritu se había hecho sensible. Un poco aplacado por el éxito de su gracia, el comerciante añadió:

—Tú eres el chico de los Almacenes Suárez. Bueno, a mí eso no me importa. Aunque te estés un año sin ver un céntimo te aseguro que no voy a derramar ni una lágrima por ello...

Sentía Sebastián como una piedra en la garganta que subía y bajaba, ablandándole extrañamente los ojos. Al verse libre se escabulló entre la gente y enfiló una bocacalle transversal. Apenas había entrado en ella cuando vio surgir a Martín a su lado:

—¿Qué ha pasado, Sebastián?

Le tomaba compasivamente por los hombros.

—Nada, he roto una luna. Por favor, que no se entere de todo esto don Saturnino.

Le apretaba los hombros Martín paternalmente, y los ojos de Sebastián se ablandaban aún más al percibir la espontánea solidaridad del compañero:

—No pases cuidado; no diremos nada.

—¿Y los otros?

—No sé; se han quedado por ahí.

—¿No te importa dejarme solo? Vamos a dar la juerga por terminada, si os parece.

Sebastián anhelaba verse a solas para descongestionarse. Cuando advirtió que Martín se alejaba plegando, de vez en cuando, su bigotito, penetró en un callejón oscuro y comenzó a llorar acongojadamente, recostado contra una pared. Se encontraba mal de cuerpo y muy abatido. Le corroía una depresión conturbadora, movida por la conciencia plena de su abandono. Y el llanto le desahogaba. De pronto le asaltó una ronca arcada y vomitó profusamente sobre un brazo. Sintió un sabor ácido y pastoso recorrerle la lengua hasta el estómago. Lloraba al mismo tiempo y dudó si aquel sabor no sería el de las lágrimas. Luego, un poco más repuesto, aunque con la cabeza torpe, tomó el camino de su casa.

Según andaba, Sebastián sopesaba sus posibilidades de consuelo, añoraba la presencia de alguien con quien desahogarse, en quien confiar las causas de su infortunio. Y pensó en la Aurora. Al hacerlo sintió una inconcreta y vacilante impresión de malestar, porque la Aurora no era ya la misma del día de Nochebuena, ni la que se le franquease con tanta espontaneidad el primer día, junto al fogón de la cocina de su casa.

La Aurora se había tornado difícil y desigual. Había días que Sebastián casi no llegaba a comprenderla. Fluctuaba en su manera de ser, en su modo de comportarse, como si en estas alteraciones de carácter encontrase su razón de subsistir. Muchas veces su simpatía era violenta, entrecortada, como si estuviese pensando en otra cosa y repentinamente advirtiese la insignificante vecindad de Sebastián. En esos casos hablaba poco y prefería distraerse en el cine, admitiendo la cooperación de una fuerza extraña, para mantener viva su pasión. Ya en el cine, la mano de Sebastián adelantaba tímidamente en la penumbra hasta topar con la de ella. Tímidamente iniciaba la caricia; iba animándose ante la impasibilidad de la mujer, mas, de súbito, Aurora murmuraba enérgica, retirando la mano:

—Estáte quieto; me das mucho calor, Sebastián.

Él se retrepaba en su butaca como un conejito perseguido en su madriguera, casi sin atreverse a respirar. La Aurora, entonces, arrepentida de su brusquedad, trataba de restar rotundidad a su respuesta:

—Tengo un calor hoy como no puedes imaginar. No sé lo que me pasa...

Y soplaba sus manos como para confirmar sus palabras.

Pero Sebastián ya sabía que esta frase era producto de la reflexión, debidamente pesada y medida antes de emitirla.

La Aurora no gustaba tampoco de recorrer, como antes, las calles céntricas sin una finalidad determinada. Prefería transitar por calles apartadas, apagadas y desiertas. A días, la conversación era difícil. No llegaba, y los novios caminaban en silencio, a lo largo de una roja tapia de ladrillo que circundaba un colegio de monjas. De cuando en cuando surgía una pregunta ocasional, una respuesta concisa, y vuelta al silencio. A Sebastián, esto, no le desagradaba. Por naturaleza hablaba poco y por instinto rehuía la luz y las aglomeraciones. Le disgustaba mantenerse por un tiempo más o menos largo expuesto al análisis del público. De aquí que hallase una saludable paz en estos paseos a lo largo de la roja tapia, envueltos en la penumbra y rozándose, de vez en cuando, intencionadamente, la mano con la mano.

Con frecuencia, Aurora se presentaba ante él pletórica y radiante, tan enardecida y apasionada como la tarde de Nochebuena. Entonces forjaban sus mejores y más dulces planes para el porvenir. Aurora quería casarse en seguida, y él hallaba un placer regodeante en fingir que frenaba sus locos anhelos. Era delicioso hundirse juntos en aquella confianza acotada de intimidad. Sebastián aprovechaba estos raptos para inquirir de ella por qué no era siempre así.

—Es mi temperamento, Sebastián. Son cosas de nosotras las mujeres, que tú no entenderías. Pero debe bastarte saber que estando así o asá te quiero mucho.

El oír esto era como si un reguero de luz de sol le rehogase las vísceras, caldeándolas.

Evocaba ahora Sebastián, mientras deambulaba a trompicones por las calles brillantes de humedad, con la cabeza nublada por los vapores del vino, el extraño suceso de la tarde anterior. Aún no había penetrado en su entraña, ni deslindado sus motivos ni sus alcances. Pero lo recordaba con minuciosidad, abarcando hasta los detalles más insignificantes y anodinos.

Salieron de paseo como otras tardes y, al entrar en la Plaza del Mercado, la Aurora echó a correr, inopinadamente, dejándole patidifuso.

—Aguarda un momento — le gritó al iniciar la fuga. Y Sebastián, obediente, quedóse parado en medio de la Plaza.

La Aurora corría como una loca, haciendo aspavientos y muecas a un ser invisible para Sebastián. Un minuto más tarde, éste divisó a un joven con terno marrón y bufanda amarilla, detenido a la puerta de un bar. Hacia él se dirigía la Aurora, sin duda, aspirando el aliento. Sebastián no podía oírles debido a la distancia, mas aquel juego mímico de Aurora, exhortador y persuasivo, se le hacía inefablemente grotesco. El joven de la bufanda amarilla no parecía tomar muy en serio el manoteo creciente de la Aurora; sonreía con media boca, mientras con la otra media mordisqueaba un palillo de dientes. Al final se llevó un dedo a la sien y dio media vuelta con ademán de ajustar un tornillo, terminando por encogerse de hombros dos veces seguidas.

Mientras esperaba a la Aurora, una mujeruca con un capacho en la mano se le acercó a Sebastián por la espalda:

—Hay pan blanco, joven. ¿Quiere pan blanco?

Sebastián se sofocó, como siempre que se dirigían a él. Al volver la cabeza vio un enjambre de mujerucas como aquélla que vendían pan blanco. Su profusión era inevitable. De vez en cuando la policía les daba cuatro carreras y desaparecían por una corta temporada. Pero, a raíz de ella, tornaban a florecer con la espontaneidad de los hongos en el bosque. Lo peor para Sebastián es que nunca se atrevía a decir que no de primera intención.

—¿A cómo? —preguntó por preguntar algo.

—A ocho, joven.

—Oh, no; es muy caro.

—Se lo dejo en siete.

—No, de todas maneras no.

—Entonces, ¿para qué me haces hablar tanto?

Se alejó, furiosa, la mujeruca. Los ojos de Sebastián se posaron de nuevo en la puerta del bar. Aún le dio tiempo de ver cómo se introducía por ella un traje marrón rabioso y detrás, desamparada, permanecía un rato la Aurora. Poco después dio media vuelta y regresó a su lado trémula y llorosa. No le quiso dar explicaciones. A Sebastián le desagradó esta falta de confianza, pero no insistió más que una vez.

—Son cosas mías, son cosas mías...

La noche se echó a perder con este contratiempo. Aurora discurrió a su lado, apagada y pensativa, y cuando él le dirigió la palabra le contestó en forma intemperante. Al subir a casa le anunció que no viniese a buscarla al día siguiente, porque no podría salir.

Sebastián se detuvo y se pasó la mano por la húmeda frente como si quisiera, con este ademán, borrar el penoso recuerdo de la tarde anterior. A poco, reanudó el camino. Había cesado de lloviznar y Sebastián se encogía en su raquítico abrigo al notar el vaho húmedo de las calles. La calzada rebrillaba por delante de sus ojos con un brillo intenso. En la esquina de su calle se topó de bruces con Aurelia.

—¿Y la Aurora?

Su madre no pensaba más que en la Aurora. El día que, por fin, le comunicó su noviazgo creyó que se volvía loca. A Sebastián le costaba creer que fuese su presunta felicidad lo que la ocasionaba este júbilo; ni tampoco, desde luego, la presunta felicidad de la Aurora. Pero Sebastián estaba habituado a ignorar los móviles de las reacciones de su madre y no sintió curiosidad por conocerlos ahora.

—Ha tenido que hacer y no ha salido.

Reparó Sebastián en la indumentaria de Aurelia y la cortó su nueva pregunta con una audacia inusitada en él:

—¿Cómo sales a la calle con esta traza? Esa horrible cazadora está para tirarla.

—Cállate; voy en un momento a casa de Ernesto a por una botellita de vino. Pero, dime, ¿qué te ha pasado con la Aurora? ¿Habéis regañado?

—La Aurora está bien; pero tengo que decirte una cosa, madre. ¿Sabes? Me han ascendido a dependiente en el Almacén esta tarde. Ahora cobraré alrededor de las setecientas pesetas con arreglo a las nuevas bases.

La codicia asomó a las pupilas de Aurelia. Aquel dineral imprevisible iluminaba sus ojos con un fulgor extraño.

—¿Setecientas, eh? No está mal el pellizco.

Colocó debajo de la axila la botella vacía que portaba y se frotó las manos.

—Dime, ¿y cómo ha sido eso?

—Echaron a uno esta mañana; pero eso no importa. ¿Sabes otra cosa? Hemos estado celebrando mi ascenso y he roto la luna de un escaparate. Tengo que pagarla.

Sebastián consideró que hubiera sido maravilloso captar el cambio de expresión de Aurelia con una cámara lenta. La transición fue breve, pero radical:

—¿Cómo eres tan animal, pedazo de burro? ¿Tú crees que eso no vale dinero?

Lloriqueaba teatralmente y alzaba la voz para que la oyesen los transeúntes. Aurelia era una entusiasta partidaria de los escándalos callejeros. Sebastián tomó a su madre por la muñeca:

—Por favor, no armes barullo; esto, al lado del ascenso, no significa nada, ¿sabes? Con dos mesadas lo pagaremos y se acabó. Lo importante es tener un sueldo aceptable para toda la vida.

Por primera vez Sebastián rindió a Aurelia, consiguió que el escándalo no fuese más adelante, ya que ésta se contentó con hacer pasar un hilo de aire por entre dos dientes y lloriquear:

—Eres un bruto, hijo, eres un bruto.

Sebastián se compadeció de sí mismo. En realidad era este el primer exceso económico que se anotaba en su morigerada historia.

—Anda, vete por el vino; luego hablaremos en casa.

Le agradó volver a sentirse solo. No tenía la cabeza muy firme y, de vez en cuando, vacilaba, deslumbrado por los destellos del asfalto. Ante su casa, oteó un momento los balcones de Aurora y deseó su proximidad corporal. Creía necesitarla muy cerca. Ella, seguramente, sería la única persona capaz de consolarle en este trance. Sin embargo, se hundió en el portal de su casa y, después de rebuscar inútilmente la llave por todos sus bolsillos, llamó a la puerta con dos secos aldabonazos. Al verse encajonado entre paredes, la cabeza comenzó a darle vueltas y se acentuó la desazón de su estómago.

—Orencia, pequeña, voy a acostarme; no me encuentro muy bien.

Su hermana le olfateó como un sabueso:

—Tú has bebido vino, Sebastián. Y eso no debes hacerlo; te puede costar caro.

—Déjame ahora; no me sermonees.

Los dos llegaron a la alcoba y Sebastián se descalzó pisándose el contrafuerte de los zapatos. Se tumbó en la cama sin desnudarse.

—Tráeme el orinal; siento ganas de vomitar, unas ganas atroces.

Se presentó Orencia con la bacinilla. Le miraba con ojos asustados.

—¿Cómo ha sido eso, Sebastián?

—No me trates como a un niño. Soy un dependiente de los Almacenes Suárez, ¿entiendes?

La Orencia se mostraba imperturbable.

—¡Ah! ¿Te han ascendido?

—Así parece... Ahora, ¿quieres hacerme un favor? ¡Anda! Véndame las manos. Tengo que dejar de morderme las uñas para siempre. Las manos de un comerciante son un negocio, no lo olvides...

De reojo observó Sebastián la efigie de San Ignacio de Loyola. No; el señor Suárez no se había ofendido por el plagio.

Orencia salió del cuarto y regresó en seguida con unas vendas. Pacientemente las arrolló a las deformadas extremidades de su hermano.

—Así estás bien, me parece a mí.

—Gracias. ¿Quieres apagar la luz?

Se encontraba muy a gusto así, quieto en la oscuridad, con la persuasión de sentirse a solas. Algo le giraba velozmente en la cabeza, ocasionándole un plomizo torpor. Sin embargo, a los cinco minutos roncaba.

Al despertarse, recordó vagamente haber mordido con fiereza varias veces las vendas que ocultaban sus manos. Los trapos, efectivamente, estaban húmedos y él tenía varios hilos blancos adheridos a las comisuras de los labios.

CAPÍTULO VI

NADA más levantarse al día siguiente, Orencia le entregó una carta que habían introducido por debajo de la puerta. Ante el tazón humeante de malta con leche, Sebastián rasgó el sobre y vio confirmadas sus sospechas de que la carta era de la Aurora. En ella le decía que se veía comprometida a acompañar a su madre a Madrid para un asunto imprevisto, que estarían fuera una semana aproximadamente y que podía escribirla al hotel con la frecuencia que lo desease. Como remate, le enviaba su saludo más afectuoso.

Sebastián frunció el ceño, pensativo, mientras sorbía lentamente la malta con leche. No sabía por qué consideraba aquel viaje como una huida, como un tapujo organizado para engañarle. Sebastián recelaba siempre. Quizá su constitución o el proceso de su vida le habían forzado a ser así. Instintivamente advirtió que tenía las manos frías y que el café amargaba:

—Orencia, ¡la sacarina! —gritó, casi maquinalmente.

La ración de azúcar, bien vendida, daba para adquirir sacarina para todo el mes. Era una combinación ventajosa que Aurelia no desdeñaba poner en práctica.

La niña apareció con una cajita y, sin decir nada, echó dos diminutas pastillas en el tazón.

De nuevo Sebastián se abstrajo y se llevó la taza a la boca varias veces, mecánicamente. Concluido el desayuno, siguió imperturbable en la silla, pellizcándose el labio inferior hasta dejarle exangüe. La cabeza le pesaba y tenía ardor de estómago, exactamente como si la garganta fuese una chimenea por donde resollase una gran hoguera interior. Decididamente no le gustaba aquel inesperado viaje a Madrid, así, sin despedirse. Y, sobre todo, después de la breve y misteriosa entrevista con el joven del terno marrón y la bufanda amarilla. «Si estará arrepentida y no se atreverá a confesármelo», se dijo, y se movió inquieto en la silla.

Inadvertidamente había introducido su dedo anular entre los dientes y roía con avidez la uña achaparrada. De súbito se dio cuenta y sacó el dedo de la boca.

—¡Demonio, qué vicio! — murmuró, y se puso en pie.

Cuando se colocaba el abrigo, surgió Aurelia de la cocina, secándose las manos en el regazo:

—¿Qué te dice la Aurora?

—Nada de particular — Sebastián respondió con dureza, malhumorado —, Se ha marchado a Madrid con doña Claudia.

Aurelia le guiñó un ojo con malicia y luego le apretó un brazo como queriendo imbuirle sus propios pensamientos.

—¿Qué?

El ánimo de Sebastián no se hallaba para admitir e interpretar sugestiones indirectas. Se sentía tozudo y premioso de mollera.

—Seguro que no me equivoco si te digo que ha ido a agenciarse el equipo.

Sebastián tomó el picaporte y entornó la puerta de la calle.

—No queremos casarnos tan pronto. Además...

—Déjame hablar. Aunque ahora digas eso, luego el cuerpo te va a pedir otra cosa. Ya me lo dirás más adelante.

Cerró de un portazo. Le deprimían los juicios y sospechas de su madre, el modo rastrero, casi animal, de enfocar todas las cuestiones, incluso las más delicadas y respetables. Caminó a paso rápido hacia los Almacenes. Estaba helando y el andar se hacía peligroso. Sebastián pensó en la Aurora y otra vez lo relacionó todo, la absurda negativa a salir de paseo la tarde anterior, la fuga a Madrid, su inesperada misiva, con el joven del terno marrón y la bufanda amarilla que mordisqueaba con la mayor indiferencia un palillo de dientes. Se hallaba disgustado y notaba dentro de sí una ardiente y apasionada rebelión contra el curso de los acontecimientos.

Al entrar en el Almacén advirtió que era Manolo el eje de la habitual tertulia en torno al radiador. Uno de los hermanos rubios vociferaba al entrar él:

—El bestia es usted por tener ocho hijos en estos tiempos. Nadie le manda a usted hacer una salvajada semejante. A no ser que entre en sus cálculos ganar el premio de natalidad.

Manolo permanecía callado y compungido, mirando en derredor con ojos ausentes y apagados. Aquella noche su mujer había dado a luz su octavo hijo. Había sido un parto laborioso; muy lento y de nalgas. A última hora, el tocólogo terminó por sacar la criatura. Su mujer tenía fiebre y no se encontraba bien. Para colmo, otros dos de los chicos tenían el sarampión. Sebastián felicitó efusivamente a Manolo, cuyos ojos se pusieron blandos y relucientes como si fuese a llorar. No obstante, se reprimió y se limitó a decir, contestando más a los destemplados apóstrofes de los compañeros que a la sincera felicitación de Sebastián:

—Y menos mal; gracias al Seguro de Enfermedad, si no, me hubiera entrampado hasta los pelos.

La presencia de Sebastián truncó el rumbo de las conversaciones. Fue Emeterio quien, entre investigación e investigación a los agujeros de la nariz, prorrumpió en una retahila de frases jocosas sobre la juerga de la tarde última, terminando por hacer una alusión a la luna destrozada.

—¿Estáis seguros de que fui yo quien rompió la luna? — interrogó Sebastián, por decir algo.

—¿Por qué lo preguntas? — inquirió uno de los hermanos.

—No me acuerdo de nada de eso.

Rieron otra vez.

—Agarraste una buena moña y aquella criada te pegó. ¿No recuerdas que te sentó en la acera de un sopapo? — añadió Emeterio.

Sebastián se atusó levemente los párpados.

—Todo lo que recuerdo es muy confuso; aún tengo la cabeza muy pesada.

Martín no hacía más que desternillarse en un extremo. Su jocunda alegría le vedaba participar en la conversación. Al cabo de un rato afirmó:

—Ten cuidado, no te dejes engañar. La luna esa es de cristalina. Ha de costar por debajo de las mil «leandras». Estoy seguro.

Sebastián reflexionó un momento y, tras esta reflexión, añadió tartamudeando al advertir que pedía aclaraciones:

—Mmmmme... estoy dando cuenta de que si me dieron un golpe en mitad de la calzada y caí sentado en el bordillo de la acera... nnno pude yo romper el cristal... a no ser que rebotase luego y...

Se hizo un penoso silencio e, inmediatamente, Sebastián se arrepintió de sus palabras. Sufría, ahora, suponiendo que sus compañeros pensarían de él que era un desconfiado y un suspicaz; que quería descargar sus culpas sobre ellos. Al fin surgió la voz de Emeterio, oscura y vacilante:

—Rebotaste, claro... Pegaste una culada a la luna y luego fuiste a caer sentado sobre el bordillo de la acera.

Sebastián deseaba dar por buena cualquier aclaración. Anteponía su permanencia tranquila en el establecimiento a la posibilidad de ahorrarse un montón de pesetas. Después de la respuesta de Emeterio y de la pausa cargada y densa de un momento antes, había adquirido la seguridad de que no fue él quien rompió la luna del escaparate. Pero no quería enemistarse con sus compañeros, ni contradecirlos de una manera sistemática. Así, respondió a Emeterio:

—Sí, naturalmente, pudo ser de esa manera — les sonrió amistosamente a todos —; yo estaba algo borracho y no me daba cuenta bien... Claro que pudo ser así, como Emeterio dice.

Observó las miradas de entendimiento que se cruzaron disimuladamente entre los miembros del grupo. Sebastián experimentó una sutil congoja al percatarse de la extremada facilidad que encuentran los hombres para asociarse contra el débil. Y se figuró que si él, en vez de ser así, fuese un cuerpo fuerte arropando un temperamento impetuoso y dominante, el grupo se mantendría ahora tras él, apoyándole contra el enclenque y el timorato.

Emeterio, después de hacer saltar una oscura bola de su nariz por encima del mostrador, habló:

—¿Cómo era el piropo que dijiste ayer? Algo del morro y del pitorro... Resulta chocante.

Tuvo, con el recuerdo, Sebastián cabal conciencia de su ordinariez de la tarde última.

—Una tontería.

—Pero, dime, ¿cómo era?

El primer cliente de aquel día cruzó el umbral de la

puerta de cristales y liberó a Sebastián de repetir el grosero requiebro. Cada cual ocupó su sector acostumbrado y Sebastián se dirigió al lugar de Hugo. Martín, a su lado, le insistió plegando coquetonamente su recortado bigotito:

—Escucha lo que te digo. La luna esa es de cristalina y ha de valer dos perras gordas. Yo conozco el género; no te dejes estafar.

Pero Sebastián no pensaba ya en la luna. Le inquietaba la conciencia de su nueva misión en el Almacén. En lo sucesivo, su tarea consistiría en despachar y Emeterio tendría que trabajar para él. Esto le abochornaba un poco. Emeterio era más antiguo que él en el Almacén y, no obstante, era él quien había ascendido. Sebastián poseía una creencia difusa de que estas postergaciones son muy difíciles de soportar con elegancia entre los hombres. Así, cuando se vio en la precisión de solicitar una pieza, él mismo fue a buscarla, medroso de humillar a su compañero.

Sebastián se desenvolvió bien en su primer día de dependiente. Desenrollaba los géneros con facilidad, y si de algo cojeaba era de ser muy poco insistente. Se le hacía una montaña violentar a nadie para comprar lo que no le agradaba y le resultaba ingrato emplear aquellas frases persuasivas que tan naturales y desinteresadas parecían en boca de sus compañeros: «Esto no es para usted», «A usted, que distingue lo bueno de lo malo, le voy a enseñar...», «Para usted tengo algo reservado». Nada de esto le sonaba bien a Sebastián pronunciado por sus labios. A su juicio, le faltaba la hipocresía suficiente para dar a aquellas frases el necesario tono trivial para que aparentase que, efectivamente, se le hacía al cliente un gran favor. Sin embargo, poco a poco, Sebastián iba entrando por el aro. No fue el primer día, ni el segundo, pero transcurrida una semana, después de prolongados ensayos en la soledad de su alcoba, llegó a pronunciar las frases rituales del buen comerciante con la espontaneidad y la convicción precisas para que nada, por este lado, pudiera objetársele.

A medida que la jornada avanzaba, los movimientos y las palabras asimilaban un riguroso automatismo. Las frases salían sin esfuerzo y el plegar y desplegar, el enrollar y el desenrollar de las piezas, se hacía mecánicamente; en apariencia, sin que la cabeza, ni casi los músculos de Sebastián, colaborasen en la operación. Todo era simple y primariamente sencillo. El timbre de la caja significaba un incentivo no despreciable. Equivalía al grito de: «¡Siguen entrando pesetas!», y esto, a fin de cuentas, era lo que a él, a don Arturo, a don Saturnino y a todo el personal de los Almacenes interesaba.

Así fueron discurriendo los días. En los ratos libres Sebastián se encerraba en casa o pindongueaba, solitario, pensando siempre. No volvió a salir con sus camaradas. Su antigua suspicacia hacia ellos había renacido más agudizada que antes. Les temía. Temía a que, en cualquier instante, le escupiesen una chirigota o sacasen a relucir sus deformidades físicas.

Dos tardes escribió a la Aurora. Respecto a ella, había concluido por convencerse de que la vida a su lado sería siempre así, desconectada y libre, para que cada cual pudiera tomar sus determinaciones. La Aurora no era un temperamento para someterse; podía rogársele, pero no humillarla con una exigencia o una orden. Le escribió un poco fría y forzadamente, aunque salpicando la misiva de los adjetivos empalagosos que en determinadas circunstancias solían cruzarse entre ellos. De ella recibió otras dos cartas, no muy largas, pero en las que se hacía ostensible su preocupación por anotar que le seguía queriendo con la misma fuerza y sinceridad de siempre. A pesar de esto, el recuerdo del joven del mondadientes proseguía martirizándole, imprimiéndole la desagradable sensación de no ser más que un copartícipe en el disfrute de las caricias de la Aurora.

Por las noches, la Orencia le vendaba las manos. Este sacrificio proporcionaba a Sebastián la satisfacción de ver como sus uñas achaparradas, desbordadas por la carne de las yemas de los dedos, iban creciendo, elevando y desarrollando su natural frontera. A veces le asaltaban unos deseos casi irreprimibles de despojar las manos de aquellos harapos y morder hasta hartarse las puntas de aquellas uñas, magras y apetitosas. La contención le volvía loco. Era como el primer día de un fumador que ha dejado el cigarro. Se desazonaba y no encontraba orden ni razonamiento en su cerebro. Pero también, esfuerzo a esfuerzo, fue dominando este vicio. Y un buen día se dio cuenta de que sus manos pequeñas y nudosas habían ganado mucho, desde el punto de vista estético, coronadas por aquellas uñas formadas y normales.

Para completar su adecentamiento físico, Sebastián se hizo un traje. Fue cuestión pavorosa la decisión y la elección de tela. En los Almacenes le hacían una importante rebaja y Aurelia se empeñó en acompañarle una tarde para ayudarle a escoger. Esta determinación de su madre oprimió a Sebastián. Temía presentarla ante sus compañeros, más que nada por las expresiones de su lengua irresponsable. Pero un día Aurelia se arregló y, sin consultarle su opinión, partió con él hacia los Almacenes.

Todo resultó bastante menos violento de lo que Sebastián había imaginado. Su madre se mostró discreta y hasta razonable. Únicamente se empeñó en ver despachar a Sebastián, y sólo cuando éste, con la natural prevención al saberse observado, vendió unos metros de sarga azul, Aurelia se decidió a marchar. A última hora lo estropeó todo largando un discurso absurdo y sensiblero a la dependencia. Sebastián aquilataba los esfuerzos de todos para no reír, y se hubiese lanzado contra su madre y la hubiera amordazado cuando ésta remató su vibrante discurso apelando a los buenos sentimientos de la dependencia para que se comportasen con su hijo — un pobre desgraciado — con espíritu fraternal y caritativo. Su alocución estuvo mechada de los vocablos groseros y desagradables que Aurelia llevaba siempre a flor de labio y que ocasionaron en Sebastián unas violentas náuseas.

Aquella tarde no dio pie con bola y anduvo errante y desacertado por el establecimiento. Al salir pasó por Faustino — el sastre más acreditado de su barrio — a tomarse medidas. Dos días después el traje estuvo concluido. Sebastián no se encontraba dentro de aquella tela nueva que todavía olía a tejido recién fabricado; no se atrevía a doblar los brazos y caminaba agarrotado y tenso, como si se hubiera tragado el palo de una escoba. A punto fijo sería imposible discernir si la tal rigidez la inspiraba el respeto al tejido intacto e impoluto o al íntimo orgullo de la percha. Ante Orencia, Sebastián se confió esperanzado:

—Dime, ¿cómo me encuentras?

—El traje es bonito.

Le dio un vuelco el corazón a Sebastián.

—Pero yo, yo, dime... yo con él, ¿cómo estoy?

—Eres canijo, Sebastián, y eso no puede taparse con nada.

La bárbara sinceridad de Orencia desconcertaba a su hermano. Quizás era esta propiedad la que le llevaba siempre a solicitar su parecer, aunque luego, a renglón de oírla, se arrepintiese de haberlo hecho.

Aquella noche durmió mal. Soñó con el joven del terno marrón y la bufanda amarilla y, entre sueños, vislumbró con desagrado que el joven descarado se quitaba el mondadientes de la boca y, con la punta, hacía cosquillas a la Aurora en los sobacos en plena Plaza del Mercado. Lo que más le irritó fue el que la Aurora le riese la gracia con nervioso deseo de agradarle.

Al día siguiente se despertó con un ataque de celos que le desasosegaba. Volvió a tomar cuerpo en él el pensamiento de que la Aurora le traicionaba, y con ello olvidó la contrariedad que le produjera el juicio de la Orencia sobre su persona encerrada en el traje nuevo.

La actividad del Almacén no le aplacó, antes bien aumentó su nerviosismo al presagiar que, aunque los celos le mordiesen con mayor ferocidad aún, él tendría que seguir firme al pie del cañón, con la sonrisa en los labios, como si no fuese susceptible de sufrir y padecer. Comprendió entonces, en toda su intensidad, la tragedia del pobre Manolo, que sonreía siempre, aunque acabasen de abrirle un pecho a su mujer o de sacarle un hijo por las bravas.

Al salir encontró al «doctor cubano» en sus postreras exhibiciones matinales en la Plaza del Mercado. Atraído por una fuerza inorillable se aproximó al cerco que le acosaba.

—Yo soy el «doctor cubano» y les juro a ustedes que siempre he respetado la primera fila de butacas para los niños... — una pausa —. Aquí se admiten toda clase de consultas, a excepción — se detenía otro poco después de pronunciar «excepción» — de las religiosas, políticas, de abastos y de tasas...

Perfeccionaba el corro con un manoteo incierto y convencional. Una pobre mujer se le acercaba. Seguidamente el doctor solicitaba de la adivinadora:

—Se te pide que te concentres... — Él seguía perfeccionando el corro —. Concentra, concentra, concentra...

Sebastián imaginó súbitamente que nadie mejor que el «doctor cubano» para sacarle de su terrible incertidumbre. Aquella mujer, tan poca cosa, con los ojos vendados y su agria e intempestiva voz chillona, podía extraer de su cerebro en tinieblas, y — según creencia de Sebastián — atiborrado de misteriosos cajoncitos como un interminable y ordenado fichero, las respuestas a sus aguijoneantes dudas sobre la Aurora.

Sebastián trataba de animarse para la consulta. Dentro de sí notaba el estrépito sordo de una lucha denodada. Una parte de sí mismo se inclinaba por abrir su pecho al «doctor cubano», mientras otra se oponía tajantemente, tachándole de crédulo e ignorante. Al concluir cada consulta, Sebastián hacía un ligero gesto al doctor con el deliberado propósito de que éste no lo advirtiese. De esta manera se consolaba, diciéndose que él no tenía la culpa de que el doctor no atendiese sus demandas.

Con su indecisa actitud Sebastián dio tiempo a que el «doctor cubano» terminase su exhibición cuando aún no se había decidido del todo a consultarle su caso. El círculo de espectadores se disolvió en un minuto y allí quedó Sebastián, frente a frente de la adivinadora. Ésta y el «doctor cubano» recogían apresuradamente sus bártulos. En aquel trasiego, Sebastián advirtió que el doctor llamaba «Pepa» a la gran serpiente que constituía el terror y la admiración de la chiquillería.

Cuando la pareja se puso en movimiento, un impulso todavía no determinado animó a Sebastián a seguirla. Entonces se le ocurrió que quizá la adivinadora admitiese consultas privadas en su casa. Esta esperanza le empujó a proseguir la persecución mientras, con la mano en el bolsillo, hacía un minucioso arqueo de sus fondos disponibles. Así atravesaron las calles principales y entraron en un barrio extremo, un barrio sucio y populoso, de mal aspecto, donde abundaban las tabernas ínfimas y los prostíbulos. Sebastián estuvo a punto de volverse atrás. Pero lo pensó mejor y prejuzgó que el destino del «doctor cubano» no andaría ya muy lejos. Y no se equivocó. Unos pasos más allá, la adivinadora y su acompañante enfilaron una bocacalle estrecha y fangosa, poblada por un enjambre de chiquillos sucios y harapientos que chillaban descomedidamente. La pareja se introdujo en un portal y Sebastián apremió el paso en pos de ella. Ante la casa se detuvo; vaciló un momento y, al fin, penetró en ella resueltamente.

Sebastián no estaba habituado a frecuentar casas lujosas. Su barrio no se caracterizaba precisamente por la suntuosidad de sus mansiones, pero el hogar del «doctor cubano» le causó una impresión penosa. En el portal se hacinaban basuras atrasadas, sobre un suelo que en su día había sido de mosaicos rojos y que ahora aparecía irregularmente pavimentado, con enormes huecos por donde asomaba la tierra y que, en conjunto, semejaba la sonrisa de un hombre con la dentadura destrozada e incompleta. Ascendió cuatro escalones y se encontró en un angosto descansillo. A izquierda y derecha, los huecos de las puertas se hallaban mal cubiertos por unas telas remendadas y mugrientas. Las paredes estaban negras de letreros, de comas trazadas con el dedo manchado de porquería, y de excrementos de insectos. Vaciló nuevamente Sebastián, y cuando, ya decidido, quiso llamar, percatóse de que en aquellas colgaduras asquerosas, tendidas en el umbral a modo de puertas, no había medio de producir ruido alguno. De improviso, tras el colgajo de la vivienda de enfrente asomó la cara tiznada de un mozalbete.

—Dígame — farfulló Sebastián —, ¿el «doctor cubano»?

El chico no contestó, pero se puso a dar grandes gritos:

—¡Paco! ¡¡Pacooo!!

Inmediatamente oyó Sebastián, tras la colgadura más próxima, el timbre oscuro y firme de la voz del «doctor cubano». Casi simultáneamente se descorrió el pingajo y asomó el ancho rostro del «doctor».

—¿Quién llama?

Sebastián se aturdió.

—¿Es el «doctor cubano»? — indagó, obviamente.

—Yo soy. ¿Qué quería?

Aparentaba disgustarle la irrupción. Sólo después de ímprobos esfuerzos le salía la voz del cuerpo de Sebastián:

—Mmmme haría el favor... Yo quería hacerle una consulta y...

Dudó el doctor. La adivinadora surgió a su lado y le hizo una indicación con la cabeza.

—Pase — dijo el doctor.

La habitación era áspera, puerca y destartalada. En el medio había una mesa cuadrada con un florero roto y pegado, en el centro. Junto al ventanuco que daba a la calle se exhibía una mecedora con dos dedos de polvo y el balancín partido. Había, además, dos parejas de sillas desiguales, las cuatro con el asiento agujereado en el centro. En un rincón, sobre un jergoncillo anémico, dormía un crío de teta, pálido y esmirriado, y un gato lleno de calvas sanguinolentas le lamía un pie amoratado de frío. Había otros tres huecos de puertas además del de entrada, todos clausurados por unas cortinas deshilachadas de diversos tejidos y colorines.

—Siéntese. ¿Trae usted dinero?

Sebastián mostró los fondos previamente recopilados.

—Doce sesenta y cinco — murmuró, puntualizando.

—Por ese precio poco podemos decirle.

En la angostura del aposento el «doctor cubano» parecía más corpulento y poderoso que en la Plaza del Mercado. La mujer era menuda, escurridiza y pecosa como un trozo de cielo estrellado.

—Sólo quiero que me contesten «sí» o «no».

—Usted dirá, entonces.

—¿No necesita vendarse? — dijo, tontamnete, Sebastián, aludiendo con un gesto a la mujer.

—No, no es necesario.

Dudó otra vez Sebastián. Ahora se le hacía peliaguda la consulta.

—Mmmme gustaría saber... Es una tontería, ¿saben?... Pero estoy un poco desorientado. Eso es todo.

Sonrió servilmente, pero al advertir el gesto adusto del doctor, la sonrisa se transformó en una mueca desolada.

—Mmmme gustaría saber — insistió — si mi novia me engaña con otro...

La pareja cambió una mirada indescifrable. La adivinadora se sentó frente a él. Sebastián la observaba sin pestañear. Ella frunció el ceño y se llevó los dedos a los ojos, concentrándose, denotando una acusada semejanza con un anuncio, muy difundido por la ciudad, de unas píldoras contra el dolor de cabeza. Sebastián sufrió por ella. Juzgaba leonino obligar a comprimirse aquella cabeza portentosa por la irrisoria cantidad de doce pesetas sesenta y cinco céntimos. Transcurridos unos segundos, la adivinadora bajó las manos, abrió mucho los ojos y dijo gravemente:

—Está usted de enhorabuena, joven. Su novia le estima y le es fiel de pensamiento, palabra y obra. ¿Quiere saber algo más?

El corazón de Sebastián bailaba de júbilo. Se puso en pie y entregó a la adivinadora todos sus fondos.

—Nnnno, nnada, nada más; muchas gracias.

Salió. Según descendía los desgastados peldaños, oyó la voz gutural del «doctor cubano»:

—Vuelva cuando quiera. Estamos a su disposición.

Aurora anunciaba que llegaría en el tranvía a la hora de comer. Por eso Sebastián recogió aquel día las piezas amontonadas sobre el mostrador con mayor premura que de costumbre. Los nervios no le dejaban en paz. En semana y media había perdido la noción concreta de la Aurora. Sus rasgos se le difuminaban en el recuerdo y hasta la vibración de su voz había dejado de serle familiar. Bobamente se preguntaba qué efecto le causaría su novia; si el contacto de su mano continuaría detentando suficiente poder para hacerle estremecer.

Camino de la estación tuvo una repentina revelación. Se dio cuenta de que su impaciencia por volver a ver a la Aurora no la dictaba el cariño, sino más bien la ansiedad por convencerse de que la Aurora no se mofaba de su inferioridad; de ver si la Aurora, al menos, seguía guardando las apariencias.

Andaba de prisa, moviendo nerviosamente sus piernas cortas. En su precipitación adelantaba la cabeza, como si de ella dependiese y no de las inferiores extremidades el llegar antes. Franqueó una gran avenida del parque público, dejando a su izquierda las moles grises de las casas más antiguas y eminentes de la ciudad. Al acabar de recorrerla comenzó a sonar, modulada y estridente como un lamento, la sirena de la estación. Aquella sirena había anunciado la vecindad de los aviones enemigos durante la guerra y desde entonces conservaba una agria y amenazadora entonación. Su llamada constriñó a Sebastián a ir más de prisa. Temía, siempre temía, no llegar a tiempo. Esa desconfianza en las propias fuerzas caracterizó a Sebastián desde que dispuso de la facultad del raciocinio. Al fin se vio en el andén. El tren no había llegado aún y Sebastián se acercó a la pizarra que anunciaba los retrasos. El tranvía no figuraba en la tabla, por lo que dedujo que, de retrasarse, no lo haría en más de una hora.

Hacía mucho que no se asomaba a la estación y se entretuvo contemplando el ir y venir de los mozos con los carros de los baúles preparados para las facturaciones, los presuntos viajeros poseídos del nerviosismo del viaje inminente y un viejo colillero, agachándose aquí y allá, con una apariencia marcadísima de ángulo recto.

Eran las dos menos veinticinco cuando Sebastián inició su paseo por el andén. Dos veces lo recorrió a lo largo, animándose a soportar la espera con paciencia. Los trenes no acostumbraban a llegar a su hora. Otro signo de la época consistía en el poco respeto de hombres y vehículos a la puntualidad.

Comenzaba el tercer recorrido del andén cuando la campana que había junto al reloj dio la salida a un tren. «Éste tiene que ser», pensó Sebastián, y se aprestó al recibimiento.

De las puertas de la cantina y la fonda surgían ahora docenas de personas que aguardaban la aparición del tranvía ante un vaso de vino tinto. Sebastián experimentó un vago malestar al pensar en esto y relacionarlo con su reciente borrachera. De repente, entre las personas que salían de la cantina divisó al Sixto, el hermano de la Aurora. El Sixto le vio también y se dirigió hacia él. A nadie hubiera deseado Sebastián tener más lejos en este momento y en cualquier otro de su vida. Sixto era un mozo grandullón, de rostro congestivo y pelo rojizo. Era vigoroso de miembros y terriblemente desgarbado en sus movimientos. Sebastián había temido a Sixto toda su vida. Disfrutaba de una lengua acerba y un temperamento pendenciero e increíblemente mordaz. Vestía de tonos chillones porque le molestaba pasar inadvertido en ninguna parte. Que Sebastián supiera, tres veces había estado procesado como autor de lesiones y una vez en el hospital con una cuchillada en el vientre. Todo ello, lejos de mitigar sus humos de luchador, había contribuido a enardecerle y a fomentar sus cruentas aficiones.

Su padre, el señor Sixto, era el más directo culpable de la conducta del mozo. El Sixto presumía, cuando alguien le preguntaba a qué se dedicaba, de malgastar las pesetas «que robaba su padre». Constituía, a su juicio, una ocupación laboriosa — ya que su padre «robaba mucho» —, aunque extraordinariamente agradable. Y no se conformaba con holgazanear él, sino que censuraba a todos cuantos en la vida desarrollaban alguna actividad. A veces, Sebastián oía decir en el barrio que el Sixto era la oveja negra de la familia; pero a él le parecía natural que de una oveja negra se derivase otra oveja negra, incluso más negra que la progenitora.

Al ver que se acercaba Sixto, Sebastián pataleó dos veces en el suelo pretendiendo activar la marcha del tren. Desde que se hiciera novio de la Aurora, e incluso desde que abandonara la tienda de comestibles de su padre, no había cambiado una palabra con el Sixto.

Torció el gesto cuando éste le golpeó campechanamente la espalda:

—¿Qué dice el gran hombre?

—¡Hola!

—¿A quién esperas?

Sebastián se sofocó:

—A... a... a...

Se dio el Sixto una palmada en la frente y rió sonoramente:

—¡Ah, claro, qué tonto soy! Tú esperas a la Aurora, ¿no es cierto?

Sebastián asintió con la cabeza. Sixto añadió:

—Está bueno eso. Entonces esperas lo mismo que yo. — Miró el reloj del andén y luego añadió indolentemente: —Te felicito; chico, tienes unas buenas tragaderas.

Sebastián deseaba mostrarse cordial y simpático, pero la derrota tomada por la conversación le impedía despegar los labios. Particularmente aquello de las «tragaderas» le había dejado atónito y como alelado. ¿A qué quería referirse el Sixto? De nuevo pateó impacientemente en el suelo, anhelando la aparición del tren. El Sixto no se daba reposo:

—Creo que ahora te dedicas al comercio de tejidos. ¡Buen negocio ese para ser el amo! Pero yo, de trabajar en tejidos preferiría ser sastre de señoras; aunque los ingresos no sean tan saneados. — Dibujó unas curvas en el aire con sus manos hinchadas y rojas y prosiguió riéndose: —Ya me entiendes, ¿verdad? Sí, ya creo que nos entendemos. — Volvió a reírse.

Sebastián se encontraba incómodo y aturdido. La indiferencia soez y burda del lenguaje del Sixto le sacaba de su centro, quebraba su equilibrio interior. En vista de que no le respondía, el Sixto continuó:

—No os comprendo; no comprenderé nunca vuestra abulia para acomodaros a tirar por un sendero que otro traza. Es una esclavitud idiota la vuestra, ¿no? Y no es lo peor el trabajo, sino la rutina de todos los días; dando siempre la misma vuelta, como si el hombre no fuese un poco más que una máquina de rallar pan...

A Sebastián le impacientaba la tardanza del tren; le desagradaba la atmósfera, el vapor de vino en que le envolvía Sixto al hablarle desde tan cerca.

Sixto proseguía devanando las insulsas bravatas que paría su cerebro:

—Y en tus ratos de ocio te dedicarás a leer vidas de santos, ¿no? No me explico para qué queréis vivir algunos. Ocho horas de trabajo y luego a mal comer y a dormir. Esto un día tras otro, un día tras otro, hasta que un buen día estalláis y sanseacabó. Habéis vivido o creéis que habéis vivido y os morís tan a gusto, ¿no es así?

La locomotora apareció, al fin, como un punto negro y fumoso en la dilatada perspectiva.

—¡Ya está ahí! — profirió, jubiloso, Sebastián.

Sixto le observó, con una mueca maligna deformándole el rostro:

—Sinceramente — le dijo, de pronto, tomándole por un brazo y mirándole fijamente —, no querrás hacerme creer que te alegra volver a ver a la Aurora.

El tren resoplaba ya, entrando en el andén, y Sebastián se fingió distraído:

—Míralas.

Doña Claudia y Aurora pegaban sus narices a la ventanilla de un vagón de primera clase. Al divisarles, doña Claudia comenzó a agitar una mano de arriba a abajo, sonriendo. Sebastián se sofocó al pensar que su entrevista con la Aurora habría de verificarse ante una importante representación familiar. Mas doña Claudia se mostró particularmente discreta en aquella ocasión. Abrazó a Sixto, quien llamó «mi vieja» a su madre, y se adelantaron hacia la salida. La Aurora quedó sola, plantada ante él, pálida y desangelada. Sebastián se confesó una vez más que la Aurora no era bella, aunque poseía un incentivo indiscernible en su redonda fealdad.

—Hola, Aurora. ¿Cómo te ha ido?

Aurora dejó su maletín de piel en el suelo y le tendió la mano libre. En la otra se balanceaba, pendiente de una goma, un muñeco con cara de niño y el cuerpo recubierto de una piel de mono.

—Hola, Sebastián. Mira lo que me ha tocado en una rifa del tren.

Agitó el brazo y el niño-mono dio unos saltos increíbles.

—Es muy gracioso.

Sebastián observó que la Aurora desviaba intencionadamente la conversición. Sin duda juzgaba extemporáneo hablar de ellos tan pronto. Sin decir nada tomó el maletín de su novia y juntos abandonaron la estación. Doña Claudia se apoltronaba en un taxi.

—Niña, danos el maletín. Vosotros podéis ir a pie si os apetece.

Sixto se reía, con su risa roja y explosiva, desde el interior del automóvil.

—Hola, Aurora, pequeña; aún no me has saludado. Por lo visto yo ya no soy nadie para ti.

La Aurora le saludó desganada, entregó el maletín a su madre y salió andando, haciendo saltar al monigote, hasta alcanzar a Sebastián. Éste carraspeó:

—Dime, ¿qué tal Madrid?

Los ojos de Aurora se dilataron de añoranzas por detrás de sus gafas:

—Muy animado. Aquello es vivir. Viniendo de allá se da uno cuenta de que esto no es más que un pueblo.

Sebastián se sintió culpable de que su ciudad no se hubiera desarrollado más; de que no hubiera en ella más gente, más automóviles, una actividad más febril y mecanizada.

—Sí, eso debe de ser verdad; pero esto es más íntimo... Todo tiene sus compensaciones. Aquí cabe vivir hacia adentro y saborear mejor tus sentimientos.

Sebastián se notaba forastero. Nunca había pulsado el latido del corazón de Aurora tan distanciado del suyo y, con avispada sutileza, concretó la pueril frontera entre ambos en aquel muñeco saltarín que pendía de un dedo de la Aurora. Él constituía la última realidad de aquel viaje que había cortado bruscamente su cotidiano intercambio de impresiones. Súbitamente pensó en la gran novedad que ocultaba todavía a la Aurora y que estimaba adecuada para resolver definitivamente su espiritual distanciamiento:

—Voy a darte una buena noticia, ¿sabes? Soy dependiente de los Almacenes Suárez.

A Sebastián se le antojó artificial el júbilo de la muchacha. Le parecía que su novia había de hacer de tripas corazón para exteriorizar una especiosa y falsa alegría. Le apretó la mano y le dijo: «¿De veras, Sebastián?», pero recelaba que la Aurora, al comportarse de este modo, suspiraba aún por las grandes avenidas, los espectáculos y el gentío que había dejado atrás. Él no conocía Madrid, pero la imaginaba una de esas ciudades brillantes y peligrosas contra las que se estrellan los espíritus incautos.

—Sí, es verdad; tan verdad que ya llevo siete días trabajando en mi nuevo puesto.

Reflexionó un momento y su cara se ensombreció:

—¿Sabes? Expulsaron a Hugo.

Hasta entonces no advirtió Sebastián lo incompleto de las satisfacciones humanas; la necesidad cruel de arruinar a un prójimo para encumbrar la propia existencia. La alegría de un hombre se cimentaba en el dolor y el aniquilamiento de otro. Su propia colocación dependía de la descolocación de un semejante.

—¿Hugo? ¿Aquel chico moreno de los ojos bonitos?

Se dijo Sebastián que bien podían ser bonitos los ojos de Hugo aunque a él no le parecieran así:

—Sí, ese mismo.

—¡Pobre muchacho!

El tufo de cáscaras de plátano pisoteadas, mezclado con el aroma de otros frutos podridos, les alcanzó al abocar a la Plaza del Mercado:

—Ya estamos cerquita de casa.

Se había hecho difícil la conversación. Aurora había digerido la grata novedad, tan celosamente guardada por Sebastián, sin necesidad de masticarla demasiado. Tras unos pasos en silencio, Aurora se desabrochó el abrigo de piel:

—También hace bueno aquí.

—Sólo desde ayer; los demás días ha hecho mucho frío.

Cruzaron la plaza atestada de tenderetes, que a esa hora se levantaban, y de vendedoras de pan blanco, cuyas insistentes ofertas les asaltaron al pasar. Ante el portal de la Aurora se detuvieron y, como ya era costumbre en ellos, Sebastián subió al banzo y ella quedó abajo. Era el único procedimiento hábil para equiparar sus estaturas. La Aurora le miró con insistencia:

—Chico, ¡pero si tienes traje nuevo!

Sebastián se azoró. También él se había desabrochado disimuladamente el abrigo para que ella reparase en los progresos de su indumentaria. Le separó ella los dos extremos del gabán:

—Es muy bonito. Estás muy bien con él, Sebastián; de verdad.

Él vio una salida viable para su aturullamiento:

—También tú, a lo que parece, has estrenado.

Aurora se abrió el abrigo para que Sebastián contemplase el vestido nuevo a su placer.

—Es de mucho gusto, Aurora, ¡ya lo creo! Pero, ¿sabes que me parece que has engordado en Madrid? Estás más ancha... un poco más voluminosa.

Se frunció la frente de Aurora y su expresión se ensombreció:

—No digas memeces. Eso es una impertinencia, Sebastián. Eres un grosero. Ven a buscarme a las siete.

Y subió los peldaños presurosa, dejando a Sebastián plantado y con ganas de decir: «Pero si no me importa, de veras. Me gustas igual». Pero no se atrevió. La voz de su novia le había sonado con un acento desgarrado y extraño; con un acento que era la primera vez que sorprendía en la boca de la Aurora.

CAPÍTULO VII

EL comportamiento absurdo de la Aurora apabulló a Sebastián. La frialdad inicial, unida a su iracunda despedida, le hizo volver a recelar que no era él lo más importante de cuanto ocupaba el corazón de la muchacha; por más que el «doctor cubano» le asegurase su fidelidad «en pensamiento, palabra y obra».

Pero, además, por una inexplicable razón, después de volver a verse con la Aurora, advertía que tampoco la muchacha, contra lo que había creído, constituía para él nada fundamental y hasta se le hacían ahora risibles y extravagantes los celos exaltados que le condujeron a correr detrás del «doctor cubano» mendigando unas migajas de tranquilidad interior. Se indignaba consigo mismo y una sordidez retroactiva le llevaba a lamentar el despilfarro — doce pesetas con sesenta y cinco céntimos — realizado para pagar la consulta. Se daba cuenta, de pronto, que no eran celos lo que le impulsó a dar ese estúpido paso, sino su propio egoísmo, el recelo característico del hombre inferior que en todas partes cree entrever una humillación de su amor propio.

Sebastián daba vueltas a estos pensamientos mientras se entendía con la muchedumbre de clientes. Plegaba y desplegaba enormes piezas ante los ojos de la clientela, que picaba, vacilaba o rotundamente dejaba de picar.

—Puedo enseñarle otra cosa. De eso tenemos un gran surtido. — Cabía en lo posible que fuese la viva realidad de la Aurora, muy inferior a la imagen que conservaba en el recuerdo, lo que vigorizaba su vertiginosa e irreprimible desilusión. Era posible, también, que fuese la interposición del Sixto, su realidad casi olvidada, lo que enfriaba la pasada vehemencia del pobre Sebastián.

—Mire, no me gusta. No es precisamente esto lo que busco. Yo quería una muselina blanca, pero un poco más tupida.

—Lo siento, señora; de eso no tenemos nada. Tal vez lo recibamos en el próximo envío. ¿Usted qué deseaba, señorita? — De todas formas lo innegable era que la Aurora le había decepcionado. Tal vez no la hubiese amado nunca; tal vez sólo le hubiera empujado a ella su absoluto y frío aislamiento; quizá una fe necia en sus palabras de escepticismo respecto a los hombres y las cosas; tal vez...

—Muy bien. Espere, que se lo envuelvo. ¿Deseaba algo más?

—No; nada más. Muchas gracias.

—Anita, haga el favor de cobrar sesenta y tres setenta y cinco... Gracias, señorita.

—¿La atienden a usted, señora? — De otro lado, Aurora había regresado muy especial. Nada concreto cabía decir de ella, de su actitud, ni de sus palabras. Pero algo dejaba traslucir su voz, su mirada, su persona entera, que no agradaba a Sebastián.

El nuevo dependiente se movía con agilidad, mientras su cerebro se desbocaba, sin pausa, en una serie inacabable de conjeturas. De cuando en cuando se detenía pensativo en su quehacer hasta que su mirada ausente coincidía sobre las uñas de sus dedos, desarrolladas y casi normales, y esta visión le incorporaba instantáneamente a la realidad. A intervalos le asaltaba el recuerdo del maniquí abandonado en la trastienda y esta evocación exaltaba su carne. Él movía la cabeza de un lado a otro, pretendiendo liberarla de la acuciante impresión de aquellas curvas turgentes, henchidas de serrín. Mas la imagen, absurdamente provocativa, tornaba a asaltar su mente con turbadora insistencia.

La afluencia de personal había decrecido en los últimos minutos y Sebastián frenaba su diligencia para tomar aliento. En la calle era ya de noche y hacía rato que brillaban en el establecimiento las potentes luces que nutría el grupo electrógeno recientemente instalado por don Saturnino. La Caja espaciaba sus timbradas, como si acusase la nerviosa carrera de las últimas dos horas. También Anita podía, ahora, levantar tranquila su rubia cabeza y respirar el aire calefactado de los Almacenes con parsimonia y fruición. Los dependientes se miraban entre sí como se miran el tocólogo, el marido y la comadrona después de coronar halagüeñamente un trabajoso parto. Emeterio iba y venía colocando piezas en los estantes por su orden de numeración. Al día siguiente era domingo y el esfuerzo actual apenas si contaba. Mañana dormirían a pierna suelta hasta mediodía y después se encontrarían, adormilados aún y sombríos, en la misa de una de la Catedral.

Cuando todo aparentaba haber concluido aquella tarde, se abrió la puerta de cristales del establecimiento y penetró una mujer joven, alta y bien formada, acompasada por el uniforme taconeo de sus zapatos contra los baldosines. Sebastián se hallaba de espaldas a la puerta y no se inmutó, pero quedó perplejo al observar el unánime aceleramiento de sus compañeros, como si hubiesen sido estimulados por un mismo espoletazo:

—¿Qué tal, señorita Irene? —decía uno de los hermanos deportistas, acercándole una silla.

—¿Cómo le ha ido por aquellas tierras? Sea usted bienvenida. ¡Vaya si la hemos echado a usted de menos! —Don Arturo estrechaba la mano de la visita. Después volvió con disimulo la cabeza y susurró imperativamente a Emeterio:

—¡Corre a avisar a don Saturnino!

Los demás dependientes expresaban su júbilo por la visita en análogos términos y todos, al parecer, se regocijaban igualmente de que la joven hubiese regresado ya de «aquellas tierras», donde, por lo oído, había pasado «tres estupendos meses de vacaciones».

Sebastián no era curioso en exceso. Sin embargo, el agresivo entusiasmo de sus colegas le compelió a volver perezosamente sus ojos hacia el lugar donde la mujer charlaba con don Arturo, rodeada por las melifluas sonrisas de toda la dependencia. Sebastián miró un momento con idea de no prolongar demasiado su mirada; pero, apenas vuelta la cabeza, dio un gran salto y giró su cuerpo por completo. La verdad es que la visita justificaba este exaltado celo de Sebastián.

Jamás en la vida había contemplado éste una tan soberana belleza concentrada en un simple cuerpo humano. La envolvía una grácil aureola como si se tratase de algo inasequible. Tenía el pelo muy negro, recogido en dos cocas por detrás de las orejas. Éstas eran pálidas, rematadas por unos lobulillos rosados y carnosos de los que pendían unos pendientes fulgurantes que avivaban su sensualidad. Del óvalo de su cara, apenas sin maquillar, resaltaban sus pupilas verdes, muy vivas, enmarcadas por unas pestañas espesas y oscuras. Su nariz pequeña, un poco respingona, se elevaba sobre unos labios graciosamente curvados que se separaban uno de otro, como con pena, cuando su dueña tenía que hablar o sonreír. En estos casos exhibía dos filas de dientes muy blancos y cuidados.

Pero tal vez lo que más llamó la atención de Sebastián

fue el cuello torneado, firme y larguísimo de aquella muchacha. Emergía del abrigo de pieles con una rotunda seguridad de sí mismo, con la orgullosa convicción de saberse cimiento y sostén de la cabeza más hermosa de la tierra. Sebastián pensó muy seriamente que de otorgársele la gracia de poder rozar con sus dedos aquella columna mágica y tensa no le sería posible evitar un desmayo.

La joven vestía y calzaba con elegancia y naturalidad. Nada resultaba forzado en ella. Podría afirmarse que había nacido envuelta en aquel espléndido abrigo y calzada con aquellos zapatos. Cuando hablaba, todos sus miembros y hasta sus ropas participaban de su actividad; ayudaban a endulzar aquellas frases moduladas y persuasivas que escapaban de su boca flúida, naturalmente...

Don Saturnino surgió presuroso de su despacho, seguido muy de cerca por Emeterio, jactándose aún de su embajada. Sonreía el señor Suárez con un caudal de simpatía extraordinario:

—¿Cómo está usted? Ya era hora de que la viésemos por aquí. ¿Y sus papás? Dígame: ¿cómo resultó ese viaje? Espléndido, ¿verdad? «Aquellas tierras» son lo más parecido al paraíso que aún queda en el mundo. Se la ha echado de menos. ¡Vaya que sí! Pero siéntese, siéntese, señorita Irene, por favor.

—No, muchas gracias, le aseguro que estoy muy descansada.

—Vaya, vaya, vaya — don Saturnino se frotaba una mano con otra, con un movimiento iterativo que a Sebastián le parecía grosero e inarmónico. La dependencia se había desparramado al aparecer el jefe. Sólo don Saturnino y Arturo atendían a la visita —. Y qué, mejor tiempo que por aquí, ¿no es así? En esta tierra no salimos de heladas y de nieblas. Por allá supongo que luciría el sol y hasta podrían permitirse el lujo de salir sin abrigos. Es un clima hermoso aquél. Cuando yo estuve en el año treinta y cuatro... Claro que eran otros tiempos, pero el clima no creo que haya cambiado para nada...

Todo se lo decía él. A Sebastián le disgustaba que no la dejase despegar los labios. Aquella voz armoniosa, oída por primera vez hacía cinco minutos, le iba siendo necesaria, imprescindible, para conservar la integridad de sus tímpanos. De pronto notó Sebastián que le golpeaban la mandíbula y sus dientes chocaron con rudeza. Advirtió entonces que tenía la boca abierta y se ruborizó al ver reír a su lado a uno de los hermanos rubios:

—Buena mujer, ¿eh?

Le olió mal a Sebastián esta expresión soez, aplicada a aquella muchacha ingrávida y de una realidad tan delicada y sutil:

—Es... hermosísima... sí.

—No hay mejor hembra en muchos kilómetros a la redonda, tonto. ¿Tienes ahí la pana rayada verde? Tengo que atender a aquella lechuza. ¡Diablo!, ¿por qué no serán todas las mujeres como ésta?

Sebastián no comprendía cómo la presencia de Irene no trasmudaba a sus compañeros; no les elevaba sobre la rutina rastrera y prosaica de todos los días; él consideraba a aquella mujer como muy capaz de dignificar cuanto tocase, más aún, cuanto rozase la onda expansiva de su lozana y contundente armonía.

—Ahí la tienes.

No pudo evitar el quedar nuevamente prendido en la maravillosa vitalidad de la muchacha. Prejuzgaba que sería muy difícil y laborioso encontrar algo más bello en el resto de la tierra. Sebastián había visto mujeres hermosas, si se quiere mujeres de una belleza extraordinaria, pero nunca — estaba bien seguro — ninguna como aquélla.

Compulsaba que la contemplación de aquella mujer le

elevaba, le purificaba, le hacía ver que por encima del barro existe algo que aletea y redime la materia. No era la escultural modelación de aquel barro, con ser mucho, lo que le hacía vibrar con una desacostumbrada emoción; era la luz, el difuso matiz, que lo vivificaba y le imprimía un equilibrio y un ritmo.

—¡¡Vamos, joven!! ¿Me quiere usted despachar de una vez?

Fue un brusco descenso a la tierra la destemplada citación de aquella mujeruca arropada en un chal negro, moteado de caspa. Sebastián observó su faz terrosa, la piel duramente fruncida de las mejillas y se afirmó en su creencia de que el mundo entero no estaba preparado para alojar una beldad como Irene.

—¿Me quiere enseñar los retales de la otra temporada? Me da lo mismo el género y el color. (Se reía Irene, con una rara musicalidad en la contracción de su garganta. Sebastián comprobó que todo acompañaba con dignidad a su porte, sin rebajarlo, antes bien, añadiendo ignotos y sutiles matices que redondeaban su perfección. Sebastián no acertaba a desenvolverse.)

—Ha dicho usted retales, ¿verdad?

—Sí, sí, retales, por favor; tengo un poco de prisa. (Prisa, prisa... ¿No podía haber un paréntesis en la vida de todos los hombres para recrearse en la suma perfección? Aunque después de todo, ¿qué podía importarle a esta mujer del chal negro y casposo y la cara fruncida la impecable sazón de la otra? Ahora hablaba ella. Don Saturnino, al fin, se había callado, había interrumpido sus preguntas afirmativas. «No tienen el gusto que en la Península, eso por descontado... ¿Tipismo, dice? Tal vez sí. Aunque yo creo que el tipismo de todas partes sólo es ya una atracción para forasteros. Cuando llegan los barcos de la Península...» ¡Oh, Dios, qué afortunada Península! Sebastián imaginaba los rabiosos celos de toda la geografía física. Intuía que los golfos, cabos, cordilleras y todos los istmos del mundo rabiarían de celos ahora al oír que ella decía con aquella cadenciosa entonación «Península» y nada más que «Península».)

—¿A cómo es esto?

—Sesenta pesetas ese retal; el amarillo, cincuenta y cuatro. (Irene proseguía: «No se ría usted, don Saturnino. Son los novios los que dan de comer a las islas. Hasta tal punto que si ellos faltasen se paralizaría la vida de una manera casi absoluta.» ¡Oh, las islas! Menos mal que Irene repartía un poco equitativamente entre la Geografía el don de pronunciar sus nombres con su voz modulada y graciosa. Eran sus palabras las que usualmente se emplean en el lenguaje corriente, pero en su boca adquirían unas tonalidades especialmente sabrosas y expresivas.)

—Póngame este de cincuenta y cuatro. Después de todo, para lo que lo quiero tanto me da uno como otro. (A Sebastián no le afectaba el uso que la mujeruca del mantón casposo y la cara fruncida pudiera dar a aquel retal amarillo de cincuenta y cuatro pesetas. Realmente, en estos instantes, no le importaba nada, fuera de la actitud, la voz y la sonrisa de Irene, a quien absorbía con sus ojos por encima del hombro de la mujeruca del chal.)

—¡Anita, cobre cincuenta y cuatro pesetas, por favor! ¡Usted siga bien, señora!

Desfilaban los últimos clientes. Irene había pedido algo que ahora le mostraba don Arturo en el otro extremo de la tienda. Pareció complacerla en seguida:

—Me lo enviarán, ¿verdad?

(Otra sonrisa. En verdad, todo se reducía hoy a un ininterrumpido peloteo de sonrisas.)

—No faltaba más; dentro de cinco minutos lo tiene usted en su casa.

Ella le ofreció su mano:

—Adiós, Arturo; hasta otro rato. Ya saben que de nuevo me tienen aquí. Usted siga bien, señor Suárez. Adiós a todos.

Las flexiones y las sonrisas de la dependencia hicieron pensar a Sebastián que Irene era una reina en el establecimiento. (Y le agradó que así fuera por su hermosura deslumbrante y expansiva, por la calidad de relevante excepción que la encumbraba sobre las demás de su sexo.)

Taconeó Irene brevemente al cruzar la tienda. Al discurrir frente a Sebastián dirigió los ojos verdes hacia él un poco sorprendidos. Sebastián se sintió poseído de un extraño hormigueo que se tradujo, segundos después, en una emoción inquieta. Finalmente, Irene traspuso el umbral y salió a la calle. Sebastián la vio aún franquear el fragmento de acera que ocupaban las vitrinas y se dio cuenta de que todos los jóvenes que iniciaban a aquella hora su paseo vespertino volvían la cara insistentemente y se daban codazos admirativos al cruzarse con ella.

La respetuosa admiración de la dependencia se relajó en cuanto Irene abandonó el local. El fervor de los hombres se tornó entonces en un procaz apetito, alentado por una exacerbada animalidad. Expresaba cada cual sus deseos con una desgarrada y deprimente crudeza. Sebastián se confesó su error de haber pensado anteriormente que la belleza de Irene bastaba para elevar y dignificar la carne. Le sorprendieron, más que nada, las expresiones instintivas de los dos hermanos rubios y, por vez inicial, comprobó que ambos eran susceptibles de poner acaloramiento y pasión en un tema diferente del fútbol. Por asociación de ideas advirtió que Irene ocasionaba en los temperamentos de sus compañeros los mismos apasionados furores que en él despertaba el recuerdo del polvoriento maniquí de serrín.

Por su parte, el conocimiento de aquella mujer había

significado para Sebastián algo importante en su vida, algo cuya huella constataba él, profunda y distinta, perfectamente diferenciada, allá abajo, en lo más profundo de su espíritu. En principio no discernía claramente el significado de esta huella. Aquilataba su existencia, su indeleble impacto, pero se veía imposibilitado de calcular sus efectos y medir sus resultados en el porvenir de su vida. Por de pronto le inundaba un enardecimiento casi místico; le apabullaba, aplanándole, la gigantesca idea de la perfección.

Al salir aquella tarde de los Almacenes procuró coincidir con Manolo. A la larga iba convenciéndose de que era éste la única persona para quien su antiestética estructura no constituía un motivo de regocijo y de burla. Manolo era serio, honrado y un amigo verdadero. Su faz consumida, en la que detonaban sus ojos saltones atravesados de venitas sanguinolentas, daba idea de lo dura que era para él la lucha por la existencia. No obstante, era un hombre equilibrado. No descorazonaba de salir con bien — él, su mujer y su prole numerosa — del atolladero de la vida. Cuando le interrogó por lo que significaba Irene para el establecimiento, no se sorprendió al oírle decir que aquella joven equivalía, ni más ni menos, a la prosperidad de los Almacenes. Sin duda, era la mujer más hermosa y elegante de la ciudad, además de pertenecer a una familia distinguida y adinerada. Ella imponía la moda, los gustos y las aficiones en la pequeña ciudad. Gastaba un dineral en vestirse y adornar su casa. Tras ella invadían el establecimiento verdaderas turbas de jovencitas que copiaban sus indumentarias con la especiosa esperanza de lograr, al arroparse en aquellos trapos, el prodigio de trasmutarse en hermosas y atractivas Irenes. Era, simplemente, lo de siempre; el instinto gregario, el afán de superación, de equipararse a la mujer más arrogante y sugestiva de la agregación, olvidando que la gracia es un don innato que no se adquiere, artificialmente, con nada. Éste era, en pocas palabras, el hilo que unía a Irene con los Almacenes, el secreto que explicaba su delirante acogida en el establecimiento.

Sebastián, en su exaltación, no podía hablar de otra cosa. Absorbía materialmente las palabras de Manolo. Le agradaba tener por fondo de la conversación la grácil y cimbreante silueta de Irene, su rotunda y plástica proporcionalidad. Ahora le interrogaba por su ausencia, por el equivalente geográfico de «aquellas tierras». ¡Ah, claro! Había estado en Mallorca. Tenía, por lo visto, familia allí. Naturalmente, no había desperdiciado la ocasión y había pasado en las islas cerca de tres meses. A Sebastián le pareció bien aquel devaneo. Las mujeres como Irene debían dedicarse a recorrer el mundo o a convertirse en piezas de museo. Eran arte y el arte debe doblegarse a la educación del rebaño, de la colectividad. A Irene no le estaba permitido encerrarse en un núcleo más o menos populoso; se debía a la exhibición, al entusiasmo y al aplauso de las multitudes.

Al dejar a Manolo en el cruce de dos calles, Sebastián se dio cuenta de que aún permanecía en la tierra, agarrado con su podredumbre al asfalto de la vieja ciudad castellana. Su exaltación le había conducido a lejanos parajes de ensueño, parajes que se adecuaban con la soberana belleza de Irene, con el tono cantarín y sugerente de su hermosa voz. Ahora la ciudad se le hacía vieja, turbia y desapaciblemente sucia; desabrida en su rutina gris, en su monotonía de piedras amontonadas con un diverso y a veces opuesto sentido arquitectónico. La escasa luz la hacía todavía más lánguida y decadente. Las calles equivalían a tiras de asfalto, ribeteadas por casas desiguales, amorfas, vagamente lóbregas y huidizas. Las conversaciones de los transeúntes eran huecas y vulgares, como las casas y las calles; con un ritmo roto, desafinado, de música maltratada. En las esquinas algunas viejas vendían castañas asadas, encerradas en una casetucha de maderas grises, con reminiscencias de ataúdes. Despachaban diez, quince, veinte, de castañas, y se quedaban tan contentas con la calderilla amontonada en un cestito de mimbre, análogo al que empleaban para despachar sus frutos calientes.

Sebastián sentía su cabeza poseída de difusas e imprecisas sensaciones. Era Irene quien motorizaba su cerebro aquella noche; su intachable equilibrio, quien impregnaba, por contraste, a la ciudad, de un vaho de desagradables imperfecciones.

Avanzó despacioso y cansino hasta la Plaza del Mercado. El fétido hedor vespertino se hacía irresistible allí, después de un día de sol más bien caldeado. La franqueó y entró en su barrio, invadido de una postradora sensación. Tras unos pasos inseguros, titubeantes, oyó la voz de la Aurora a su lado:

—¡Podías venir con más calma! ¿Es que no sabes qué hora es? Llevo esperándote en el portal más de un cuarto de hora. Y ya sabes que si hay algo que deteste en el mundo es esperar, y esperar como una idiota más de cinco minutos seguidos.

Sebastián no tenía vigor bastante para contestar; pensó, además, que no valía la pena hacerlo; que le era completamente indiferente lo que la Aurora creyese. Le raspó su sensibilidad la agria reprimenda y le pareció bufo, repugnantemente risible, que aquella mujer, miope, grosera y culibaja, tuviese la osadía de escarnecerle en plena calle a él, a él que acababa de entrever la perfección y la armonía, que había convivido con ella durante un breve lapso de tiempo, cobijados bajo un mismo haz de luz. Se sentía impermeable a cualquier denuesto, enervado por una extraña atonía. No tenía deseos de andar, ni de moverse, ni de compañía. Le hubiera agradado perderse en sus lucubraciones, fantasear, desgajado absolutamente de su triste existencia.

Aurora paseaba a su lado como una extraña. Sebastián celebraba su enojo, ya que así no se veía forzado a hablar, a rebuscar frases tontas y absurdas, constreñido por la precisión de decir algo. Así era más grato caminar; cada uno en su mundo. Súbitamente había apreciado que aquellos amores suyos con la Aurora eran extravagantes y atrozmente ridículos. Ridículo él, en su detestable conformación; ridícula ella en sí misma, en sus pretensiones, en sus desvergonzadas aventuras, en su prurito de recoger velas ahora y enmendar definitivamente sus malos pasos. E inefablemente ridícula y grotesca la pareja, la confluencia de ella y él en su común aspiración, burda, ramplona y carnal, de formar un día un solo cuerpo.

A cada paso crecía su vergüenza y su estupor. Ahondaba Sebastián en su risible corporeidad y se enfurecía contra ella, contra sí mismo, contra la torpeza de su padre, pequeño y deforme como él, empeñado en depositar su nefasta semilla en el interior de una mujer zafia, primitiva e ineducada. A veces Sebastián movía la cabeza rápidamente de un lado a otro, tratando de emanciparla de aquellas ideas peligrosas, sutilmente envenenadas. Mas las ideas retornaban, mostrando su perfil más sangriento y doloroso, y Sebastián, involuntariamente, las rumiaba una y otra vez, y una y otra vez las rechazaba y volvían a asaltarle.

Paseaban ahora frente al paredón de ladrillos rojos que resguardaba el colegio de monjas; es decir, por el lugar que instintivamente habían elegido, otras tardes, como refugio ideal de su amor. La Aurora iba mitigando su mal humor y pronto dirigió la palabra a Sebastián. Éste la contestó mecánicamente, sin saber a punto fijo qué le decía. Sin embargo, el hielo se había roto y pronto entablaron un diálogo normal. Se disiparon un tanto las imágenes torturadoras del cerebro de Sebastián; se aventó su pesadilla y no quedó más que la idea fija, risible y vergonzante de aquel amor — el suyo y el de Aurora —, que era como el esfuerzo titánico de dos despojos humanos pugnando por arrancar de la vida unas briznas de placer.

La Aurora se humilló de repente:

—Perdóname, Sebastián. Sí, ya sé que he estado un poco dura contigo, pero ya sabes que me molesta esperar. No puedo soportarlo. Impónme cualquier penitencia menos esa. Ya me hago cargo de que habrás tenido que hacer en la tienda, pero al verte venir con esa cachaza no me pude contener y...

Significaba esta declaración de parte de la Aurora un hecho insólito y excepcional. Mientras se disculpaba había tomado entre las suyas la chata mano de Sebastián y la acariciaba una y otra vez con ánimo de imprimir mayor fuerza y convicción a sus palabras.

Para Sebastián fue muy doloroso apreciar que aquellas caricias cálidas y reiteradas no tenían ya siquiera fuerza para mover su carne, quedaban por debajo de la potencia sensual del maniquí insensible y mudo de la trastienda de los Almacenes.

—Bah, es una bobada. No te disculpes por eso, Aurora. Comprendo que es muy molesto esperar. Yo también lo he hecho muchas veces; pero para una chica es distinto, ya lo sé...

Inesperadamente Aurora se detuvo en el portón trasero del colegio. La escasa luz que llegaba del farol de la esquina se esfumaba en el hueco de la puerta. La Aurora se introdujo en el oscuro rincón y arrastró tras de ella a Sebastián.

Él se encontraba sublimado por el presentimiento de Irene, anulado en su rastrera carnalidad. No hubo de esforzarse para aplacarla:

—No, Aurora, no; debemos dominarnos. Esto no está bien que lo hagamos antes de casarnos. Esto es una porquería.

Aurora cedió. No parecía contrariada ni humillada, si es caso poseída de un nervioso desasosiego, como cuando nos invade la sospecha de haber dado al buzón una carta sin franquear. Les cercó una pausa espesa, plagada de remordimientos reprimidos. Finalmente la Aurora habló:

—Quizá tengas razón; soy una tonta y una impaciente. Pero es que nuestras cosas van demasiado despacio, Sebastián. — Se ordenaba el cabello y se sujetaba las gafas, que en el forcejeo habían estado a pique de caer —. Debemos arreglarlo todo cuanto antes. Sí, ¿por qué no? Mañana quiero que vengas a casa. Merendaremos juntos y te presentaré a toda mi familia.

Esperaba la respuesta de él con una ansiedad tan notoria, que Sebastián no pudo eludirla.

—Sí, claro; tienes razón. Recorriendo las mismas calles cada día no adelantamos nada.

Se le veía desinflado de entusiasmos, acatando la sugestión de Aurora como la orden de un superior. Mas ella no reparaba en su depresión.

—Entonces mañana te esperamos en casa. No te dé apuro, pues ya conoces a casi toda la familia. Además, no lo pasaremos mal, ya lo has de ver.

Habían reanudado los paseos a lo largo de la roja tapia del colegio. Sebastián se veía arrastrado por un vendaval interno en el que se combinaban sensaciones diversas y encontradas. Presentía que acababa de dar un nuevo paso, un paso que le aproximaba a una meta peligrosa, pero prefería no pensar en ello, prefería dejar que las cosas navegasen un poco merced a sus propios impulsos.

Recorrieron el rojo paredón una, dos, mil veces; ida y vuelta, vuelta e ida, en un pendulear sin fin ni objeto.

La noche, la ciudad, la Aurora, eran distintas. Nada coincidía con el clima reposado, sólidamente apuntalado de tardes, paseos y entrevistas anteriores. No obstante, el cerebro de Sebastián iba serenándose, entreviendo la razón por la que las cosas cambiaban de matices con esta facilidad sorprendente.

Cerca de las nueve tomaron el camino de su barrio. Próximos ya, les arrolló un torrente humano que salía del cine comentando a gritos la película. Aurora y Sebastián bracearon contra corriente. A él le invadió la sensación de que se ahogaba, de que la multitud le apretujaba las costillas oprimiéndole el corazón. Luego se percató de que la gente no estaba tan apelmazada como para asfixiarle y constató que su sensación provenía directamente de su particular estado de alma. Y una vez más hubo de deplorar Sebastián tener una sensibilidad tan desarrollada que le permitía ahondar de esta manera en su propia y despreciable pobredumbre.

CAPÍTULO VIII

Los domingos eran días de especial animación en el barrio. Es verdad que rara vez faltaba la algazara y el bullicio en el barrio de Sebastián, pero los domingos esta animación adquiría unas características peculiares y hasta la atmósfera delataba la festividad con un denso olor, desde la mañana a la noche, a humo de puros baratos y ropa recién planchada.

Raro era el ciudadano que acudía a oír misa fuera de la parroquia. Las misas se sucedían, en ésta, de hora en hora y, desde las siete, las naves frías de la iglesia románica veíanse atestadas de fieles. La hora de cumplir con Dios iba en razón inversa de la edad; eran las viejas las que acudían a las primeras misas de la mañana, y los jóvenes, hombres y mujeres, los que parecían citarse en la explanada de delante del templo diez minutos antes de las doce, hora en que se celebraba la última misa.

Los jóvenes fumaban ante la puerta aguardando al Evangelio, mientras las chicas entraban precipitadamente en la iglesia poniéndose las mantillas y dejando ver por el abrigo, intencionadamente entreabierto, sus trajes domingueros de tonos audaces y chillones. También los mozalbetes reservaban para estos días lo mejor y más selecto de sus roperos, y sus camisas blancas, azules o a grandes cuadros, les oprimían la nuez, ceñidas por unas corbatas detonantes y de bien centrados nudos.

Terminada la misa, se reunían en corros delante de la iglesia y mientras los mozos acosaban a las chicas con requiebros de todos los tonos y gustos, ellas, halagadas, daban grititos de ofendido pudor, se desplazaban de grupo en grupo en alocadas carreritas o respondían con una dulce sonrisa y una pudorosa y lánguida caída de ojos como aconsejaban su vanidad satisfecha y su estudiada táctica del coqueteo. Luego paseaban por la estrecha calle, los novios y los que aspiraban a serlo, grandes grupos de chicas y chicos hablando de noviazgos, de películas y de fútbol. La cola del cine se retorcía bulliciosa y abigarrada en contraposición a las casi siempre negras y sombrías de los huevos de ración y de la carne. Nadie se acordaba del lunes, y si, como excepción, se proyectaban las imaginaciones hacia el futuro, era para pensar y decidir un plan para el domingo siguiente o para la próxima festividad.

Si la mañana estaba templada, mucho más en los días en que el sol invernal se arremansaba en la angosta calle, los paseos se prolongaban hasta las dos y el barrio entero hervía produciendo un excitante y juvenil rumor. Las vecinas más viejas y las amas de casa, a quienes la cocina sujetaba en sus hogares, comadreaban de balcón a balcón, se citaban para la tarde o comunicaban la última novedad sobre el enfermo de gripe postrado en cama en la adyacente alcoba. Ninguna boca permanecía inactiva en la jornada mañanera de los domingos. Era como si la vitalidad avasalladora del barrio rompiese sus diques de contención, periódicamente, una vez por semana.

Hacia las dos, la calle iba quedando desierta. Sólo la confitería seguía vomitando gente durante un cuarto de hora todavía, gente que parecía hipnotizada con su paquete de pasteles en la mano pendiente de una cuerdecita de franjas azules con otra blanca en el medio.

Cerca de las tres volvía a iniciarse el rumor; paulatinamente, como una ola que va engrosando para terminar en fragoroso estallido. El olor a cigarro barato se introducía por todos los rincones y sobre el barrio pesaba como una fina neblina gris. Comenzaba, entonces, la actividad de las tabernas — siete abrían sus puertas a lo largo de la calle —. Eran tugurios modestos la mayor parte de ellas, y allí, entre gritos y palabrotas, en un ambiente caldeado más por la temperatura humana que por la energía de cualquier comestible, ante unos vasos de grueso cristal rebosantes de malta con leche caliente, los hombres se jugaban sus ahorros al tute, a la garrafina o a las carreras. El juego en cuestión no significaba nada fundamental; lo fundamental consistía en sentir el escalofrío del riesgo y doblar o perder en unos minutos un puñado de pesetas ganadas con el sudor de ocho o diez horas de trabajo. En otras mesas se hablaba de fútbol. El fútbol iba imponiéndose, a raíz de la guerra, como el supremo espectáculo de masas. De vez en cuando, algún taurófilo, de antigua generación, se lanzaba por los fueros de su fiesta favorita, pero no tardaba en caer estrepitosamente derrotado por un grupo de inquisidores de la nueva religión del deporte. Éstos no transigían; creían entender que los toros se fueron con Joselito y la era del fútbol asomaba incontenible y pujante, constituyendo un empeño vano tratar de resistir su implacable influjo.

Alguno, más osado que sus compañeros de «filia», aseguraba que mientras «los toros no desapareciesen sin dejar rastro, con toda su cohorte de flamenquismo, pintoresquismo y «folklore» andaluz, en España no podrían fabricarse automóviles». A esto saltaba el padre de una criatura prodigio que obtuvo una mención en el último concurso de «Arte hacia la Fama», o de «Fiesta en el Aire», que no había en el mundo arte más puro y fascinante que dos mujeres bailando con garbo unas «sevillanas» o un «gachó», con voz bien timbrada, arrancándose por «bulerías».

La semilla de la discordia estaba sobre la mesa; el calor de los comentarios en torno no tardaría en hacerla germinar. La discusión subía de tono y no era imposible que el intolerable defensor del fútbol saliese de allí con una pata rota y sin poder acudir en un mes a su espectáculo favorito, o el embrión de artista que caminaba hacia la Fama con paso decidido, hubiese de perder, maltrecho en la cama de un hospital, un tiempo inestimable para conquistar la meta de sus largas aspiraciones.

En uno u otro sentido, la sangre del barrio bullía excitante e inquieta en la jornada dominguera. A fin de cuentas, el partidario de las «sevillanas» y las «bulerías» partía hacia el fútbol con su grupo de amigos tan pronto sonaban las tres y media y el fanático inquisidor de la «torería» marchaba sin escrúpulo a la novillada en las soleadas tardes de primavera, sin importarle mucho, después de todo, si en España podían fabricarse automóviles o no. Ni si en realidad eran «los toros» los culpables de este retraso nacional.

Mientras los hombres se hallaban en el fútbol, en el barrio imperaban, efímeramente, las mujeres, que aprovechaban este paréntesis de absoluto matriarcado en injuriar a sus maridos, insultar a las vecinas o, las más jóvenes y de lengua menos acerba y desarrollada, en hablar de los trajes que se confeccionarían para la próxima primavera y de sus esperanzas y devaneos amorosos. Pero en el fondo de todas estas conversaciones femeninas latía un difuso temor de que el equipo representativo de la ciudad pudiese salir del encuentro de aquella tarde con dos «puntos negativos». La que más y la que menos entendía este léxico para darse cuenta de que aquellos «puntos negativos» podrían significar una cena borrascosa y, si se terciaba, una inmotivada y extemporánea paliza. Los hombres eran — en opinión de las mujeres del barrio — unos animales primarios y feroces que actuaban siempre — injusta e irracionalmente, por supuesto — en virtud de una concatenación de causas sólo comprensibles para las inteligencias más sutiles y despiertas. Acudían al fútbol para desahogarse de la opresión y los malos ratos de la oficina o el taller; más tarde, en el hogar, se liberaban de las contrariedades del fútbol insultando y golpeando a sus mujeres sin causa justificada, y, los lunes, pagaban en la oficina o el taller, con su ceño adusto y su escasa laboriosidad, los malos ratos domésticos. Era un círculo vicioso que iba contra su propia consideración de seres racionales y contra sus propios intereses. Pero la vida era así, y a nadie se le hubiera ocurrido privarse del fútbol como medida lógica frente a todas sus contrariedades, por el mismo motivo que a nadie se le ocurriría dejar de comer para cesar de sufrir.

De todos modos, los domingos del barrio concluían en el cine, en el baile o en la taberna, con el morro fruncido o las sonrisas distendidas; lo que no era evitable, en ninguno de los casos, eran aquellas canciones cascadas y aguardentosas de los borrachos que herían sin contemplaciones el silencio nocturno hasta altas horas de la madrugada.

Sebastián, como casi todos los humanos que se sujetan a un horario de trabajo, disfrutaba más los sábados que los domingos. Esto, a fin de cuentas, es tan admisible como que la ilusión y la esperanza sean más bellas y estimables que la misma realidad.

Se levantaba tarde, y entre arreglarse, desayunar, leer el

periódico, que le subía la Orencia con la ración de pan, y oír la misa de doce en el barrio, se le escapaba la mañana casi sin sentirla. Se presentaba, después, la tarde y, entonces, el descanso de Sebastián se trasmudaba en un desleído y monótono aburrimiento. Badulaqueaba por la casa sin objetivo definido, cuidándose de no levantar ruido para no herir los nervios de Aurelia, que dormía la siesta en la habitación contigua, y, casi siempre, concluía sentándose a la mesa con la Orencia a disputar una partida de parchís. La Orencia arriesgaba en el juego una peseta — su asignación semanal íntegra — y el azar de perderla o de doblarla la mantenía expectante y entretenida durante tres cuartos de hora. A Sebastián, la posibilidad de victoria apenas le hacía mella, y el juego, mejor que para distraerle, servía para encauzar y dar sentido a su insoportable aburrimiento.

No obstante, aquel domingo encerraba una significación especial para Sebastián. Los acontecimientos de la tarde última le desvelaron durante gran parte de la noche, y, ahora, nada más terminar de comer, su cabeza pesada y dolorida seguía dando vueltas y vueltas a la cuestión que le atosigaba. La repentina claridad con que se le representase el día antes su desamor hacia la Aurora continuaba inmutable y firme en su cerebro. Se daba perfecta cuenta de que no amaba a la muchacha, de que, en realidad, no la había amado nunca. Fue, primero, la compasión hacia ella; el cabo cordial que la Aurora le arrojó para que se aferrase a él y se salvara de su irreductible aislamiento, después, lo que le constriñó a aceptarla con entusiasmo y como posible y definitiva compañera de su vida. Luego, con el trato, comprendió que la Aurora y él eran dos esferas, dos mundos diametralmente opuestos; que nunca, por buena voluntad que se pusiese en ello, podrían llegar a fundirse y borrar sus correspondientes fronteras. El viaje a Madrid y, sobre todo, el borrascoso regreso, habían terminado por perfilar estas sensaciones que tenuemente se abocetaban ya de semanas atrás. Durante este período fue la Aurora para él el futuro remedio de su sensualidad; es decir — ahora se percataba de ello —, lo que fuera Aurelia para su pobre padre, el pedicuro Ferrón, veinticinco años antes.

Tampoco se le ocultaba a Sebastián la parte inconscientemente tomada por Irene en esta autorrevelación de sus propios sentimientos. La vista de aquella mujer le hizo comprender la torpeza y cortedad espiritual de sus amores con la Aurora. Era necio ocultarse a sí mismo las cosas y Sebastián reconoció, con un débil sonrojo, que se había enamorado de Irene con todo el vigor de su pequeño cuerpo. Advertía que este flechazo constituiría para el mundo, si llegara a conocerlo, un inusitado motivo de hilaridad, pero él no tenía culpa de que sus fibras interiores se conmovieran a la vista de lo bello y de lo puro, ni de ser un finolis como su madre le decía a menudo con sobrada razón. Esto era verdad. Si sentir una repulsa instintiva hacia las frases e indumentas, a cual más sucia, de Aurelia y asquearse de los apetitos groseramente manifestados de sus convecinos, o de las artimañas mercantiles del señor Sixto, o de las bravatas y audacias orales de su hijo, significaba ser un «finolis», él, a no dudar, lo era, aunque bien pudiera ser, como pensaba Sebastián, que se tratase simplemente de una sensibilidad descentrada como, a buen seguro, habría muchas en el mundo.

Él estaba habituado a ver que los hombres apuestos o inteligentes se casaban con las muchachas más agraciadas y distinguidas en todas las esferas sociales y que los imperfectos o incompletos matrimoniaban con las mujeres incompletas o imperfectas. Esto debería ser así desde que el mundo fue mundo y respondía a un elemental principio de lógica social. Pero — ¡qué demonio! — el corazón no podía controlarse y él no tuvo en la mano evitar que el suyo vibrase con una agitación especial al contemplar a Irene por primera vez. Sí, se había enamorado de ella, no sólo la había admirado, y seguramente por no atreverse a reconocerlo a tiempo había pasado una noche infernal, inquieta, agujereada de oscuras e inarticuladas pesadillas.

Ahora, con los codos apoyados en la mesa y la frente recostada en los dedos entrelazados, se encontraba mejor ante este inaudito y descarnado reconocimiento de su verdad interior. Claro, se decía, que amar a Irene en secreto no constituye un delito. Muchos hombres han amado así, sin expresar en la vida su loco anhelo, vueltos a toda esperanza, sufriendo en la soledad las amargas e inútiles contracciones de su ambicioso corazón. Sebastián se incorporó atusándose los párpados. Estaba solo. Aurelia se había echado a dormir la siesta y Orencia fregaba en la cocina los cacharros de la comida. Se aproximó al balcón y apoyó la frente sobre la fría superficie del cristal. Así se encontraba aún mejor, como si el fresco contacto fuese bastante para apaciguar su cerebro excitado y febril.

Nutridos grupos de gente desfilaban ante sus ojos hacia el campo de fútbol. Sebastián hubiera deseado sentir aquello — aquel juego que enardecía multitudes — en la sangre, como aquellos hombres que antes del encuentro discutían ya acaloradamente sobre sus posibles incidencias y resultados y como los dos hermanos rubios de los Almacenes, que no les importaba arriesgar media soldada, y aun perderla, si ello les suponía disfrutar por unos días de la ilusión de una presunta victoria de su equipo favorito.

De la puerta de enfrente vio salir al Sixto con un gran habano entre los dientes, incensando con su aroma las calles del barrio. Esta visión le hizo volver a la idea de la Aurora y a su pasada pesadumbre. La Aurora le esperaba en su casa aquella tarde, y ello suponía anudar con mayor solidez sus ligaduras. Esta idea le desazonó. A medida que se experimentaba más cordialmente libre, aumentaba su impulso compasivo por la Aurora. Ella le amaba. De esto no podía dudar, como no se le ocurría dudar de ninguna de las verdades evidentes. A su manera, con sus altibajos y sus reacciones insólitas, Aurora le quería. Pudo ser el rebote de un desengaño o de muchos desengaños consecutivos, pero la Aurora acudió a él, a su insignificante persona, anhelando hallar la paz, el cariño reposado e inconmovible, que no había encontrado en otros huertos donde anteriormente fuese a picotear. Este pensamiento le hizo palidecer de un íntimo y nunca degustado orgullo, e, instintivamente, se apretó y se centró el nudo de la corbata. Mas, sin querer, se encontró pensando con la mayor naturalidad en el joven del terno marrón y la bufanda amarilla que mordisqueaba un mondadientes. La rememoración de su figura cosquilleando los sobacos de la Aurora con la punta del palillo sólo le hizo, ahora, sonreír con frialdad. «Tal vez sea lo mejor dejar que las cosas vengan a moverme y no intentar yo mover a las cosas», se dijo, con su característica desconfianza en las propias fuerzas.

—Ya he terminado, Sebastián; cuando quieras jugamos.

La voz de la Orencia le hizo volverse. La niña estaba ante él, desgalichada y torpe, con el cuadrado multicolor del parchís pendiente de una de las manos.

—Hoy no voy a jugar; no tengo ganas. Me duele un poco la cabeza.

—Así te distraerás mejor.

—Te he dicho que no tengo ganas.

Se notó irritable y resentido, seco.

—¿Y piensas estarte así toda la tarde, mirando la calle sin más ni más?

—No lo sé; no he pensado aún lo que voy a hacer toda la tarde. ¿Por qué te importa tanto?

—A mí no me importa nada; me da lo mismo tumbarme en la cama y ponerme a dormir, te lo puedo asegurar.

Sebastián no contestó. Se pasó la mano por los párpados doloridos y luego recostó de nuevo la frente sobre la superficie del cristal. Adivinaba a Orencia con los ojos posados en su espalda, y esta sensación le irritaba. Soportó un rato la conciencia de aquella mirada, mas, al cabo, se volvió hacia su hermana:

—¿Quieres dejarme, Orencia?

—He pensado que voy a quedarme al brasero. No me voy a acostar, si no te importa.

Sebastián hizo un esfuerzo.

—Está bien; haz lo que quieras. Yo me marcho, entonces.

—¿Adónde vas a ir?

—A dar una vuelta. ¿Por qué?

—Por nada.

—Entonces, hasta luego.

Salió a la calle y, al sentir sobre sí la caricia fría de la brisa, se alegró de haber salido. Anduvo un rato sin reparar en la dirección de sus pasos, y no tardó en advertir que la corriente le arrastraba hacia el campo de fútbol. Atravesó la Plaza del Mercado y antes de llegar a la Plaza de Toros se desvió a la izquierda, salvó un paso a nivel y abocó al campo.

Algunas fábricas en construcción se levantaban allí, a la izquierda de la carretera, y en su abandono dominical semejaban edificios ruinosos, olvidados por el hombre. Por delante no divisaba más que un carromato lejano, cargado de leña, y un grupo bullicioso de soldados que avanzaban hacia la ciudad desde el cuartel próximo. Constató en sus células un confortable sentimiento de libertad e infló los pulmones, sintiendo que su ruin y breve cuerpo se tonificaba. Más allá, dobló a la derecha y se perdió en el campo pardo, sin límites, de su meseta.

El cielo estaba gris, profundamente oscuro y amenazador. Debajo se difundían los tonos sepia de la tierra, agrietada y vasta. Algunos árboles diseminados en la perspectiva exhibían su rígido agarrotamiento invernal, encogidos sobre sí mismos, retorcidos por la savia helada. Semejaban esqueletos de animales extraños, sostenidos, incomprensiblemente, en la tierra sobre un somero pedestal. De trecho en trecho, tropezaba Sebastián con alguna casa molinera, cercada de espinos, tras los cuales picoteaban, insensibles el frío, las gallinas supervivientes de la peste aviaria. Un poco a la derecha, surcaba la tierra una acequia de caudal rumoroso que chapaleaba contra los dos tabiques laterales, cortados verticalmente. Algunos grajos, en las alturas, graznaban su negra presencia y, de vez en vez, descendían aleteando blandamente sobre las tierras en barbecho y picoteaban ávidamente entre los terrones. Sobre los chopos estilizados del camino gañían las picazas, con su inconfundible apariencia de colegialas de uniforme. Al fondo, cerrando la visibilidad, se elevaban algunos cerros y tesos pelados y grises, como avergonzándose de su relevancia en aquella llanura interminable.

Sebastián no se detuvo. Caminaba, mientras la Naturaleza agarrotada, yerta, le entraba por los ojos, apaciguándole. Le agradaba que el soplo del viento, cargado de savias distintas y mezcladas, le refrescase el rostro enfebrecido. En realidad, no sabía hacia dónde marchaba, ni intentaba tampoco explicárselo. Iba, simplemente, y en su brusca huida se hallaba la razón y el objetivo de su marcha. Le recreaba estar allí, sobre la apacibilidad no truncada de la Naturaleza, donde, de cuando en cuando, el relincho lejano de una yegua o el graznido oscuro de un grajo le imprimían la conciencia de su situación.

La tierra temblaba toda bajo las desgastadas suelas de los zapatos de Sebastián, recorrida por sus jugos vitales. La aparente hosquedad de la tierra no trascendía; su meseta era así y Sebastián acostumbraba a no juzgar la hosquedad como un defecto ni en los hombres ni en las cosas. La hosquedad presuponía sinceridad, y él amaba esta virtud por encima de todo lo existente.

El viento era muy frío y se filtraba por las aberturas de su viejo abrigo, hiriéndole la piel. Mas Sebastián no daba importancia a estas incomodidades triviales. De pronto, una ráfaga de aire le trajo un aullido prolongado, estentóreo, que gravitó un momento sobre él y luego se perdió, diluido, en el espacio. Semejaba ser la tierra toda que se conmovía allá a su derecha, debajo de aquel teso pelado y oscuro, difuminado en la perspectiva. No obstante, Sebastián comprendió que aquel clamor significaba que los futbolistas de su ciudad habían hecho un gol, y se preguntó en qué otro lugar del globo existiría una fuerza semejante, capaz de aunar en un segundo el aullido de diez mil gargantas. En su fuero interno agradeció a la Providencia el que los hombres hubiesen inventado el balón redondo para desfogarse. De otro modo, ¿qué hubiera sido de él y de los seres como él? Porque los hombres precisaban de un algo concreto para soltar sus instintos de fieras, para desalojar de sus almas ese absurdo y rojo rencor, provisionalmente represado por la fuerza de una autoridad. Allí podían liberarse, pateando un balón hasta reventarle o bramando por los fueros de su equipo favorito.

No habían transcurrido dos minutos cuando el clamor se repitió más pronunciado y fragoroso que antes. La cosa marchaba bien, al parecer, y, de seguir así, las mujeres de su barrio podrían cenar y dormir tranquilas aquella noche y, a la mañana siguiente, no iba a haber quien soportase a los dos hermanos rubios de los Almacenes.

Aquellos alaridos deprimieron todavía más el únimo de Sebastián. La alegría ajena, desbordada y clamorosa, le entristecía. Y no porque guardase hacia la Humanidad un espíritu de revancha, sino porque creía que aquellas manifestaciones tumultuosamente vitales equivalían a una cortina de humo para ocultarse su condición efímera y finita: la temporalidad, rigurosamente tasada, de la colectiva existencia. A la vuelta de unos años el Estadio seguiría rugiendo como hoy, pero nadie, ni protagonistas ni espectadores, serían los mismos; gota a gota, aquel gigantesco charco humano se habría ido mudando sin que nadie lo advirtiese. Sí, una vida era bien poco y había que velar la macabra previsión de su desenlace.

Poco más allá, Sebastián divisó un rebaño de ovejas, pegadas unas a otras como un montón de croquetas sin freír. A la izquierda, entre unos juncos, retozaban un recluta y una criada, y al verle a él, el recluta se apresuró a soltar el talle de la muchacha. Sebastián pensó que de aquella manera se hacían las madres prematuras y de estos lugares salían los bautizos y las bodas simultáneos. Aquellas entrevistas en la soledad invernal de los campos no solían terminar de otra manera. Aunque tampoco era improbable que el soldado, un día, rompiera a volar y la muchacha vociferaría entonces que había sido miserablemente engañada, ¡como si aquel recluta, rudo e instintivo, la hubiese conducido hasta aquellos parajes solitarios enseñándole un caramelo!

No quiso estorbar y dio la vuelta. Apenas se volvió, el recluta tornó a aferrar el talle femenino con acrecentada vehemencia. Sebastián, aunque hundido en su depresión, se sentía más tranquilo, casi capaz de ordenar su revuelto mundo interior. Evocó el momento doloroso — hacía sólo unos meses — en que él fue también llamado a filas. Imaginaba que con sólo verle sería descartado del servicio militar. Pero existían algunos sargentos encumbrados para quienes la inutilidad en la milicia sólo se decretaba después de un minucioso y concienzudo examen. (Al parecer, no resultaba imposible que Sebastián Perrón ocultase, intencionadamente, parte de su humanidad en los bolsillos del gabán para no alcanzar la talla.) Fue desnudado a la vista de todo el mundo y así quedó al descubierto aquella faja de franela que él ocultaba como una vergüenza y que desde niño comprimía su vientre lacio y voluminoso. Recordaba Sebastián las carcajadas de los quintos que presenciaron la escena y el comentario de un barbarote de pueblo que le seguía en la fila, al ver su íntima y secreta prenda:

—¡Arrea, si va «enfajao» como un niño!

Todos rompieron a reír hasta saltárseles las lágrimas, y él, desairado y corrido, abandonó la sala sujetándose los pantalones y con el vientre pasmado.

Movió la cabeza de un lado a otro y apretó el paso hacia la ciudad que ya divisaba en la lejanía. No quería rememorar hechos dolorosos, felizmente pasados ya. Tampoco el presente le ofrecía unas perspectivas lisonjeras, y era necio volver la vista atrás habiendo tantos dolores actuales gravitando sobre él. La proximidad de su visita a casa de Aurora le encogía algo por dentro, le violentaba. No sólo por suponer un nudo más en sus relaciones afectivas con la muchacha, sino por la anunciada presencia del señor Sixto y su hijo en la reunión.

Cruzó frente a las fábricas en construcción, salvó el paso a nivel y entró en la ciudad ya medio anochecido, en el momento en que comenzaba a lloviznar. (Apreció, entonces, que el paseo le había aliviado, que su cerebro, a pesar del aparente revoltijo de pensamientos y sensaciones dispares que le animaba, obedecía ahora a una sencilla y relativa organización.) El cielo estaba negro, totalmente encapotado e inmóvil. Sus pasos resonaban con fuerza sobre el pavimento y las calles se veían poco concurridas. Andaba de prisa hacia la Plaza del Mercado. Próximo a ella, tropezó con un grupo de mozalbetes de su barrio, tiesos y orgullosos en sus ternos nuevos. Al cruzarse con él, uno del grupo le señaló y susurró algo a sus compañeros. Sebastián apretó el paso, pero aún pudo oír, perfectamente diferenciado, el nombre de la Aurora. El grupo comenzó a reír con carcajadas contenidas y uno de ellos, más audaz, mugió como un buey encelado, repetidamente, e hizo como que embestía a sus compañeros.

Daban las horas en el reloj de la Catedral y Sebastián contó mentalmente las campanadas. Eran las seis. Aún faltaba una hora para acudir a casa del señor Sixto, y le disgustaba volver a enfrentarse con la Orencia y responder a sus nerviosas interrogantes. Se detuvo en medio de la plaza y, como advirtiese que una vendedora de pan blanco se dirigía hacia él, aturdido e inconsciente, cruzó la calle, empujó el portón claveteado del Convento de los Capuchinos y entró en él.

Era la primera vez que Sebastián Ferrón cruzaba aquellos recios muros, y al verse arropado en el ambiente solemne y espectral del templo sintió una rara impresión de frío. Sebastián no frecuentaba la iglesia. Se conformaba con asistir a la de su barrio los domingos a las doce, y aquella misa, animada y bulliciosa, apenas le aportaba la idea de la Divinidad.

Pero aquí todo era distinto. Sebastián se sintió trasladado a un mundo lejano, desplazado a muchos miles de kilómetros de su barrio. El ruido externo no trascendía y era el templo como un remanso, como una gran y celestial pausa preservada por el ancho muro.

Se arrodilló maquinalmente en un banco y, transcurrido un rato, se sentó. La iglesia estaba casi en tinieblas. Sólo una candelita, frente al Sagrario, arrancaba del trabajado retablo intensos brillos de oro. A la izquierda se levantaba un púlpito elemental y Sebastián notó un estremecimiento al ver emerger de su barandilla un hombre embutido en una túnica basta y oscura y con el rostro enmarcado con una barba espesa e imponente. (Más que verle a él, veía su silueta proyectada por la luz de la palmatoria sobre el frío y húmedo muro. Se recortaba allí la sombra fantasmal de aquel hombre barbudo e impresionante, con las manos levantadas sobre la cabeza y asomando por unas bocamangas enormemente anchas y desgarbadas.) Un corto auditorio de mujeres elevaba los ojos hacia él, que hablaba en tono menor, aunque con un extraordinario poder de persuasión. Sebastián apenas le oía, agobiado por una impresión borrosa de irrealidad, pero acusaba los impactos de su voz retumbante que subía enroscándose hasta la cúpula, para descender, después, sobre sus hombros como una lluvia mansa y amortiguada. De súbito se sintió penetrado por las frases del capuchino, calado por el sentido y la fuerza de sus palabras.

—Respetad esos cuerpos en cuanto son templos vivos del Espíritu Santo — decía —; pero cultivad vuestra alma, luchad por perfeccionarla; no olvidéis un instante que es ella la que redime al cuerpo y que está por encima de él. Un alma blanca es la suprema satisfacción de un cristiano.

Sebastián notó una violenta rebelión interior y estuvo a punto de gritar: «¡Mentira; no le hagáis caso! Ese hombre de las barbas miente.» Pero se contuvo en último extremo. Creía que el cura se había dirigido a él al hablar y tomó sus últimas palabras como un desafío personal. Le vio santiguarse, descender del púlpito y desaparecer por una puertecilla, a la derecha del altar. Le dieron ganas de correr tras él y explicarle lo que había fuera de aquellos impenetrables muros. Aclararle que el alma era un trasto absurdo en aquellos tiempos y que a nadie le importaba un rábano su blancura. Sin duda todo esto lo ignoraba aquel hombre de las barbas, y por eso decía aquellas cosas. Sebastián le hubiese abierto los ojos si le hubiera dado tiempo. Le podría hablar del señor Sixto, de sus especulaciones ilícitas; de la sensualidad desbordada de sus amigos de los Almacenes; de la sádica ironía de los quintos de su reemplazo; de los mozalbetes que ponían letreros audaces y dibujos pornográficos en su portal requiriendo de carne a Pepita, la vecina del segundo; de los maridos que pegaban hasta cansarse a sus mujeres porque el equipo representativo de la ciudad había salido del Estadio con dos puntos negativos; del recluta que abrazaba entre los juncos a una opulenta marmota; de sus propios y ruines devaneos con el maniquí de los Almacenes; de la lengua lancinante de Emeterio; de...

¡Oh!, tantas cosas le diría él al cura de las barbas, que lamentó se hubiese escabullido con aquella celeridad pasmosa. «El alma, el alma...», pensaba Sebastián. En los pocos años en que de niño asistiera a un colegio de religiosos, les predicaban sobre el alma y sus cosas, los jueves y los domingos. Él siempre había imaginado el alma con una consistencia algodonosa que se empañaba con polvo de carbón al caer el hombre en el pecado. Otras veces, ante la imposibilidad natural de figurarse a aquel pedazo de algodón volando por los aires, configuraba al alma como un jirón, con forma humana, de niebla blanquecina. Aquellas dos imágenes se adaptaban perfectamente a su ingenua mentalidad de entonces. Luego, con los años, llegó al olvido de aquellas verdades eternas y el despotismo de la vida y de los hombres le enfriaron sus primitivas creencias. No era un escéptico porque nunca, transcurridos los primeros años, se detuvo a pensar en la vida de ultratumba ni en los postulados de Cristo, ni siquiera en su doctrina. Era uno más del rebaño, sin fe ni incredulidad; un ser anfibio que acudía a misa los domingos y rezaba de año en año por su padre empujado más por el flujo vital del barrio y por la fortaleza del hábito que por la necesidad de acatar un imperativo divino.

De súbito, las palabras de aquel cura de las barbas removieron su empantanada fe. En la turbiedad cenagosa de su espíritu brotó un movimiento de insurrección. Aquel hombre no entendía de las cosas del mundo, aislado como estaba en aquel frío caseretón, sin contacto alguno con el exterior. Por eso osaba afirmar que «un alma blanca era la suprema satisfacción de un cristiano». El señor Sixto y su hijo eran cristianos; cristianos eran Emeterio y los mozalbetes que escribían letreros procaces en su portal; cristianos los quintos de su reemplazo y, seguramente, el recluta que sobaba aquella tarde a la marmota y la marmota misma que se dejaba sobar. Al mundo, el alma le importaba un comino. Todos los hombres se bautizaban, pero eso se hacía sin contar para nada con su voluntad. Cuando eran capaces de pensar y discernir, todos, sin excepción, mancillaban su nombre de cristianos.

Sebastián podía demostrar que no era el alma lo primero, al menos en este siglo. A él jamás le preguntaron si su alma era contrahecha como su cuerpo para burlarse de él. Le denostaban, le zaherían, sin preocuparse de si su alma brillaba como un faro en las tinieblas. Bastaba su cuerpecillo grotesco y ruin para apartarle de la colectividad o para divertir a la colectividad. Jamás, jamás en su vida, ni aun cuando se educaba en un colegio de religiosos, oyó a nadie interceder, interponiendo su alma blanca y pura como descargo de su materia defectuosa. ¡Ah! Muchas cosas podría decir él a aquel cura de las barbas. Tal vez al mirarle lo presintió y por eso se escurrió presuroso por la puertecilla del altar, medroso de no haber sabido qué contestar a los argumentos contundentes de Sebastián.

Recordó la cita de la Aurora y se puso de pie. Sólo quedaba ante él una viejecilla enlutada que rezaba como si tirase al aire rosarios intermitentes de besitos. Era un besuqueo en tono menor, aquél, que se adecuaba perfectamente con el ambiente. Sebastián se santiguó y avanzó hacia la salida. En ese instante entró una mujer joven que se adelantó decidida hacia el altar de San Bruno. Se detuvo Sebastián y la observó intrigado. La joven se arrodilló frente al santo y puso los brazos en cruz. Algo movía y activaba el corazón de Sebastián. La joven, sin importarle la presencia de nadie, comenzó en voz alta su absurda oración:

—Oh, San Bruno bendito, escucha a tu sierva Isabel... Te ruego, San Bruno, por mi madre, por mi padre, por mis abuelos y por mis hermanos... También, San Bruno, por mis tíos y por el novio de Estefanía... Haz, santo bendito, que ninguno se muere nunca... Pero nunca, nunca, nunca, ¿oyes?... Que todos nos conservemos siempre en la Tierra para alabarte y bendecirte... Pero siempre, siempre, siempre y todos, todos, todos, ¿oyes?... Te pido, San Bruno...

«Una loca, es una loca», se dijo Sebastián. E intuyó que era bien triste que sólo los seres irracionales se diesen cuenta de su condición efímera y la llorasen.

Al agarrar el tirador de la puerta reparó, nuevamente, en la candelilla azulada que lucía ante el Sagrario. Y una impresión más fuerte que él mismo le penetró desde fuera, anunciándole que el alma era así, como aquella llamita tenue y oscilante, azul, que iluminaba el sencillo refugio de Dios.

Salió. Era ya de noche y continuaba lloviznando. El mundo externo le causó una impresión desagradable. Había poca gente en la Plaza, pero le molestó que se entendiesen a gritos, como si todos fuesen sordas bestias. Tornó a ocupar su mente la idea de la lamparita azul y la desechó:

«¡Bah! El alma es blanca; ese cura de las barbas lo ha dicho así. Un alma blanca es la suprema satisfacción de un cristiano. El alma blanca... el alma...»

—¡Hay pan blanco, joven! ¿Quiere pan blanco?

¡Eso! ¡Eso era! ¡El pan blanco! ¿Es que no lo oía el cura de las barbas lo mismo que lo estaba oyendo él? Por eso luchaban los hombres y por eso se mataban y hacían guerras horribles y se exterminaban. Por eso: por el pan blanco, por las comodidades, por el dinero... A los hombres, a la Humanidad, el alma blanca les importaba un ardite.

A las siete en punto llamaba Sebastián en casa del señor Sixto. Sentía un hormigueo interior que avivaba su innata suspicacia. Al oír pasos del otro lado de la puerta se centró cuidadosamente la corbata y lamentó no haberse retrasado cinco minutos y haberlos aprovechado para afeitarse aquel bigote lacio y débil que le caía sobre el labio superior. Le abrió la puerta la Aurora:

—Hola, Sebastián; llegas muy puntual. Papá y Sixto no han regresado aún del fútbol, pero creo que hemos ganado por cinco a cero. Pasa.

(«Hemos ganado.» A Sebastián le hacía gracia esta frecuente manía de pluralizar el resultado, atribuyendo a la ciudad entera unos goles que habían hecho once muchachos, que vivían mimados y envidiados entre ellos, pero que no eran de la ciudad. En realidad, ni el señor Sixto ni su hijo ganaban nada. Si es caso, perdían su elevada cuota de socios. Los que ganaban — y no sólo goles — eran aquellos once muchachos que componían el equipo representativo de la ciudad, pero que no eran de la ciudad.)

Pasó y se quitó el abrigo, que la Aurora colocó, procurando que no se viesen los remiendos, en un perchero de barras doradas, relucientes, que brindaba la pulcritud de sus lunas a dos metros de la puerta. La casa del señor Sixto le llamó la atención por su limpieza lamida y su elegancia, sin discernir que la rimbombancia ostentosa de ciertos muebles y detalles denunciaba a gritos la condición de nuevos ricos de los dueños. A la Aurora le faltaba esta tarde naturalidad, y la evidencia de ello aumentó su apocamiento.

—Mira este arcón qué bonito nos ha quedado. Era muy antiguo y feo, pero le hemos puesto herrajes nuevos y ha resultado precioso, ¿no te parece?

(A Sebastián le pareció que sí, que había quedado bonito, pero que no eran aquellos momentos para mostrar a sus tristes ojos un arcón, aunque fuese con herrajes nuevos.)

Atravesaron un largo y reluciente pasillo y, al final, la Aurora le abrió una puerta de cristales esmerilados a través de los cuales se veía luz en el interior. Entró y, al advertir los focos de seis ojos convergiendo en su esmirriada figura, le vinieron ganas de dar media vuelta y echarse a correr.

—Pasa, pasa — le dijo la Aurora con una violenta sonrisa —. A mamá ya la conoces. Este señor es el tío Cleto, hermano de papá, y esta ancianita es la mamá de papá. Éste — no dijo «señor», ni «joven», ni nada que se le pareciese, y esta falta de especificación humilló a Sebastián — es mi novio.

Se saludaron, y a Sebastián le chocó la manera de comportarse de la ancianita, sentada en una mecedora y con una sonrisita estúpida bailando en su boca deshuesada.

—¡Oh, joven, yo ya no estoy para nada! — le dijo a modo de saludo cariñoso.

Le hicieron sentarse, y, para romper el embarazoso silencio que pesaba sobre ellos, el tío Cleto denunció con voz opaca:

—Dicen que está llegando una ola de frío.

—Ya ha llegado, hijo. ¿Te parece poco? En León están a doce grados bajo cero. Ayer dio la mínima — confirmó doña Claudia.

Sebastián observaba la habitación, tratando de imponerse a su azoramiento. Estaba muy limpia y ordenada, como el resto de la casa que había visto. En el centro había una camilla alrededor de la cual se sentaban y, encima de doña Claudia — apoltronada en un sofá forrado de sarga azul y con los brazos, semicirculares, de madera —, había un bonito cuadro de un anacoreta con una cruz en una mano y una especie de bollo suizo, con jamón dentro, en la otra. Doña Claudia reparó en su curiosidad:

—Según Sixto, es un «Aticiano». Yo, en verdad, de estas cosas entiendo muy poco. Pero es bonito, ¿verdad?

Y se reía para quitar fuerza a su ignorancia.

Sebastián asintió. Al fin, venciendo su timidez, se dirigió a la anciana, que se mecía con una insistencia infantil:

—Tenía ganas de conocerla. Aurora me ha hablado mucho de usted.

—Oh, joven, yo ya no estoy para nada.

Aurora, que se mantenía de pie detrás de él, agarrando el respaldo de su silla, le auxilió:

—Está muy viejecita la pobre. Apenas se entera de lo que le dices.

La vieja se sonrió mostrando, sin vergüenza, sus encías limpias, y eructó fuerte, sin dejar de sonreír. Doña Claudia se azoró y el señor Cleto pareció no reparar en ello. Sebastián notó que todo su cuerpo, especialmente la cara, le ardía.

—¡Pobre!

Estuvo a punto de añadir: «¿Y es que es tonta?», pero se contuvo.

—Pues ahora estoy casi parado con estas dichosas restricciones. Debería nevar de firme para ver si se llenan esos pantanos de una vez.

El tío Cleto, mientras hablaba, se sacudía el pelo con ambas manos, y una lluvia finísima de caspa caía sobre la falda de la camilla, intencionadamente extendida sobre sus piernas. (Sin duda, así se hacía la ilusión de que nevaba.)

—¿Qué negocios tiene usted?

—Cola; una fábrica de cola, obtenida de huesos de animales. Está del otro lado del puente, ¿sabe usted? Según se sale del puente a mano derecha, en la misma calle Curtidores.

Continuaba golpeándose la cabeza y la caspa acumulada blanqueaba ya sobre la cubierta verde oscuro. No le miraba al hablar, porque tenía la cabeza inclinada sobre la camilla. Entre pregunta y pregunta, la abuela eructaba y mostraba las encías limpias, sonriendo. Un postizo blanco que llevaba la vieja en la cabeza se había ladeado y descubría una primorosa calva rosada en el lugar en que los niños de pecho tienen la fontanela.

—Ya me gustaría verla —dijo Sebastián para distraer la atención de un extraño ruido intestinal que había brotado del bulto oscuro de la abuela.

—Pues cuando usted quiera.

—Lo malo es que yo salgo a la una de los Almacenes, y a mí me agradaría verla en pleno funcionamiento.

El tío Cleto orilló mentalmente todas las dificultades; luego dijo:

—Nada; cuando usted vaya la ponemos en marcha. ¡No faltaba más!

—¿Y los obreros? No estarán a esa hora...

—No le preocupe: soy yo solo. Yo solo la manejo —respondió, sonriendo satisfecho—. Bueno, y un chiquito de doce años que me acarrea los huesos. Y va muy bien, ¡eh! Pero que muy bien.

Se preguntó Sebastián qué fábrica sería aquélla, tan rudimentaria o tan moderna, que bastaba un solo hombre para hacerla producir.

—Perdonen, voy a mirar el té.

Salió doña Claudia, y en ese momento llamaron a la puerta.

—Esos son papá y Sixto.

Abandonó Aurora su compañía y se la oyó taconear por el pasillo.

—Diga usted — el señor Cleto había levantado al fin la cabeza y se dirigía a él en un tono confidencial —, ¿sabe usted lo de la chica?

El cerebro de Sebastián no estaba para interpretar ambigüedades.

—¿Qué chica?

El tío miraba con recelo a la abuela, que de nuevo produjo un desagradable ruido de tripas revueltas.

—¿Está enferma? — interrogó instintivamente Sebastián, señalando a la vieja con el dedo y olvidando los aspavientos confidenciales del señor Cleto.

—No; que es vieja ya. Pero, escuche, le pregunto que si sabe usted lo de la Aurora.

Se oyeron voces roncas y joviales por el pasillo, y la conciencia de la proximidad de Sixto atarantó a Sebastián y redujo al silencio y a la reanudación de sus nevadas artificiales al señor Cleto.

Entraron Sixto, padre, y Sixto, hijo.

—Un resultado redondo, ¿eh? — afirmó éste.

Sebastián pensó que si lo diría por el cero del equipo contrincante.

—Hola, chico.

El señor Sixto no podía considerarle de otro modo que

como el chaval que repartía los racionamientos. Se acomodaron en sus correspondientes butacones mientras Sebastián continuaba erguido y tenso en su silla.

—Hola, abuela.

—Oh, Sixtín, yo ya no estoy para nada.

Un nuevo y prolongado ruido de tripas, como un gemido humano, brotó de las entrañas de la viejecita.

—Voy a poner la radio. Radio Madrid dará los resultados dentro de un rato. Desde luego, si el Salamanca ha perdido podemos considerarnos del otro lado.

Sixto, hijo, accionó en los botones de una radiogramola situada junto al sofá. Encima se erigía un presuntuoso florero atiborrado de rosas de trapo.

Sonó la música, y como si sus cadencias fuesen un estímulo para las aficiones deportivas del Sixto, éste se encerró en una discusión con su padre sobre las posibilidades de su equipo, haciendo cábalas en torno a los partidos que restaban por jugar. (Luego no saldría nada como ellos habían previsto, pero el pago al contado de sus cuotas de socio les daba derecho a conjeturar y a emitir todo género de opiniones.)

Al cabo de unos minutos, el señor Sixto se volvió hacia su hermano:

—¿Has oído algo de esas investigaciones de fortunas surgidas después de la guerra?

—No sé nada; no estoy enterado de nada.

—Sería jugar poco limpio. Las guerras siempre han servido para que unos cuantos mueran y otros tantos vivan mejor que vivían antes. Es una bonita compensación y me parecería absurdo que ahora se pusiesen a investigar las nuevas fortunas como si fuese un fenómeno excepcional. Decididamente, a Franco no le gustamos los ricos.

Sebastián miraba a uno y a otro alternativamente. Recordaba los gramos que el señor Sixto restaba en cada ración y sus procedimientos de especulación con los artículos que escaseaban. Y pensó que ni a Franco ni a él le gustaban los ricos de esa ralea. Sixto, hijo, tarareaba, siguiendo el compás de la brillante radiogramola, «La bombonera» de «La blanca doble». El vientre de la anciana gemía frecuentemente, pero ahora sus gemidos, entre las canciones de la «radio» y las voces cada vez más excitadas del señor Sixto, pasaban casi inadvertidos.

—Ya está aquí la merienda. Sixtito, hijo, ¿quieres quitar esos trastos de encima de la mesa?

Doña Claudia traía el té en una preciosa cafetera de porcelana. En una fuente grande y en la misma bandeja, portaba un gran montón de churros y cohombros.

—¡Aurora, trae las medias noches! —Y como Sebastián la mirara, doña Claudia estalló en una risa estúpida y forzada y, señalando el breve refrigerio del anacoreta del cuadro, añadió: —¡Son como ésa!

Sebastián agradecía la poca importancia que hasta el momento se había dado a su persona. De vez en cuando temblaba imaginando que la conversación pudiera centrarse sobre él, y entonces no habría medio hábil de ocultar aquellos pelos lacios y débiles que sombreaban su bigote y que le cosquilleaban desde hacía un rato debajo de la nariz.

—Además, ¡qué demonio!, las desgracias ajenas no sólo van a servir para hacernos llorar. Yo creo que estas guerras sirven para poner a flote muchos talentos que antes andaban a pique de naufragar.

El señor Sixto, para rematar su inhumana intervención, devoró un cohombro de dos bocados. Todos aproximaron sus asientos a la camilla y se dispusieron a engullir la suculenta merienda.

—Ya sé que otros tenderos no valen lo que yo valgo. ¿Tengo yo la culpa de que no sean comerciantes? No, señor. Si otros no saben hacer dinero, que se mueran. Le aseguro que Sixto Fernández no ha de mover un solo dedo para evitarlo.

Tomó una medianoche y la engulló, masticándola con formidable ferocidad.

Doña Claudia se sentaba frente a Sebastián, y éste pensó que todos los barnices y artificios del mundo no bastarían para eclipsar la procedencia rústica de aquella mujer. La abuela comía con una celeridad pasmosa, y Sebastián imaginó que debía tener buche como las aves, ya que resultaba abstruso e inconcebible que una boca desdentada pudiera triturar los alimentos con aquella premura. De repente, Sebastián no pudo evitar la inminencia de un estornudo que, tras cuatro leves cabezadas con la nariz encogida y la boca abierta, estalló horrísono:

—¡Atchiss!

—¡Jesús!

Todos se volvieron hacia él. A Sebastián se le antojó que todo estaba perdido.

—Te has resfriado, hijo.

—Un poco, sí, tal vez un poco.

Una hebra de jamón le colgaba inoportuna por la barbilla cuando la reunión íntegra pendía de sus palabras y movimientos.

—¡Atchisss!

El colgajo de jamón salió despedido al segundo estornudo y fue a aterrizar sobre la mano achorizada del señor Sixto. Sebastián se arreboló.

—¡Jesús!

El señor Sixto forcejeaba por librarse con disimulo de aquel filamento de carne que dibujaba sobre su mano una graciosa interrogación. Un gato de buena casta vino a liberarle de su violencia.

—Miauu.

En su azoramiento, Sebastián confundió su maullido con uno de los reiterados ruidos intestinales de la abuela y se removió inquieto sobre la silla.

—Oh, Titi, bonito, ven con mamá.

El gato saltó ágilmente sobre el regazo de doña Claudia. Aurora miraba en torno, humillada y confusa. El señor Sixto cogió el filamento de jamón con dos dedos, escrupulosamente, y lo depositó en el plato junto a su taza de té. Sebastián lanzó la mano hacia la mesa y sus dedos cogieron una nuez como podían haber agarrado un florero. No tenía apetito. Comía simplemente para que no le atosigasen con sus reiterados ofrecimientos. Tomó el cascanueces y apretó, pero inopinadamente los músculos de su mano se relajaron y cedió en su esfuerzo. Le parecía que la nuez, vista de proa, era igual que la cabecita de un gorrión que abría el pico cada vez que él apretaba, intentando conmoverle. La cabeza se le iba a Sebastián. Volvió a mirar la nuez. Su similitud con la cabeza de un pájaro era ahora tal que Sebastián casi veía las plumas y distinguía los ojitos redondos y penetrantes pidiendo clemencia. «Oh, no tengo valor —se dijo—. ¿Me estaré volviendo loco?» Sin embargo, ocho ojos pendientes de los movimientos de sus manos le forzaron a oprimir, y la nuez al cascarse produjo un ruido seco de cráneo quebrantado. Sebastián casi no se atrevía a contemplar su obra destructora. Al fin miró, y la carne de la nuez se le ofreció igual que un minúsculo cerebro humano, con sus prominencias y sus circunvoluciones. Sintió unas náuseas atroces y apartó en su plato la carne de la nuez tapándola con las cáscaras.

—¿Está mala?

—¡Callad!

El Sixto amplificó la voz de la «radio», que se oyó en medio de un silencio sepulcral:

—Continuamos nuestro programa radiando «Las encajeras», otro fragmento de «La blanca doble».

—¡Bah!

Se reanudó la merienda con redoblada ferocidad.

—Y bien — dijo, intempestivamente, el señor Sixto —. Vosotros pensáis casaros, ¿no es así?

El sonrojo de la Aurora aumentó el suyo propio. Sebastián entendió que el tío Cleto le hacía señas con una mano junto a la oreja. Pero el Sixto, frente a él, debió sorprenderle, y entonces el señor Cleto comenzó a sacudirse el pelo ocultándose tras una fina lluvia de caspa. La anciana eructó fuerte y, por su cara contraída y de disgusto, Sebastián coligió que la mortificaba la acidez de estómago. Cantó la «radio»:

—Para hacer el encaje de bolillos...

El Sixto seguía el compás, sin cesar de mirar fijamente a Sebastián.

—Sí, papá; claro que pensamos casarnos. Cuanto antes lo hagamos mucho mejor — farfulló la Aurora.

(Sebastián intuyó que asistía a la representación de una comedia cien veces ensayada anteriormente.)

—Pues por nosotros... — inició tímidamente doña Claudia.

—Tú cállate — conminó el señor Sixto.

De nuevo se le hizo a Sebastián que el tío Cleto deseaba transmitirle un urgente mensaje, pero sus muecas degeneraron otra vez en un apremiante cepillado de su cuero cabelludo.

El Sixto amortiguó la voz de la radio y se volvió interesado a Sebastián. Su actitud paralizó al resto de la reunión:

—Pero vamos a ver, Sebastián. Por curiosidad. ¿Tú no nos estás tomando el pelo a todos?

—¡Calla, bruto!

—¿Por qué me voy a callar si puede saberse? Esta buena pieza no es tan tonto como parece. ¿Tú quieres a la Aurora de verdad o...?

(Sebastián imaginó que aquella pregunta debería cerrarse así: «O quieres más al dinero de mi padre», y se sintió ofendido.)

—Claro que quiero a la Aurora.

Doña Claudia, con las manos temblorosas, se levantó y salió de la habitación. Se cruzaron las miradas de Sixto padre y Sixto hijo, y éste, después de leve resistencia, se decidió a abandonar el campo. Giró un botón de la radio y los acordes de «La blanca doble» inundaron de nuevo la estancia. (Sebastián se preguntaba qué es lo que acababa de ocurrir allí; qué se le estaba velando con malévola intención.)

Entró doña Claudia con una botella de anís y los ojos enrojecidos, como si en el intervalo de su salida y su entrada hubiese derramado unas lagrimitas. Repartió unos pequeños vasos azules entre los hombres:

—Anda, Sebastián, echa un trago.

Sebastián obedeció y hubiese hecho lo mismo si doña Claudia, en vez de eso, le hubiese ordenado:

«Anda, Sebastián, córtate la cabeza.»

El tío Cleto se hurgaba ahora con la uña de su dedo corazón en los intersticios de sus dientes. De cuando en cuando, algo extraía de ellos que saboreaba con fruición. Cuando terminó con los restos de la comida atacó denodadamente el sarro que se acumulaba detrás de sus dientes de abajo.

Aurora cortó con sutil disculpa la violencia de la escena:

—¿Por qué no nos vamos al cine todos juntos? Echan «La mujer de las dos caras», aquí abajo.

—Es ya tarde y no habrá localidades.

—Pues vámonos a un palco a ver a la Lola Flores.

Aquello hizo saltar a todos de sus asientos. (Sebastián reflexionaba en lo que sería de su generación el día que la faltase el fútbol y el folklore andaluz.)

—¿Tú no vienes, Sixto?

—Yo tengo que hacer, pequeña.

La abuela se había dormido en la mecedora sin interrumpir su beatífica y deshuesada sonrisa. De vez en vez, sus tripas se contraían ocasionando una especie de aullido, lejano y lastimero.

CAPÍTULO IX

CON lluvia o con sol, en invierno y en verano, la ciudad no desertaba nunca de su paseo por la calle Principal, y allí, de una a dos, se encontraban, sin citarse, la gente joven, los estudiantes y los oficinistas, los aprendices y las modistillas, y por la tarde, a eso de las seis, los soldados y las criadas de servicio. En estos paseos cotidianos la ciudad estiraba las piernas y recreaba el espíritu. Dando una vuelta por la calle Principal, a las horas de paseo, se enteraba uno de más noticias sensacionales que leyendo los periódicos; noticias veraces y rumores infundados, noticias de paz y noticias de guerra, noticias que circulaban de oído en oído y noticias que se transmitían a voz en grito. Todo cabía allí y todo se admitía, porque en esos momentos la ciudad era como una gran familia sin rencillas ni pliegues ocultos; una entidad firme, sólidamente avenida.

Sebastián veía a través de las vitrinas el deambular de la gente joven. La aglomeración del público en la calle Principal era un indicio, aún más minucioso y fiel que el reloj, de que se aproximaba la hora del cierre. Al salir, Sebastián atravesaba la calzada cabizbajo, procurando no llamar la atención. Aquella calle irregular, ribeteada por edificios antiguos y desiguales, siempre tan concurrida, le producía un indefinible respeto. Fuera de la tarde aciaga de su borrachera, Sebastián no recordaba haberla recorrido de punta a cabo y deseaba no verse forzado a hacerlo nunca.

No obstante, parece como que todas las cosas que nos imbuyen un supersticioso y oscuro terror acabasen por atraernos en virtud de un inexplicable e irreprimible vértigo. Y si Sebastián no tuvo necesidad de recorrer jamás aquella calle, su nueva condición de dependiente le deparó un quehacer que, para su espíritu pusilánime y apocado, resultaba aún más aterrador y bochornoso que el temido paseo. Dos semanas después de ascender a dependiente, don Saturnino le comisionó para correr las cortinas de los escaparates al mediodía. Era una situación vergonzante y ridícula la que creaba aquel deber, ya que Sebastián había de exhibirse en la vitrina como un monigote durante unos eternos minutos. (Hiciera sol o no, la obligación persistía, ya que cabía en lo posible que en las dos horas de asueto, entre la mañana y la tarde, el sol rasgase la coraza de nubes que le mantuviera eclipsado hasta entonces y decolorase con sus insistentes lengüetazos los géneros expuestos a la curiosidad del público, generalmente los más estimados.)

Al cumplir este menester, Sebastián soportaba chuflas del peor gusto. Nunca faltaban tres o cuatro mozalbetes estacionados ante los escaparates y la presencia de Sebastián era acogida con ruidosa fruición y una acongojante profusión de muecas alusivas a su hilarante físico. (Sebastián, con muy fino instinto, detestaba más que ninguna la cuchufleta del hombre acompañado de mujeres. En estos casos el varón se consideraba obligado a hacer gala de su ingenio ante el otro sexo, sin reparar en la inclemencia de la vejación. Los hombres con hombres eran crueles, bárbaros casi, pero con una crueldad más espontánea y desprovista de maldad que la de los hombres acompañados de mujeres. Éstos eran especialmente mortificantes; incisivos, con una sutileza que sólo puede darla la vanidad del sexo ante la admiración incondicional del sexo opuesto.)

Algunas muchachas y muchachos se detenían al verle accionar en la vitrina. Algunos se ponían en cuclillas y daban manotazos al aire imitando groseramente su desmañada actitud. A veces le recibían con palmas de tango como si la calle fuese un patio de butacas y la vitrina el escenario correspondiente y acusasen resentimiento ante su demora en salir a escena. Frecuentemente la cortina se engarabitaba en virtud de esa molesta ley que permite que se nos rompan los cordones de los zapatos en el momento en que más prisa tenemos. (El vértigo de Sebastián por acabar pronto espoleaba estas y otras muchas contrariedades.) Entonces se veía forzado a echar mano de la escalera para auxiliarse en su cometido.

Aquella mañana de lunes — al día siguiente de merendar en casa del señor Sixto — Sebastián luchaba en vano, encaramado en lo más alto de la escalera y con la vara del metro en la mano, con una cortina insufriblemente indómita.

El frío era intenso en la calle; el cielo estaba entoldado y, sin embargo, no faltaba la media docena de mirones de rigor que reían a cada intento fallido de Sebastián. Dos estudiantes le hacían muecas y luego se oprimían el vientre con las manos para que no les lastimase la fuerza de su hilaridad. Las jovencitas que les acompañaban se regocijaban de la cómica situación de Sebastián, y una de ellas, más osada, pegó su naricilla encarnada por el frío a la luna del escaparate y movió los labios como para decirle algo o darle un buen consejo.

En tanto, Sebastián, azorado y nervioso, no acertaba a imprimir al extremo de la vara el movimiento preciso para desenredar las argollas. Cada intentona, creía él, había de ser la definitiva; pero tras accionar torpemente con la vara y coreado por el «aaaaahora» expectante del grupo detenido ante el establecimiento, la vara terminaba por resbalar en la anilla y caer desmayada, venciendo la pobre resistencia de su muñeca.

De improviso, detrás del grupo, por una bocacalle afluente de la Principal, apareció la Aurora, corriendo como un conejo perseguido, congestionada y jadeante, con el pelo revuelto y una expresión ansiosa en su blanda mirada. Sin detenerse, atravesó la calle y se abalanzó sobre la entrada de los Almacenes. Hacía unos minutos que habían cerrado y los secos e inútiles golpes del picaporte hicieron sospechar a Sebastián que la Aurora le buscaba urgentemente a él.

Se sentía cada vez más incómodo allá arriba, pero por un instante alentó la ilusión de que la Aurora no le descubriese y se quedó muy quieto, cerrando los ojos, aguardando que la muchacha, al ver fracasadas sus esperanzas, regresase por donde había venido. Mas no sucedió así, ya que la Aurora, al sorprender la puerta cerrada, desposeída de todo respeto humano, comenzó a dar codazos a diestro y siniestro, abriéndose camino hacia la vitrina. Los espectadores, víctimas de los contundentes golpes, la miraban indignados, pero nadie osó oponerse a sus pretensiones. Al fin, sofocada, sudorosa, con las greñas pegadas a la frente, tropezó con la luna del escaparate. Advirtió entonces Sebastián que la Aurora tenía en la cara una expresión muy acusada, aunque indescifrable, ya que lo mismo podía sugerir que estaba locamente contenta como que el dolor le lancinaba el alma sin contemplaciones. Sebastián, sin embargo, se hizo el distraído, pues receló que la Aurora, en su excitación, acabaría llevando hasta el paroxismo la jocundidad alevosa de los espectadores. No obstante, los nerviosos golpes propinados por la muchacha contra el cristal le hicieron volver de su aparente distracción y bajar los ojos hacia ella. (La media docena de espectadores reía a mandíbula batiente viéndole a él saludar por señas a la novia desde lo alto de la escalera y a la novia aporrear la luna, excitada, como queriendo echar abajo aquella transparente frontera que demoraba sádicamente el feliz momento de poderse desmayar en los brazos del amado. Sebastián en aquel instante renegó de la Aurora, la injurió entre dientes y nada le hubiese importado verla morir allí de un modo fulminante e inesperado.)

—¡¡La abuela...!! ¡¡La abuela!! ¿Me estás oyendo, Sebastián? ¡La abuela está muriéndose!

Él asentía con la cabeza, pero interiormente se negaba a admitir que aquella viejecita de las encías deshuesadas y el intestino sonoro hubiera cambiado tanto de la noche a la mañana. Sin embargo, a la vista de la afectación de la Aurora, no vaciló y, descendiendo la escalera de dos saltos, se presentó ante don Saturnino, farfulló algo relativo a «una inesperada desgracia de familia» y salió corriendo, poniéndose el abrigo, por la puerta trasera del establecimiento.

La Aurora se unió a él, muy compungida, y ambos avanzaron corriendo entre los irónicos codazos y las expresivas sonrisas del grupo juvenil estacionado ante las vitrinas. Unos pasos más allá, Aurora se explicó de forma deshilvanada, incoherente, contradictoria:

—Algo inesperado... Si ella estaba muy bien... Bueno, es verdad que siempre padeció del corazón... ¿Para qué vamos a engañarnos? Tenía una deficiencia mitral o algo por el estilo, pero comía muy bien y últimamente sólo le fallaba un poco la cabeza. (Sebastián, mentalmente, confirmó el soberano apetito de la anciana y sus fugas cerebrales.) Ayer la viste: estaba como si nada, tan campante... Ahora me acuerdo, que me diga, se quejó por la mañana del pecho, pero ninguno le hicimos caso... ¡Se quejaba tan a menudo! Cuando volvimos de la Lola Flores cenó con mucho apetito y se fue a la cama como todos los días... Pero esta mañana, al vestirse, le dio un vahído y se cayó de bruces contra la escupidera... ¡Fíjate qué horror! Se puso asquerosa... La metimos en la cama y llamamos al médico... (Le brillaban los ojos a la Aurora al llegar a este punto. Sebastián se confesó con horror que no deploraba lo más mínimo la desgracia de la abuela. Su fría relación actual con la Aurora, unido a los descarados ruidos ventrales de la vieja, le impedían el sentimiento directo y el indirecto.) El médico casi no le encontraba el pulso... Le metió una inyección horrible y dijo que la cosa estaba muy mala. Así hemos pasado dos horas, hasta que hace un rato se puso un poco peor y papá me ha mandado a buscar penicilina...

Iban casi corriendo y la gente con que se cruzaban se volvía para mirarles. Sin duda, la ansiedad que se dibujaba en el rostro de la Aurora no pasaba inadvertida para nadie.

—¿Penicilina para el corazón? —inquirió, escéptico, Sebastián .

—Por lo visto es una medicina ésa que lo cura todo. Ya ves, el niño de la Rufina se salvó con eso, después de tomarle medidas para la caja y todo. El médico había dicho que sólo un milagro podría salvarlo ya...

Las piernecitas de Sebastián casi no podían igualar el ritmo apresurado de la muchacha. Recorrieron dos calles y entraron en una farmacia.

—Penicilina, por favor —dijo, nerviosa, Aurora.

El mancebo puso cara de sorpresa:

—De eso, nada; pregunten ustedes en las boticas de guardia.

Una de las farmacias de guardia se encontraba muy próxima. Entraron. El boticario era hombre locuaz:

—Eso se acaba tan pronto como nos lo dan. Anda muy escaso y para eso muchos, en cuanto tienen un granito, se atizan doscientas mil unidades y asunto arreglado. Luego, lo que pasa, viene un caso de urgencia y no hay penicilina.

Salieron. Aurora se había demudado.

—¿Tú crees que no nos ha tomado el pelo?

—¿Por qué?

—Por lo de las doscientas mil unidades.

—No sé.

—Es que a una peseta que cueste cada unidad supone una fortuna. Y yo no traigo más que quinientas pesetas. Lo de la abuela no es un grano, además.

—No te preocupes. Ya lo arreglaremos.

Atravesaron otra calle y una pequeña plazuela sin hablarse. Sebastián se detuvo de pronto:

—Mira, aquí hay otra farmacia de guardia.

Penetraron en ella. El dependiente movió la cabeza, denegando:

—Si no lo encuentran en el Colegio de Farmacéuticos tendrán que buscarlo de estraperlo. No hay nada y no lo habrá hasta la semana que viene.

(Sebastián pensó que a la semana siguiente el vientre de la abuela tenía todas las probabilidades de haber dejado de sonar.)

—Vamos al Colegio; anda.

—¿Dónde está?

—En la Plaza del Rey.

Atravesaron las calles vertiginosamente. Las piernas de Sebastián se movían automáticamente. No se le cansaban, sin embargo. Era más bien como si fuesen de una sustancia insensible y las vitalizase algún mecanismo autónomo, independiente de su voluntad.

—Esperen un momento; voy a preguntar.

Desapareció y volvió a aparecer, con crispante lentitud, un hombrecillo calvo con expresión de no saber por dónde se andaba. Debía ser el conserje del Colegio:

—¿No traen ustedes receta?

—No. — Aurora miró a Sebastián con ademán desolado. — Sólo traía el dinero y...

—No es suficiente. Miren ustedes, con esto se han cometido muchos abusos y nos está rigurosamente prohibido despachar sin receta. Sí, no dudo que será un caso extremado, pero es preciso que llamen al médico y... les recete a ustedes la penicilina.

Aurora se sintió derrotada en toda la línea. Abandonó el local dejando al hombrecillo de los ojos despistados con la palabra en la boca. Corrían ahora hacia casa sin acusar la rigurosa temperatura. A medio camino comenzó a nevar. Se descolgaban los copos del cielo con indolencia, sin prisas, como regodeándose en la impresión del descenso. La nevada era tan lenta que no cuajaba en el suelo. De vez en cuando el viento, muy frío, arrastraba los copos lejos del lugar escogido por ellos como punto de aterrizaje. Era la hora de comer y las calles se hallaban solitarias. Sólo en el barrio, los chicos, a pesar del intenso frío, habían organizado un desfile pintoresco y marcaban el paso al compás del redoble de un tambor que era una vacía lata de atún.

—Gracias a Dios, todavía no está la puerta cerrada.

Sebastián consideró atinada la observación de Aurora. Las puertas abiertas de par en par indicaban en la pequeña ciudad que el enfermo alentaba aún. (Se dijo Sebastián que era un tanto ineficaz y absurda esa costumbre de cerrar las puertas de las casas después que la muerte había logrado entrar.)

Ascendieron precipitadamente las escaleras. Doña Claudia salió a abrir e interrogó con voz amortiguada:

—¿Traéis la «pinicilina»?

Doña Claudia decía «pinicilina» en vez de penicilina. Aurora negó con la cabeza.

—¿Cómo sigue, mamá?

—Parece que no tiene remedio.

A la sombra de la desgracia inminente le resultaba menos embarazoso a Sebastián volver a entrar en aquella casa. Pasaron a la habitación donde merendaron la tarde anterior. El señor Sixto discutía con el médico; el tío Cleto permanecía derrengado y como ausente, desplomado sobre un sillón.

—Le digo a usted que yo he visto casos mucho peores resolverse con la penicilina. Si no lo hubiese visto, no se lo diría. Y como a mí el precio no me importa, quiero la penicilina. Si la enferma se muere, bien muerta está, pero yo he de agotar todos los medios a mi alcance antes de que eso llegue a suceder. Usted me perdonará, don José, pero yo no creo que sean estos momentos para andarse con vacilaciones. Yo de medicina no entiendo un pimiento, pero quiero la penicilina y la tendré, saltando lo que haya de saltar.

—Escúcheme...

La entrada de Aurora y Sebastián cortó pasajeramente la discusión. La muchacha respondió a la mirada interrogativa de su padre y bajó los ojos:

—Hace falta la receta del médico, papá.

Como empujado por una corriente eléctrica, el señor Sixto se volvió hacia el doctor:

—¿Ha oído usted? La penicilina puede ser su salvación y...

—¿Es que no quiere usted entenderme? Es la última vez que se lo digo: ¡el corazón no tiene nada que ver con la penicilina!

El médico hablaba a gritos, evidentemente contrariado. La respuesta del señor Sixto fue grosera, definitiva:

—Está bien; ¡váyase usted a hacer...!

El doctor tomó su sombrero y salió dando un portazo. El señor Sixto soltó un juramento atroz; luego añadió:

—Estos médicos ni por Dios se apean de su burro. Se

les mete una cosa en la sesera y ya les puede usted ir con razonamientos y con buenas palabras. Han dicho blanco y ha de ser blanco aunque usted les demuestre todo lo contrario.

El tío Cleto se levantó de la butaca y prendió un pitillo. Era un tipo menos corpulento y congestivo que el señor Sixto a pesar de ser hermanos:

—Estás obcecado, Sixto. El médico sólo te ha dicho que la penicilina es inútil en este caso. Es lo mismo que si tú pides unos guantes para curarte los sabañones de las orejas.

—¡Maldita sea! ¿Es que también tú vas a ponerte de su parte; o es que no me explico; o es que no os da la real gana de entenderme...?

Daño Claudia se asomó con el gato en brazos:

—No chilléis de esa manera; estáis molestando a mamá...

Aurora susurró al oído de Sebastián:

—¿Quieres verla?

Sebastián asintió, desganado, lamentando que la desgracia que flotaba en el ambiente no le llegase más dentro. La Aurora le tomó de la mano y ambos pasaron a la alcoba adyacente. La abuela estaba allí, acostada, respirando ahogadamente, aunque con la misma sonrisita deshuesada, de niño de teta, de la víspera. Una vecina, poco más joven que ella, no hacía más que repetirle, recostándose en el catre:

—¿Es que no me oye usted, señora Zoa? Soy yo, la Cirila.

La viejecita proseguía impertérrita, ajena a la inmediata proximidad de la Cirila, con la sonrisita perdida en su faz consumida e innocua. Estaba tan delgada que su cuerpo no había bulto en la ropa y sólo al final de la cama erguían dos agudas prominencias como si se hubiesen metido entre las sábanas dos estacas en punta. Eran los pies de la abuela.

—¿Es que no me oye usted, señora Zoa? Soy yo, la Cirila — reiteró la visita.

La Aurora se aproximó a ésta:

—No se moleste; ya no conoce.

—¡Cómo no va a conocer! Lo que pasa es que la pobrecita ya no puede valerse. — Se recostó sobre la enferma y la volcó su aliento a dos dedos del oído, con recalcitrante tozudez. — ¿Es que no me oye usted, señora Zoa? Soy yo, la Cirila.

Salieron y la Aurora se enjugó una lágrima con el dorso de la mano:

—Debe de estar muy mal, ¿no te parece?

Sebastián admitió la gravedad con un movimiento de cabeza. Aún permaneció una hora al lado de la Aurora, preguntándose por qué aquel doloroso acontecimiento no le sacaba de su indiferencia y por qué razón sentía aquellas prisas irreprimibles por marcharse.

A la una y media la dejó sola prometiendo volver en cuanto saliese de los Almacenes. Aurelia le esperaba impaciente:

—¿Cómo está la señora Zoa?

—Muriéndose.

—Dicen por ahí que al médico no le ha dado la gana de ponerle la chisma esa... como se llame.

—¿Cuál, la penicilina?

—Sí, eso.

Orencia miraba de una a otro sin decir nada, aprehendiendo cada una de sus palabras. Sebastián contestaba de mala gana. Jamás halló recreo en aquellas insulsas y primitivas conversaciones domésticas. (Una vez más constató la espléndida facilidad del barrio para difundir toda clase de noticias hasta los más apartados rincones. El barrio era así, cotilla y comentador, aparatosamente impresionable. A buen seguro el médico de cabecera del señor Sixto no volvería a encontrar en él un solo cliente.)

—La penicilina no le va, madre. Es una tontería muy extendida pensar que la penicilina es un agua milagrosa que lo cura todo.

—Pero dicen que por ponerla, nada se pierde. Podía haberlo intentado. Tal vez así...

Sebastián no contestó. Comía sin apetito, maquinalmente, apremiado por el deseo de acabar pronto. Cuando concluyó, cogió el abrigo y se fue a los Almacenes. En el camino sorprendió a varios grupos comentando desfavorablemente la recalcitrante oposición del médico a aplicar la penicilina a la señora Zoa.

Una vez en la tienda, se olvidó de todo y entonces se dio cuenta de que sólo vivía espoleado por la esperanza de volver a ver a Irene. Ella era lo único que le importaba. Le desazonaba su remembranza, el recuerdo estimulante de su perfección, aquella mirada oblicua desde el borde de las pestañas que le dirigiera con sus ojos verdes al abandonar la otra tarde el establecimiento. En contraste, la Aurora y todo lo que la rodeaba le ocasionaba malestar. Le mortificaba el señor Sixto con su carácter impetuoso y rudo, la abuela moribunda, doña Claudia tan tosca y tan zafia, y, sobre todos, el Sixto con su lengua lancinante, con su contextura moral de mozo malcriado y ensoberbecido. Recordó, de pronto, su actitud de la tarde anterior y se sobresaltó. ¿Qué querría decirle con aquello de que si no les estaba tomando el pelo a todos? ¿Es que sospechaba la verdad de sus sentimientos hacia la Aurora? ¿O se figuraba, equivocadamente, que él no iba más que por los cuartos, indignamente amasados, de su padre? «Bah, que piense lo que quiera», se dijo Sebastián, y como oyera abrirse la puerta de cristales del establecimiento, volvió la cabeza ilusionado con la posibilidad de toparse con Irene. Pero Irene no apareció aquella tarde por los Almacenes y, al concluir la dura jornada, Sebastián sintióse deprimido. No obstante, tan pronto dieron las siete se embutió en el gabán y salió.

Continuaba haciendo frío, aunque el viento impidió que la nevada llegara a formalizarse. Por la calle Principal paseaba la gente produciendo un rumor revuelto de pisadas que se arrastran y conversaciones sostenidas a media voz. Sebastián atravesó la calle y se cerró las solapas del abrigo al notar que una ráfaga helada, aguda como un cuchillo, le atravesaba el pecho. «¿Se habrá muerto?», pensó, de repente, recordando a la viejecita postrada. Y la duda le hizo acelerar el paso.

(Al divisar el convento gris de los capuchinos experimentó un repentino sobresalto al figurarse la candelita encendida junto al Sagrario, proyectando sobre los anchos muros la silueta fabulosa del cura de las barbas.)

Intencionadamente cruzó la acera para ver desde más lejos el portal de la casa del señor Sixto. La puerta serviría, como en la mañana, para transmitirle las primeras novedades sobre el estado de la señora Zoa. Aunque la vida de la vieja no le inquietaba, miró con relativa ansiedad al portal. «Está abierta... Está cerrada... No, no está abierta. ¡Está abierta!» Cruzó de nuevo la calzada y subió apresuradamente las escaleras. La Aurora le abrió y en los ojos enrojecidos y en la expresión idiotizada de la muchacha Sebastián adivinó que la puerta de abajo no tardaría en cerrarse.

—Ven, de prisa, la abuela está agonizando.

Al pasar por la cocina, Sebastián sorprendió a doña Claudia haciendo arrumacos al gato persa:

—Ven tú, monín mío; ven tú a consolar a mamá.

«Tití» maulló y saltó blandamente sobre el regazo de doña Claudia.

En la puerta de la alcoba Sebastián se detuvo horrorizado. El señor Sixto y su hijo forcejeaban con la moribunda, pretendiendo embutirla en un fúnebre traje negro. El Sixto parecía disgustarse ante la natural pasividad de la anciana:

—Vamos, abuela, ¡concho!, no sea terca. Luego se queda usted rígida y no hay Dios que la vista.

Sebastián se asió al marco de la puerta para no caer. El tío Cleto contemplaba la macabra escena con los ojos enrojecidos, pero sin oponerse. La pobre vieja se dejaba amortajar sin fuerzas para nada, dibujándosele en su boca de labios pálidos y arrugados su eterna y lánguida sonrisa.

—No quiero que me vuelva a pasar como con el abuelo, ¡demonio! —proseguía, entre dientes, su monólogo el Sixto—. Luego se quedan fríos y tiesos como garrotes y no hay macho que se atreva a ponerles una prenda encima...

Alrededor había varias vecinas contemplando indiferentes la lúgubre operación. Al fin, la abuela quedó vestida y entonces el señor Sixto le izó con cuidado la cabeza y le colocó sobre el pecho consumido un escapulario del Carmen. Cuando concluyó todos estos preparativos la besó en la frente y se quedó inmóvil, a los pies de la cama, con los brazos cruzados y como diciendo: «Cuando guste, madre; ya puede morirse».

Sebastián se vio abocado al desmayo. Contra costumbre aquilató el abrazo de la faja de franela oprimiéndole las vísceras, pero permaneció quieto, sin pestañear, observando con concienzuda atención el rostro de la abuela. Un difuso recuerdo de sus años de colegio le imbuía la idea de que estaba asistiendo al solemne momento de un tránsito; al instante decisivo en que un alma se desgaja de un cuerpo dejando a éste convertido en un puñado de polvo. Recordó las palabras del hombre de las barbas y pensó si la abuela no sería también de aquellas personas que descuidan el alma y sobrestiman el valor del cuerpo. Un vago escepticismo volvía a adueñarse de él. Sin embargo, proseguía mudo, absorto, con los ojos clavados en los labios entreabiertos de la viejecita, aguardando ver salir por ellos una especie de nube algodonosa o un jirón de niebla ingrávido y blanquecino. Quizá, tal vez una llamita tenue y azulada como la palmatoria que ardía en el ara del convento de los capuchinos. Se mantenía suspenso, arrobado, como si de aquel definitivo trance dependiese toda su fe para el porvenir. Los presentes contenían la respiración en una expectativa anhelante. De voz en vez, la nariz aguileña de la moribunda se contraía como si fuese a estornudar. Pero era la boca, la boca entreabierta en una corta sonrisa, aquella boca de labios cárdenos y exangües, lo que fascinaba a Sebastián. Su imaginación enhebraba ahora los más insólitos pensamientos. Se figuraba fantásticamente, pero con una precisión extraña, el color de los pecados de los hombres. Ya no era el indistinto polvo de carbón lo único que podía mancillar la albura de un alma. El tono negro correspondía, en la mente de Sebastián, a los pecados contra la fe ; el verde, a los pecados de la carne; el rojo, a los de soberbia; el amarillo a los de gula... Imaginó que tal vez el ánima de la anciana saliese aureolada de un color amarillento, como el producido por un cólico hepático. Se dio cuenta de que pensaba así acordándose de la merienda de la última tarde, y compelido por una profunda convicción de que la gula y la soberbia eran los pecados característicos de la vejez, como el de la lujuria era el de la juventud...

De pronto, una contracción muscular de la vieja le dejó petrificado. La miró, concentrando la atención en los labios entreabiertos, y le pareció adivinar un borbotón de aliento blanco, impoluto, que ascendía paulatinamente hacia el techo. Le estremeció la voz hiposa, como un sollozo retenido, de la Aurora a su lado:

—Se había confesado esta mañana.

Los músculos faciales de la anciana se relajaron a continuación. El señor Sixto se aproximó a ella y la tocó en el corazón:

—Ha muerto — dijo simplemente.

Y como si aquellas palabras fuesen la contraseña esperada, todas las mujeres que rodeaban la cama rompieron en unos lamentos quejumbrosos y agudos. La vieja sonreía al vacío y se mantuvo indiferente cuando su hijo Cleto se acercó piadosamente a ella y le cerró los ojos.

Fue tres días después del entierro de la señora Zoa cuando Sebastián, al regresar a mediodía de los Almacenes, tropezó con una Orencia rebelde, excitada, rígida de indignación. Apenas le dio tiempo a pasar al cuarto de la camilla cuando le vomitó a boca de jarro:

—¿Sabes lo que has hecho, Sebastián? ¡Di! ¿No sabes que la Aurora está embarazada de cuatro meses y que todo lo que ha hecho contigo es una comedia asquerosa para atraparte? Di. ¿No lo sabías?

La habitación le daba vueltas y, de momento, no tuvo palabras para responder. Una mezcla de lástima y repugnancia pugnaban en él al mirar, aterrado, a su hermana. De momento le enervó la conciencia de su estupidez al intuir que la afirmación de la Orencia era rigurosamente cierta. No obstante, aquella chiquilla pálida y desgalichada, de mirada grande y vacía, se le representaba ahora como una Aurelia en miniatura, una Aurelia enfundada en su esmirriado cuerpo. La explosión airada de la chiquilla, con unas palabras impropias de su edad, le aplastaron.

—Pero... ¿qué dices? ¿Qué... qué estás diciendo, Orencia?

Un sudor viscoso y frío le resbalaba por los costados, le empapaba el cuerpo; temblaba al pensar en su extravagante postura al comprobar la presencia de una nube densa y negra que gravitaba como una losa sobre su amor propio, aplanándole. ¡Ah, aquella bárbara sinceridad de la Orencia! ¡Cómo le asqueaba de repente aquella niña lánguida y triste, expresándose con descarnado impudor como si fuera la mujer más libre y deslenguada del barrio! ¿Y era esto, en realidad, lo que le excitaba o era, sencillamente, la conciencia de su miopía, de su falta de perspicacia para intuir un hecho que nadie a estas alturas debía ignorar en el barrio?

Orencia continuó en un brusco arrebato:

—Sí, ella y doña Claudia... Doña Claudia ha dado dinero a madre para que tú tapases el hijo de la Aurora. Ya te decía yo que no me gustaba, que no...

—¡Oh, eso no es verdad, maldita!, ¡calla! ¡Eso no es verdad!

Algo fuera de todo hábito le cegó. Una indignación desconocida le sacudió el cuerpo y se localizó, como un acuciante e intenso hormigueo, en la punta de los dedos. No pudo reprimirse. Levantó la mano y golpeó a su hermana con toda su fuerza, con todo el aborrecimiento acumulado hacia ella, hacia su lengua viva y abrumadoramente sincera.

La pequeña estaba erizada, vibraba al rozarla como la cuerda tensa de un instrumento:

—¡Puedes matarme! ¡Puedes hacer lo que quieras de mí! ¿Me oyes, Sebastián? Pero no conseguirás que me calle. ¡Han jugado contigo, te han engañado miserablemente! ¡Oh, qué horror! ¿Es que creíste alguna vez que la Aurora te aceptaba por ti mismo, que te quería por tus cualidades o siquiera por compasión? —Hablaba y lloraba al mismo tiempo. Sus palabras salían a chorros de sus labios, zumbantes y dolorosas, y Sebastián aquilató, por encima de su aturdimiento, que los chillidos histéricos de la Orencia le herían en un sitio vital; que las expresiones tremendas de su hermana significaban una traducción literal de sus ominosos actuales pensamientos. —¡Hoy la gente no compadece a nadie, ni le importa nadie! El mundo es una cosa cochina, ¿me entiendes? Te han atrapado a ti para tapar la marranada de la Aurora y del otro. ¡Ya te decía yo...!

—¡Calla, calla! ¿Es que no te puedes callar? (Se cubría los oídos con las manos; pero más que por no oír, era ésta una reacción instintiva ante el vago temor de que su cráneo pudiese estallar como una nuez —el cráneo de un gorrión— entre la palanca de un cascanueces.)

Orencia se calmó de súbito, pero no calló. Hablaba ahora como una máquina parlante, sin inflexiones, ni gradación en su tono de voz. Habían desaparecido, como por ensalmo, su excitación y sus histerismos:

—Ayer vino doña Claudia... Ha venido muy a menudo en estos últimos tiempos, ¿sabes?... Madre se creyó que yo no estaba en casa y hablaron tranquilamente. Pero yo lo estaba oyendo todo desde mi cuarto.

A Sebastián le arrastraba una rabia sorda y creciente, un impulso seco y descarnado. Su aversión hacia su madre se trasmudaba en un sentimiento de odio acendrado, indigesto, expansivo. Se imaginaba muy bien la escena que la Orencia relataba con irritante prolijidad. Pero, sin embargo, deseaba saber más, más, hundirse con mórbida delectación en aquel piélago de iniquidades.

—¡Habla, habla, di! ¿Qué más decían? Que qué tenía yo que valiese más que un choto, ¿verdad? ¿Qué más? ¿Qué más decían?

Ahora Orencia retrocedía ante su mirada ávida y desorbitada. Mas él la perseguía implacable, con la cabeza adelantada, clavando fieramente los ojos en el semblante de la niña.

En aquel momento se oyó por el pasillo el andar perezoso y cansino de Aurelia. Sebastián desvió la mirada hacia la puerta y se quedó así, inmóvil, con la cabeza un poco avanzada y ladeada como un perro de caza marcando la postura. A poco apareció Aurelia, indiferente, en el umbral, envuelta en la pringosa cazadora militar, introduciendo sus manos amoratadas debajo de las axilas:

—¿Qué escándalo es este? ¿Qué pasa aquí?

Orencia guardó silencio y un relámpago de desafío le brilló en las pupilas, normalmente apagadas. Sebastián no se movió, limitándose a envolver a su madre en una mirada absorbente e incisiva. Aurelia, a pesar de su obtusa perspicacia, lo comprendió todo instantáneamente y palideció.

—¿Qué es eso? Tú estabas ayer ahí, ¿verdad, cotorra del demonio? (Aurelia se decidió al fin. Se adelantó hacia Orencia y la zarandeó con una expresión descompuesta en el rostro.) Ya me lo olía yo. Estabas escuchando como una zorra indecente, ¿verdad que sí? Pero yo te juro que te voy a escarmentar para toda tu vida. Voy a partirte esos hocicos de rata parlona que tienes...

Conforme hablaba, Aurelia golpeó a la niña con los puños crispados. Los golpes producían un rumor sordo, un ruido característico de colchones vareados.

Sebastián se adelantó y sujetó a su madre por la muñeca con una tenacidad de lapa:

—¿Por qué la emprendes con la niña? ¿Qué culpa tiene ella de lo que ha pasado? No quiero escándalos, ¿me oyes? ¡No quiero escándalos!

Aurelia se volvió a él:

—¿Cómo te atreves? Suelta, mal bicho, suelta o...

Pero Sebastián no desfallecía. Comprendía que por una vez tenía agallas suficientes para reducir a su madre, para exigirle una rectificación urgente y completa. Aurelia se encontraba tan excitada que no hacía más que mover los labios sin llegar a expresar palabra alguna.

—Esto sólo tiene una solución — siguió, más firme, Sebastián —. Vas a devolver a doña Claudia hasta el último céntimo. Yo no voy a casarme con la Aurora.

De un tirón, Aurelia liberó su muñeca:

—Eres orgulloso y estúpido como tu padre. ¡Baboso, más que baboso! ¿Qué más puedes buscar tú, dime? ¿Es que con tu tipo absurdo puedes aspirar a otra ocasión mejor que ésta?

En un segundo cambió la expresión de la Aurelia. Se dirigió a Sebastián y le pasó un brazo melosamente por los hombros. Su voz era alterada, pero suave:

—Tuya es la mitad. Es justo eso. No me atreví a decírtelo antes.

El cuerpecillo de Sebastián emanaba una enhiesta y orgullosa cólera:

—No busco dinero ni lo quiero a costa de mi amor propio, ¿me entiendes? Di, ¿me entiendes? Quiero que devuelvas hasta el último céntimo.

—Pero, dime, monigote. ¿Yo aquí no soy nadie? ¿No merezco, después de haber sufrido contratiempos y miserias para sacarte a flote, alguna compensación?

Tornaban las voces avinagradas, desabridas. Sebastián aparentaba una calma absoluta, como si tras la colérica actitud inicial se hubiese agotado su capacidad de indignación:

—Ya lo has oído. No quiero casarme con la Aurora. Todo es inútil ya. Ahora mismo voy a enterarla a ella.

—¡No, tú no harás eso, puerco! Siquiera por respeto a mi palabra. He empeñado mi palabra, ¿sabes? Yo consideré la cosa como una buena oportunidad para ti y por eso lo hice; nada más que por eso... La Aurora es rica, ¿comprendes? Tú podías vivir cómodamente por el resto de tus días. ¿Qué importa la criatura? Una vez casados, el crío es tan tuyo como tú mío. Y tú te reirás del mundo con una mujer al lado que te quiere y te dé de comer. Porque la Aurora te quiere ya, ¿lo sabes? Se ha acostumbrado a ti. No, Sebastián, tú no puedes hacer eso que piensas...

El estado de ánimo de Aurelia tenía altibajos sensibles. Su tono de voz terminó siendo impetrante, mientras le perseguía a lo largo del pasillo. Mas Sebastián no transigía. Pese a su calma externa notaba en su interior un vacío opaco que le angustiaba. Se había trazado una decisión y la pondría en práctica por encima de todos los obstáculos.

Abrió la puerta y salió a la caja de la escalera. Aurelia le siguió. Forcejearon un rato:

—¡Déjame, maldita seas! ¡Déjame en paz!

Su madre le sujetaba por las solapas. Tenía el semblante descompuesto y una espuma blancuzca, como de saliva demasiado consistente, se le pegaba a las comisuras de la boca.

—¡Entra, cochino! ¡Vuelve a casa si no quieres...! ¡Pedazo de...!

Le denostaba con horribles palabrotas. Vocablos gruesos y detonantes de carretero malhumorado. Sebastián le dio un empujón y descendió corriendo las escaleras. Por detrás, en la espalda, se le clavaban los improperios cada vaz más abyectos y groseros de la Aurelia.

Salió a la calle un poco aturdido. Su respiración era irregular y agitada y para serenarse caminó hasta la iglesia y luego regresó muy despacio. Vaciló en el portal de la Aurora, mas en seguida se sobrepuso y ascendió sin prisas los escalones. Dudó antes de oprimir el timbre y escuchó acercando la oreja a la mirilla. No se oía nada fuera del maullido lejano y quejumbroso de «Tití», el gato persa. La casa del señor Sixto se veía agobiada por el luto reciente y semejaba descansar aún de los plañidos incesantes y subidos de la tarde del entierro. Al fin, se decidió y pulsó el timbre con un dedo tembloroso.

Le abrió doña Claudia:

—Buenos días, ¿está la Aurora?

—Sí, pasa. ¿Qué te trae a estas horas por aquí?

—Quiero hablar con ella un momento.

Salió la Aurora enlutada y apática y dijo con un mohín de desagrado:

—¿Qué quieres? Íbamos a comer ya.

Doña Claudia se había retirado y la muchacha y Sebastián estaban frente a frente en el vestíbulo. El recuerdo cálido y opresivo de la humillación desató repentinamente la lengua de Sebastián:

—Sólo vengo a decirte que he cambiado de parecer. No voy a casarme contigo ya. Ha sido todo un error.

Palideció el rostro de la Aurora y le tomó por la manga de la chaqueta.

—Ven, entra aquí. ¿Qué estás diciendo?

Habían pasado a una sala reluciente y presuntuosa, con una gruesa alfombra de nudo cubriendo casi enteramente los baldosines rojos del pavimento. Ella insistió:

—¿Qué quieres decir?

—Ni más ni menos que lo que he dicho. No vamos a casarnos ya. Mi madre devolverá el dinero hasta el último céntimo...

La Aurora tartamudeó y buscó a tientas una silla donde sentarse:

—No... te... entiendo, Sebastián.

—¿Por qué vas a hacerme hablar más claro? Es un

asunto desagradable, ¿no? Yo nada tengo que ver con ese hijo que esperas. ¡He sido un necio! Eso es todo...

Sonó la voz de la Aurora como a través de un tabique, pero despojada ya de todo artificio:

—¡No puedes hacer eso ahora; no puedes hacerlo, Sebastián! Yo te quiero. ¡Te lo juro! Te quiero como nunca me imaginé que pudiera llegar a quererte. No me dejes ahora así... ¡Te lo suplico! Todo lo pasado debes olvidarlo. Debes ser generoso...

Aquella visión de la Aurora arrastrándose, implorando, al fin, consiguió imbuirle una más sólida seguridad en sí mismo:

—Es en vano. No estoy dispuesto. Me parece que la lección no ha sido pequeña. Ya estoy escarmentado.

La Aurora comenzó a llorar crispadamente. Se arrodilló a los pies de Sebastián:

—¡Dios mío, qué vergüenza, qué vergüenza! ¿Qué puedo hacer para que me perdones, para que te olvides de mi horrible conducta? Te juro por Dios que seré sólo para ti, Sebastián, que te serviré como una esclava... Siempre. Pero ayúdame a ocultar esta vergüenza. ¡Por amor de Dios... ayúdame!

Esta irritante sumisión exaltó a Sebastián, soliviantó sus ánimos más aún que si la Aurora hubiese adoptado una actitud engallada, de diosa ofendida.

—¿Por qué he de ser yo quien resuelva tus porquerías? ¡Di!, ¿por qué? ¿Qué tengo yo que ver con tus devaneos y tus indecencias? ¿Te parece aún pequeña mi degradación que aún me requieres para continuarla? ¡Por Dios te digo que me dejes en paz, Aurora!

—Óyeme, tú... —Le miraba desde abajo con las gafas empañadas por las lágrimas. Tenía la cara enrojecida y las facciones abultadas y feas. —No seas intransigente, Sebastián. No te vayas sin oírme, por Dios bendito. Yo no tuve casi culpa. Fue todo una locura, una insensata locura. Pero te juro que todo ha pasado ya. No quiero ni volverme a acordar de ello. ¡No quiero...!

Volvía a llorar con acrecentado desconsuelo. Sebastián se sentía a sí mismo duro e irreductible. De su antiguo sentimiento por ella, fuese amor o compasión, no restaba más que un solemne y creciente desprecio. Miraba indiferente sus espasmos y convulsiones y se le antojaba que todo aquello era una farsa más, una prolongación de la amarga comedia en que él había jugado tan buena parte. La contemplaba con irritación, con repugnancia casi, e íntimamente se confesó que su físico, abultado e inarmónico, le repelía. De súbito aquilató dentro de sí una punzada de curiosidad, de fría e impersonal curiosidad:

—Dime: ¿quién fue él?

—¡Oh, qué importa eso! ¡Qué importa eso! —Se quedó boquiabierta, mirándole, sin llorar. Luego enmendó: —Bueno, sí, fue Benjamín Conde, ¿para qué voy a ocultarlo? Ya lo sabes: el hijo del contratista. Pero, ¿qué importa eso ahora, Sebastián? —insistió.

Sebastián tuvo una fugaz visión:

—¿El chico del abrigo marrón y la bufanda amarilla?

La Aurora asintió sin hablar. (Sebastián notó unas ganas horrorosas de reírse a carcajadas al recordar la ensoñada visión de Benjamín Conde, haciendo cosquillas en las axilas de la Aurora con la punta de un mondadientes.) Se separó de ella con asco. Volvía a sentirse furioso, intransigente. ¿Por qué andar con rodeos y paños calientes con una mujer que no había dudado en arrojarle a la cara la menos piadosa de las humillaciones? Deseó, de pronto, aplastarla sin más, como a un reptil, vocearle el concepto que su conducta le merecía, regodearse sádicamente en su turbación y su angustia:

—¡Quita, apártate de ahí, bicho! —dijo, acercándose

a la puerta —. ¿Por qué no vas a él a hacerle esta escena? Me parece a mí que es el más indicado. ¡Háblale del hijo que esperas! ¡Háblale de tu estado y de tu vergüenza! ¡Háblale de todas esas cosas asquerosas que tenéis entre los dos! ¿Oyes? Y dile de paso... dile de paso — se acaloraba Sebastián. Se acaloraba paulatinamente como si en cada palabra que pronunciaba hallase un nuevo acicate que estimulase su airada locuacidad — que Sebastián Ferrón ha dejado de hacer el cretino; que como los monos ha abierto los ojos un poco tarde, pero al fin con tiempo suficiente para escurrir el bulto. ¡Eso, eso! Dile todas esas cosas y las demás que se te ocurran a ti... Y si te tercia... si se te tercia... puedes tocarle el corazón... — Agarró Sebastián el picaporte de la puerta y la entreabrió. La Aurora le miraba por encima de las gafas, con una expresión demudada, de pasmo e impotencia. Seguía de rodillas sobre la alfombra, con los brazos en cruz y los dedos crispados, imitando burdamente la Dolorosa de Juni. — Sí, tócale el corazón, a ver si le conmueves; tal vez no sea difícil. No parecía mal chico... Además... además... — Advirtió súbitamente que se le acababa la cuerda, que no tenía más que decir. Entonces cerró la puerta con furia, al tiempo que instigado por un recóndito instinto melodramático, gritaba con énfasis: —¡Hasta nunca, Aurora!

Descendió las escaleras resollando, estremecido aún por la fuerza de la escena. Los sollozos de la Aurora le perseguían cada vez más amortiguados. Abocó a la calle y comenzó a andar de prisa, sin rumbo previsto. Las imágenes se le atropellaban confusas y retozonas en la mente. Reinaba en ella un caótico desorden, aunque presidido por la conciencia clara de su vejación. No quería comer; no lo hubiese conseguido aún deseándolo. Además no volvería a casa hasta la noche. Detestaba renovar pleitos añejos o remover problemas ya resueltos. A la noche la excitación habría amainado y nadie osaría replantear la cuestión. Atravesó la ciudad y se encontró siguiendo la ribera del río, impetuoso, y de un sucio tono achocolatado. Más arriba debía haber llovido de firme en los últimos días. Los chopos, erguidos en las orillas, resaltaban sobre el fondo gris del cielo como los palotes tembleteantes del cuaderno de un niño. Algunas barcas surcaban la corriente y, pese a su línea achaparrada y al tono desagradable de las aguas, detentaban una airosa y gallarda apariencia.

Continuó andando Sebastián sumido en sus cavilaciones, y sin darse cuenta se vio sobre el puente de piedra que salvaba el río, asomado al pretil. Las aguas, espesas y turbias, chocaban con los pilares por debajo de él; parecían anudarse en una madeja irresoluble, mas luego reanudaban la marcha más veloces, como deseosas de recuperar el tiempo perdido. La cabeza le daba vueltas a Sebastián. Tornó a observar las dos hileras de afilados chopos que fijaban el curso de la corriente, y luego zambulló nuevamente la vista en los revueltos abismos de espuma a sus pies. Aquellos remolinos le fascinaban. Le atraían, insinuándole la posibilidad de concluir de una vez con todas las pesadumbres. El agua producía, al topar con los pilares, un chapaleteo casi cristalino, como la lengua de un niño que aún no ha aprendido a vocalizar. Todo era sugestivo y fácil, extremadamente sencillo y tentador. La cabeza le ardía y suponía una aspiración demasiado ambiciosa imaginar que aquellas aguas espesas y heladas pudiesen cerrarse alrededor de su cráneo enfebrecido. Entonces le pareció que le llamaban. Escuchó un rato, inmóvil, para cerciorarse, e inmediatamente oyó pronunciar su nombre con absoluta claridad. Le costó un gran esfuerzo reaccionar, y cuando giró la cabeza y divisó al tío Cleto haciéndole señas con la mano desde la acera de enfrente, emitió un ronco y acongojado suspiro.

—Mire usted qué oportunos — le dijo aquél regocijado —; ya voy para allá. Podemos aprovechar si usted quiere para ver la fábrica. Es un buen momento...

(El señor Cleto se llevaba, de vez en cuando, una uña a la boca y escarbaba en el sarro, produciendo un ruido semejante al de los ratones al roer la tarima.)

Anduvieron uno junto a otro y atravesaron el puente. Entraban en un sucio y maloliente suburbio de rústicas edificaciones de adobe, donde la mayoría eran cuadras o inmensas corralizas donde se amontonaba el estiércol. De vez en cuando tropezaban con un solar lleno de latas oxidadas y cascos de vidrio. Al fondo vislumbró súbitamente Sebastián un edificio de adobe de una sola planta, desconchado y caduco, con un letrero sobre la puerta cerrada que decía: «Cleto Fernández. — Fábrica de Cola», y sin saber por qué, en ese instante acreció su simpatía por el señor Cleto. Éste se volvió a Sebastián, deteniéndole por un brazo:

—¡Ah, Ferrón, ya decía yo que tenía que decirle algo! El otro día no me fue posible. El Sixto, ¿sabe? — levantaba las cejas como para completar la frase —. Y no es que mis hermanos sean malos, ¿comprende usted?; pero son egoístas. Atiéndame; los demás cuentan muy poco para ellos cuando se trata de salvar del naufragio a algún miembro de la familia. Y a mí, la verdad, no me parece correcto lo que intentan con usted... — Reanudaron la marcha hacia «Cleto Fernández. — Fábrica de Cola» —; porque... porque ¿sabe usted lo de la Aurora? Si usted lo sabe y pasa por ello... — Volvió a levantar las cejas, acompañando este ademán de una mueca ambigua que podría interpretarse como un «allá se las componga». Luego continuó:
—Pero si no lo sabe...

Sebastián le observó de reojo y tuvo que reprimirse para no abrazar al señor Cleto:

—Lo sé ya todo; gracias... muchas gracias de todas las maneras.

Ante la puerta de la fábrica se detuvieron mientras el señor Cleto buscaba la llave entre sus bolsillos y, una vez hallada, se sonrieron con mutua comprensión.

—Bueno — empujó la desvencijada puerta con el hombro —, vamos a ver si vemos esto... A no ser que... — Dudó al dar vuelta a la llave de la luz. Una bombillita se encendió en un rincón iluminando dos artesas y un informe montón de grandes huesos de animales a sus pies —. ¡Ah, sí, mire! Dan luz hasta tarde... Hemos tenido suerte. Pase, pase...

CAPÍTULO X

SEBASTIÁN, en los días siguientes, se sintió náufrago y abandonado en medio de aquel océano de humanidad que le envolvía. Era aquél un mar espeso e inextricable, colmado de reconditeces, escollos y arrecifes; un mar difícil, donde suponía un esfuerzo de titanes sostenerse a flote.

La ruptura con la Aurora fue la comidilla del barrio, como antes lo fuera su noviazgo y las especiales circunstancias que lo rodearon. En todas partes se hablaba de la Aurora y Sebastián; se comentaba con complacencia el frustrado noviazgo, se sentaban presunciones y se exponían conjeturas, llegándose, casi siempre, a la conclusión de que el infeliz contrahecho había desperdiciado una magnífica oportunidad. La gente se daba codazos significativos al cruzarse con él, y los menos discretos le voceaban chirigotas procaces o le repetían la vieja chufla de mugir en su presencia con análogo desasosiego que un buey acorralado.

Se cotilleaba de Sebastián a la puerta de la iglesia los domingos, en las colas del cine y de la carne, en las siete tascas del barrio y en las comidas familiares, alrededor de la familiar camilla. El tiempo era aún frío y se diría que el cotilleo sabroso y picante aportaba sobre los miembros entumecidos una cálida intimidad.

Sebastián soportaba todo esto con aparente estoicismo, pero allá, en el fondo de su inarmónico cuerpo, algo se retorcía con violencia cada vez que le vejaban, produciéndole un agudo e intenso dolor. Nunca decía nada. Guardaba aquellas chuflas para sus cavilaciones solitarias y, entonces, en su lenta y aislada digestión, se daba cuenta de la inquina de los insultos y las alusiones y lloraba mansa, calladamente.

No le dolía la ruptura con la Aurora. A fin de cuentas, esto respondía y se adecuaba cabalmente a la realidad de sus sentimientos. Últimamente se había percatado de que no amaba a la muchacha y, desde este punto de vista, era un hombre feliz con su autonomía recobrada. Echaba de menos, sí, los paseos vespertinos a lo largo de la roja tapia que circundaba el colegio de monjas mientras el día declinaba por detrás de la torre de la catedral; o las tardes de cine, arropados por la masticación crepitante de los devoradores de cacahuetes; pero lo echaba de menos lo mismo que a una muela perdida cuando la punta de la lengua, en su minuciosa exploración por las dos bandas de la boca, topaba con el hueco inusitado de la fosa recién abierta. Es decir, que lo que Sebastián lamentaba era la costumbre rota, el aniquilamiento de un horario fijo, minuciosamente reglamentado. Por lo demás, suponía una ventura inesperada poder disfrutar de una absoluta independencia cordial, con la posibilidad inaudita y osada de fantasear a más y mejor sobre un utópico entendimiento con Irene.

Era la reacción de la humanidad circundante lo que le atormentaba, sumiéndole en un abismo de pesimistas y desesperadas reflexiones. En su casa no hallaba ningún consuelo. Aurelia, después de la violenta escena del día de la ruptura, se mantenía tiesa e inabordable, con una perpetua expresión de padre decepcionado en el mil veces acariciado porvenir del hijo. Ahora se reunía con la señora Luisa, la del punto, con más frecuencia que de costumbre, y en estas reuniones bebían vino tinto y jugaban a las cartas sobre la mugrienta mesa de la cocina. La Orencia proseguía devanando su existencia desligada, indiferente y gris. Tampoco se había atrevido Sebastián a cruzar una palabra con ella desde entonces, temeroso de ofender su orgullo inflexible. La niña se mostraba sumisa y triste, con la inalterable expresión de susto en sus ojos redondos, pero sin osar tampoco dirigir la palabra a su hermano, a quien suponía aún herido y con el corazón en carne viva.

La vida de Sebastián discurría así monótona y aislada, con una carga interior excesiva para su vapuleado corazón. A veces pensaba en Orencia con melancolía, y en estos casos las desdichas de la niña le apartaban un tanto de su oscuro y romo vivir. Recordaba con espanto las palabras de la pequeña al comunicarle el estado de la Aurora, y estas remembranzas le herían el pecho como si se pasase por dentro un cepillo de rígidas cerdas. Intuía, entonces, que no son los niños que callejean sin descanso los peores, sino los que se esconden y roen, encerrados entre cuatro paredes, los misterios de la vida todavía a medio velar; esos niños ariscos y aviejados, que no tienen alegría ni espontaneidad.

Las comidas alrededor de la destartalada y churretosa camilla acentuaban su chato abatimiento. Nadie hablaba allí, y los roces de los cubiertos con los platos descascarillados de loza barata adquirían una vibración casi trágica. Se les oía mascar a los tres o sorber la sopa con artificial presteza, deseando romper cuanto antes la forzada reunión. Entre plato y plato, los siseos de Aurelia al hacer discurrir por los intersticios de los dientes repentinas corrientes de aire casi asustaban a Sebastián. La Orencia iba y venía de la cocina, trayendo y llevando, y el ajetreo de la niña le hacía pensar que era como esas frutas ásperas y agrias, maduradas a fuerza de golpes.

Pero eran las noches y las irremediables tinieblas impuestas por las restricciones de luz lo que más temía Sebastián. Un insomnio desacostumbrado se había apoderado de él. Era a esas horas cuando los recuerdos dolorosos y la conciencia de su vejación le asaltaban, royéndole el alma. Evocaba, en esos momentos, su ciega fe en la Aurora, su pueril e inefable comportamiento, mientras el barrio entero soltaba risotadas a su costa. Recordaba el día que descubrió a la muchacha apostada en el corro de espectadores del «doctor cubano» y su forma inexplicable de escabullirse antes de que el doctor respondiese a la consulta. Ya aquella mañana podía Sebastián haber recelado algo, pero él era de esa madera, sin vetas ni manchas, de que están construidos los hombres de buena fe. Después, la escena con Conde, el hijo del contratista, y la inmotivada fuga de la Aurora a Madrid; la descarnada manifestación del Sixto, ensalzando la amplitud de sus tragaderas; el resentimiento de la Aurora al comunicarle él que la encontraba más gruesa; los torpes mugidos de los mozalbetes del barrio; los codazos de los más prudentes y mesurados al divisar a la pareja...

Sebastián daba vueltas y más vueltas sobre el lecho. Aquellos recuerdos le ocasionaban como una desazonadora picazón por todo el cuerpo. Y tanto como su humillación, como la conciencia dolorosa de saberse el hazmerreír del barrio, le afligía su falta de perspicacia al no haber descubierto a tiempo el artero complot; la ingenuidad imperdonable de su conducta, crédula y confiada.

Las sábanas, sucias y remendadas, se plisaban por debajo de su cuerpo sudoroso, incrustándosele en la carne y lastimándole. Se enderezaba a oscuras y las tensaba, pero, al momento, le parecía que las costuras de los remiendos alcanzaban un relieve excesivo que le oprimía desagradablemente la piel. Volvía a incorporarse y tornaba, poco después, a tumbarse. De súbito, experimentó calor en las manos y las sacó por el embozo; mas, a poco de hacerlo, le sacudieron el cuerpo unos escalofríos febriles que se quebraban dentro de él como relámpagos. Volvía a esconder las manos bajo la ropa y volvía a pensar. Rememoraba ahora pasajes enteros de sus relaciones con la Aurora y se excitaba aún más. Se le aparecían delante de los ojos frases completas, conversaciones redondas; llenas, por parte de ella, de taimada intención y sutiles reticencias. «La vida es hermosa cuando en ella se logra hacer un remanso para dos.» «No sé por qué esta Nochebuena tengo ganas de llorar.» «Sebastián, estoy pensando que me eres imprescindible; te amo con toda mi alma.» «Debe bastarte saber que estando así o asá te quiero mucho...»

Sudaba y se rebullía en el lecho revuelto. Los recuerdos le asaltaban en grupos, estrangulándose contra la tenebrosidad circundante. Excitado, medio enloquecido, sin saber lo que se hacía, tornaba a asomar una mano por entre las ropas y oprimía, angustiado, el botón de la luz. Pero la luz no se hacía y él, entonces, agobiado por las irreductibles tinieblas, apretaba con un frenesí loco aquel botoncito una y otra vez, y el chasquido reiterado parecía una carcajada burlona.

—¡Oh, Dios; oh, Dios, estas restricciones, estas malditas restricciones!...

Se cubría el rostro con la ropa para hacerse la ilusión de que fuera existía un reino brillante de luz que él voluntariamente se vedaba. Así, bajo esta sugestión, le era más soportable aquella horrible oscuridad.

Sus lucubraciones desembocaban siempre, fatalmente, en una prístina conciencia de su absoluto aislamiento. Y, en estos casos, le daba por pensar si no sería, en realidad, un exceso de sensibilidad lo que engendraba todos sus problemas. Él veía a los demás hombres quemar la vida sin detenerse a reflexionar si eran o no comprendidos. Esto les era indiferente. Vivían su vida, sujeta y adecuada a un patrón, y esa vida se cruzaba mil veces con las de los demás sin que por ello la urdimbre resultante de tantos hilos entretejidos les ofuscase o mitigase sus afanes vitales. La vida propia era lo primero, por encima de todo. Mas a él le dañaban estas conductas egoístas, malvadas, que precisaban del dolor del prójimo para eclipsarse su desazón interior. De este modo, la vida, para unos, era una sucesión ininterrumpida de acontecimientos ruidosos y excitantes, y, para otros, el eco triste y melancólico de esos ruidos y esa excitación de los demás.

Inadvertidamente la imaginación de Sebastián se detenía en la fabulosa silueta del cura de las barbas, recortándose, escueta y severa, sobre el frío muro del convento de los capuchinos. Su desasosiego aumentaba entonces. Una cosa era lo que los curas decían en las iglesias y otra, muy distinta, lo que los hombres hacían fuera de ellas. Pero, sin él quererlo, algo por dentro le anunciaba que detrás de todo este tinglado terreno existía un mundo más equilibrado y justo en cuya puerta un ser, de aspecto semejante al cura de las barbas, examinaba con mirada prolija y minuciosa las hojas de servicio de todos los hombres. Allí cada cual obtenía lo que había merecido conforme a un criterio altruista, equitativo y compensador.

Sebastián meneaba la dolorida cabeza en la oscuridad. No quería pensar en esto. No quería hacerse ilusiones; los duros reveses sufridos le demostraban que nada hay tan flébil y triste en la vida como una ilusión reventada sin florecer.

Solía levantarse cansado y aturdido, como después de una noche de juerga. Sin el menor estímulo se lavaba, se vestía y marchaba a los Almacenes. Todo seguía igual por allá. Don Saturnino, con los dedos pulgares introducidos bajo el chaleco, junto a los sobacos, vigilaba la máquina que tan expertamente había puesto en movimiento; don Arturo continuaba haciendo progresos en su habilidad mercantil y su fondo fenicio iba aquilatando, con matemática precisión, la llegada del momento en que su vitalidad comercial constituyera una corriente propia, desglosada y autónoma; Martín y el probador continuaban en magníficas relaciones, y las numerosas clientes caían en «el bote» tan pronto como aquél se lo proponía; los hermanos rubios hablaban los lunes, los martes y los miércoles del partido celebrado el domingo anterior, y los jueves, viernes y sábados hacían cábalas sobre el que se avecinaba. Entre todos ellos discurría la sombra deprimida de Manolo, a cuya mujer había arrancado un pezón la avidez lactante de su pequeño, ya tan fuera de peligro que podía, incluso, poner en peligro a los demás. (Imaginó Sebastián, al enterarse de este nuevo contratiempo de Manolo, que el alma del pequeñín estaría tintada de amarillo por su pecado de gula, como lo estuvo un día, dos semanas atrás, el alma de la señora Zoa.) Y, como una constante de la maldad de los hombres, Emeterio, husmeando siempre la posibilidad de rebajarle y zaherirle, movido sin duda por la corrosiva envidia de saberse postergado en el establecimiento.

Sebastián atendía su zona con febril dinamismo. Por nada del mundo hubiera consentido que su inquietud espiritual mermase su capacidad de trabajo tan generosamente contratada por el señor Suárez. Se movía entre sedas, terciopelos y percales, y llegó a establecer, a fuerza de girar siempre entre sus preocupaciones y aquellas piezas, una relación marcadísima entre los estados del alma y las características de los tejidos.

Lo único que alentaba en estos días a Sebastián y le permitía desentenderse un poco de sus amargos problemas interiores era su ardiente y callado amor por Irene. Presentía que, aunque se empeñase en ello, no podría olvidarla. La sola evocación de su persona bastaba para desequilibrarle el corazón, atropellando la sangre en sus aurículas y ventrículos. Cuando ella entraba en los Almacenes, la víscera redoblaba como un tambor. (Sebastián se asombraba de que aquellas palpitaciones casi dolorosas no se manifestasen, no se oyeran a varios kilómetros a la redonda.) La observaba silencioso y apasionado desde su rincón, absorbiendo, arrobado, el timbre cantarín de su risa, el tono indistinto de su cabellera, la euritmia y la ponderación de aquel cuerpo flexible y armonioso. Mas ella no reparaba en esta secreta adoración. Coqueteaba inconscientemente con don Arturo o gastaba bromas incruentas al señor Suárez. Con los demás apenas si cambiaba una palabra, aunque les sonreía pródigamente al entrar y al salir con una expresión de simpática camaradería. Su presencia encalabrinaba a sus compañeros, que se emperraban en ver en ella al arquetipo del excitante carnal. A Sebastián esta reacción instintiva le asqueaba y aumentaba su pesadumbre. Él había hecho de Irene, de su mudo amor por ella, una especie de culto que, a su propia observación, le dignificaba y enaltecía.

Pero, frecuentemente, constataba su impotencia, la debilidad de sus recursos humanos, y, en esos casos, le brotaba desde dentro como una rebelión sorda y expansiva que le conducía a la penumbra de la trastienda junto al insensible maniquí atiborrado de serrín. Se preguntaba si no buscaría efectivamente en aquel muñeco sin sangre, sin sensibilidad, un sustitutivo de la beldad animada y viviente, inasequible a sus posibilidades.

Los días que Irene visitaba los Almacenes, Sebastián

encontraba todo más triste y anodino que de ordinario. Los tenderetes de la Plaza del Mercado, colmados de encajes, botones, automáticos, herretes y horquillas, se le antojaban mufas expresiones de la mediocridad humana, lo mismo que los puestos ambulantes de castañas y frutas secas y la ampulosa oratoria del «doctor cubano». Respecto a éste, Sebastián había perdido toda su antigua fe en él. Recordaba su consulta en días pasados y la rotunda seguridad con que la adivinadora le afirmara «la fidelidad de pensamiento, palabra y obra de la Aurora». Él sabía, ahora, que ambos formaban una pareja de soberanos farsantes que vivían de explotar la buena fe y la credulidad de sus prójimos. Muchas veces Sebastián se sintió tentado de chillarle esto en la cara, en plena Plaza del Mercado, mas su timidez connatural mitigaba sus deseos y había de contentarse con sabotearles solapada y clandestinamente, derramando de oído en oído la especie de que el doctor y su compañera eran dos redomados embusteros.

En estos días en que su retina llegaba cargada del resplandor fulgurante de Irene, su casa se le aparecía más sombría y destartalada que nunca. El polvo y las pelusas se amontonaban en los rincones y los cristales de los balcones exhibían una extraña opacidad, fruto de la mugre acumulada en su superficie. La sebosa cazadora militar de Aurelia y los pingos llenos de lamparones que cubrían a medias la mesa camilla le imbuían una oscura sensación de podredumbre e impotencia. Sin embargo, cada día que pasaba se le hacía más difícil soportar el silencio de su hogar y la enconada hostilidad que encubría este silencio. Él hubiera deseado que la ruptura con la Aurora no aportase consecuencias perniciosas para su pequeño mundo. A punto fijo no sabía discernir sus sentimientos hacia su madre, pero desde luego prefería sus gritos desgarrados y aguardentosos, sus reacciones efervescentes y desabridas, a este silencio mortal, a este distanciamiento incomprensible entre seres consanguíneos que alientan y viven bajo un mismo techo.

Por esto Sebastián husmeaba de continuo la manera de llegar a un entendimiento con Aurelia, y un día, quince después de la ruptura con Aurora, se le presentó una oportunidad de esclarecer este problema y él la aprovechó concienzudamente, constreñido por el temor de que esta distensión doméstica degenerase en una situación grave.

Don Saturnino les anunció, un sábado, que en la mañana del lunes despacharían en los Almacenes género blanco sin otro requisito que la presentación de la cartilla de racionamiento. Ellos podrían retirar subrepticiamente lo que les correspondiese, pero se lo anunciaba para que advirtiesen con tiempo a sus amistades. Sebastián apreció esta noticia en todo su valor y, mentalmente, hizo el propósito de sacar de ella el mayor partido posible. (El género blanco escaseaba desde la guerra y lo poco que había, y cuando lo había, alcanzaba precios fabulosos.)

Aquella mañana llegó a casa a comer como de ordinario. Aurelia sorbía la sopa con ruidosas aspiraciones y, de cuando en cuando, emitía un siseo sutil por entre los intersticios de los dientes. Al fin, en el instante en que Aurelia se limpiaba los labios con el envés de la mano, Sebastián balbució:

—¡Ah, se me olvidaba! Pasado mañana daremos género blanco en los Almacenes a precio de tasa.

Quedó aturdido. Su voz había resonado como una bomba comprimida en la habitación y notó que la pequeña Orencia se estremecía de ansiedad. Aurelia aparentó no escucharle, pero, inmediatamente, interesada por el significado trascendental de la noticia, se volvió a Sebastián e inquirió con fingida indolencia:

—¿A cómo?

Sebastián suspiró profundamente. La muralla comenzaba a ser expugnada.

—No sé a qué precio vendrá marcado, pero desde luego barato.

—Y, ¿cuánto dais?

—Cinco metros por cartilla.

Respondía Sebastián apresuradamente, casi sin dejar que su madre terminase de formular la pregunta. Quería, a toda costa, imprimir al diálogo una fuerza mínima inicial para que no languideciera antes de haberse roto el hielo por completo, antes de dejar asentada para lo sucesivo una atmósfera, al menos, de superficial cordialidad. De aquí que, al advertir el silencio de su madre a raíz de la última pregunta, prosiguió, atropellándose:

—Por de pronto, yo podré traer a casa todo lo nuestro, lo que nos corresponda por las tres cartillas: quince metros. Pero vosotras — dijo «vosotras» con intención, deseoso de envolver a la pequeña en aquella incipiente corriente de efusión — podéis avisar a vuestras amigas para que vayan pronto; yo las atenderé. Además, es fácil que se forme cola, y así no tendrán que aguardar.

El género blanco tuvo la extraordinaria virtud de disolver en un instante el enfurruñamiento de Aurelia. (La posibilidad de recorrer el barrio anunciando la primera la grata nueva suponía, para una mujer, un privilegio excepcional.)

Por la noche pidió nuevos datos y detalles a Sebastián, y así, de una manera casi imperceptible, revertieron a la normalidad las relaciones entre madre e hijo.

En cuanto a la niña, las cosas se encauzaron una noche, dos días más tarde. Sebastián se había acostado ya, cuando se oyó en la casa uno de aquellos frecuentes gritos angustiados con que la Orencia daba salida de su cuerpecillo a sus supersticiosos terrores. Sebastián se tiró de la cama y corrió hacia su cuarto. La niña se revolcaba en la cama, boca abajo, dando gritos incoherentes.

—¡Un ojo horrible!... ¡Ahí, ahí... en el balcón! ¡Es un ojo marrón muy brillante! ¿No lo ves? ¡Ahí... ahí mismo, en el agujero!

Sebastián miraba en derredor desorientado, como siempre que atacaba a la Orencia una crisis nerviosa. Se sentó al borde del lecho y pasó a su hermana un brazo por la espalda. El contundente contacto con los huesudos hombros de la niña le estremeció.

—Vamos, Orencia, no hagas caso, ya estoy yo contigo, ¿no me oyes? Ahora vas a dormirte como una niña buena, ¿verdad, bonita mía?

La estrechaba contra sí en un impulso concentrado de ternura. Las lágrimas le temblaban en los ojos al sentir que la Orencia se dejaba estrujar dócilmente, sin oponer la menor resistencia. Él prosiguió:

—Esas historias de los ojos son tonterías, ¿no es cierto, pequeña?

Se incorporó ella instantáneamente:

—¡Oh, no, no son tonterías! ¡Le he visto bien claro, Sebastián! Estaba ahí, ahí —señalaba el agujero redondo de la contravidriera por donde saliese un día el tubo de una estufa—, con una horrible expresión de loco...

—Sí, tonta, pero ya no está, ¿no lo ves? Sería algún curioso que pasaba por la calle. No debes asustarte, cariño mío. Ya se ha ido, tú misma puedes verlo. ¡Anda! Échate otra vez, así. Verás qué bien vas a dormir ahora. Yo me quedaré contigo un rato, hasta que te serenes. Y mañana te taparé ese boquete con una hojalata. Así no volverás a tener miedo nunca, nunca...

Los sollozos histéricos de la niña habían amainado, pero sus hombros huesudos estaban fríos como el mármol. Aquella noche no había corte de luz, y la lamparita débil que lucía a la cabecera de la cama ayudaba a Sebastián a tranquilizar a la pequeña. Hizo un esfuerzo para añadir:

—Además, quiero que me perdones por lo del otro día... cuando te pegué. Me pusiste furioso, ¿sabes? Pero estoy muy arrepentido de haberte golpeado. Fue un pronto, ¿comprendes? Pero yo te prometo, cariñito mío, que aquello no volverá a repetirse...

La Orencia gimoteaba y, de vez en cuando, emitía un ronco e irreprimible sollozo. A Sebastián le movió una espontánea piedad por ella al girar sus ojos por la elemental habitación. Fuera del catre, un armario sin fondo, desvencijado, la mesilla de noche y una silla de paja, no se veía otra cosa que las paredes desnudas, agrietadas y llenas de desconchones. La Orencia le miraba ahora suplicante.

—Pero no te casarás con la Aurora, ¿verdad?

La estrechó nuevamente.

—No, mi niña; eso ya pasó. Ahora seguiré viviendo siempre contigo y, cuando seas más mayor, la que se casará serás tú con un hombre muy guapo y muy rico. Y yo iré a comer a tu casa los domingos. Me darás paella y solomillo y, después de comer, jugaremos los tres al parchís alrededor del brasero.

—Eso no, Sebastián. Tú sabes que yo no me voy a casar nunca.

—¿Por qué, cariñito? Tú te casarás, claro que te casarás, y habrá muchos hombres que se peguen porque tú les quieras. Ya verás: yo te regalaré bonitos trajes, y a la salida de misa, los domingos, todos los muchachos querrán pasear contigo.

La niña curvó los labios en un rictus de amargura.

—A mí no me querrá nadie, ni yo tendré nunca trajes bonitos. Tú lo sabes de sobra, Sebastián.

Se inclinó él hacia ella.

—No seas tonta, mi niña. Desde hoy todo va a ser distinto. Tú vas a divertirte mucho, ¿sabes? Bajarás a jugar a la calle todos los días con otras niñas de tu edad. Tienes que tomar el aire y el sol y jugar, jugar mucho. Así te pondrás muy alta y muy guapa y todos te envidiarán y te querrán.

La sonrisa de escepticismo de la Orencia le heló la sangre en las venas.

—A mí nadie me quiere para jugar con ellos. Se ríen de mí... de mí y de todas nuestras cosas... ¿sabes?

«De todas nuestras cosas.» Sebastián evocó la facha de su padre, el pedicuro, la suya propia, sus amores con la Aurora, la triste fama de borracha de la Aurelia, y comprendió que las niñas de la edad de Orencia tenían un material inagotable para la hilaridad antes de llegar a un entendimiento mediante las tabas, la comba o el diábolo.

—No te preocupes, anda. Ahora quiero que te duermas y que no pienses en nada. Todo lo arreglaremos. Ya verás como todo lo arreglamos a su tiempo. Ahora debes dormirte tranquila, ¿me oyes, pequeña? Ninguna cosa hay tan importante como para que tu cabecita se preocupe por ella. Ya somos amigos, y ahora debes dormir tranquila, muy tranquila, ¿oyes, pequeña?... Tranquila... muy tranquila...

Sebastián se había enderezado y repetía maquinalmente las palabras «tranquila... muy tranquila» cada vez en tono menor. Aproximó cuidadosamente la mano a la llave de la luz y la apagó. Luego salió de puntillas del aposento, musitando aún: «Tranquila... tranquila... muy tranquila...»

La noticia se difundió con la violencia de un cañonazo. Todo el barrio conocía a la Germana, y su espeluznante fin dio nueva oportunidad de cotilleos y comentarios en torno de las camillas, a la puerta de la iglesia, en las tabernas y en la cola del cine. Las misteriosas circunstancias que concurrieron en la muerte de la Germana prestaban un incentivo desusado a las conversaciones. La Germana estuvo el domingo último en el baile y nadie advirtió en ella la menor anormalidad. No obstante, la Germana estaba ya de siete meses, y en la noche del lunes al martes, inopinadamente, se presentó el parto. La chica era soltera, y, conforme al plan que previamente se había trazado para ocultar su deshonra, no despegó los labios ni derramó una sola lágrima en el curso de las ocho horas interminables que el chico tardó en abrirse camino. A las seis en punto de la mañana la Germana dio a luz un niño sietemesino, lo envolvió cabeza y todo en una manta y, sin hacer demasiado caso de la hemorragia que la desangraba, inició el camino del almacén de sacos que su padre tenía en la planta baja. Una voz trepidante, inopinada, cortó bruscamente el curso de sus movimientos.

—¿Qué haces ahí a estas horas, condenada?

La Germana comenzó a temblar. Cuando volvió la cabeza divisó a su padre en lo alto de la escalera, en tirantes, con el pelo revuelto y sosteniendo en la mano una palmatoria.

Se frotó los ojos legañosos, miró en torno y añadió horrorizado;

—Pero... pero... ¿es esto posible, Dios de los Cielos?...

El señor Amando se negaba a admitirlo y miraba alternativamente a su hija y a aquel manojito de carne amoratada, rebelándose a establecer entre ambos, ni siquiera mentalmente, la menor concatenación. De repente, sin una palabra, soltó al chico y se dirigió hacia la Germana con todos los músculos crispados:

—¡Maldita! Pero, ¿tú sabes lo que has hecho? ¿Sabes el crimen que has cometido, mala pécora?

La Germana, debilitada por el parto, se desmayó a los primeros golpes. El señor Amando la dejó allí, abandonada y sin sentido, a dos metros de distancia del niño muerto. Cuando una hora más tarde, ya más sereno, regresó al almacén, lo primero que vio desde lo alto de la escalera fue la silueta movediza, proyectada por la palmatoria sobre el tabique de enfrente, de unas piernas y unos pies agarrotados oscilando en el vacío; al inclinar el busto sobre el vano divisó a la Germana colgada de una viga por una cuerda hecha con tiras de saco.

Ésta era la versión que con leves variaciones de detalle circulaba por el barrio. Había quien decía que a la Germana la había ahorcado su padre, pero no debía ser verdad, pues el señor Amando quedó libre desde el primer momento. Lo cierto fue que por tapar un pecado se cometieron otros dos mucho más monstruosos que el primero y que el barrio de Sebastián, ante un hecho tan infrecuente y plagado de aristas melodramáticas, se olvidó por completo de él y de su ruptura con la Aurora.

Con este olvido, y los armisticias firmados con Aurelia y la pequeña, Sebastián volvió a disfrutar de unos días de relativa tranquilidad. Las aguas retornaban a su cauce y las consecuencias de la riada no aparentaban ser tan fatales como en un principio imaginó. Sin embargo, a los tres días de suicidarse la Germana, Sebastián tuvo un sueño horrible que le sumió nuevamente en sus preocupaciones y quebraderos. Soñó con una mujer que a ratos era la Aurora y a ratos el insensible maniquí de los Almacenes. De todas formas era siempre un pelele aplomado y sin vida, colgado por el cuello, con una tira de encaje, de una de las viguetas de la trastienda. A sus pies cabrioleaba un hombre cuyas facciones oscilaban entre las del joven de la bufanda amarilla y las de Emeterio. Tanto cuando era uno como cuando era otro, sus carcajadas resonaban con un matiz lúgubre mientras hacía cosquillas en los sobacos de la mujer colgada con un mondadientes rayado como la vara del metro.

En el fondo de la trastienda se apilaban unos sacos hechos con las piezas de colorines que figuraban en los estantes de los Almacenes y que constituían un conjunto abigarrado y detonante. Encima del montón había una criatura informe, colgada también de una vigueta por el cordón umbilical. Sebastián estaba allí, acurrucado en un rincón, sin atreverse a hacer ningún movimiento; pero, de repente, entraba furibundo don Saturnino injuriando al seductor de la bella Irene, cuyo hijo, por lo visto, era aquel que pendía del cordón umbilical, aun cuando había sido concebido en las entrañas del maniquí que guardaba las proporciones anatómicas de la Aurora. Todo resultaba muy confuso e irreal. La pequeña Orencia irrumpía detrás de él, suplicándole que perdonase la vida a su hermano, pero el señor Suárez se mostraba irreductible. De improviso la niña descubría los sacos de colores y, olvidada de todo lo demás, se embutía coquetamente en uno mientras se miraba en un espejo que se levantaba en un rincón y cuya superficie chorreaba mugre como los cristales de su casa. Poco después irrumpía en escena Aurelia, muy rígida, ataviada con un traje largo y con una cola inmensa de género blanco. Se dirigía hacia el joven de la bufanda amarilla, quien la entregaba pinchados en el mondadientes tres billetes gordos, sin cesar de lanzar gruesas risotadas por ello. Aurelia, recibido el dinero, daba media vuelta y abandonaba la estancia, después de descubrir a Sebastián, trémulo en un rincón, y lanzarle una mirada despectiva. Don Saturnino siguió la dirección de la mirada de Aurelia y le vio también, acurrucado allí, y en ese instante sus labios se distendieron en una sonrisa sardónica y se le hinchó hasta adquirir unas proporciones enormes la vena de la frente. Se encaminó hacia él y cuando estuvo a su lado comenzó a patearle sañudamente con unas botazas inmensas, sembradas de tacos prominentes, como las usadas para jugar al fútbol. Al tiempo que le pateaba le decía no sé qué alusivo a los «puntos negativos que se habían perdido por su culpa», y Sebastián, lejos de impetrar clemencia, vociferaba —¡él, que en su vida había asistido a una corrida de toros! —que respetase su integridad, ya que era taurófilo y «pepeluisista» por añadidura y que nada había tenido que ver con aquellos malhadados «puntos negativos».

Entonces se despertó. Un silencio opaco le rodeaba y constató que tenía su liviano cuerpo empapado de sudor. El corazón le redoblaba con un frenesí análogo al que le estimulaba en presencia de Irene y tardó en discernir que aquel «tic-tac» sordo que le golpeaba los oídos desde hacía un rato provenía del despertador de Aurelia y no de lo hondo de su pecho. Jadeaba Sebastián como si la paliza recibida del señor Suárez fuese algo existente y real. Permaneció unos minutos sin moverse, con los ojos muy abiertos, pretendiendo deslindar los objetos en la oscuridad. Luego se le representó con cruel exactitud la sucesión de imágenes que turbaron su sueño y sintió un escalofrío que le sacudía los nervios como un latigazo. Le dolía la nuca con intensidad y se colocó de lado para evitar la presión de la almohada. El corazón continuaba brincándole, insólitamente excitado. Inmediatamente pensó en la posibilidad de que la Aurora pudiese cometer una insensatez semejante a la de la Germana. Sus condiciones eran exactas y resultaba factible imaginar que buscase la liberación de su vergüenza por unos procedimientos análogos. (Era muy frecuente, sobre todo en el barrio, que el honor perdido por un pecado intentase recuperarse con la comisión de un pecado mucho mayor.) Esta idea le aturdió. En el fondo de su ser se atribuyó un poco de culpabilidad y se desazonó aún más. Rebullía entre la ropa revuelta a punto de gritar, como la Orencia, para desahogarse de aquella tenaz presión que le oprimía los pulmones. Respiraba trabajosamente como si estuviese enfermo. «Bueno, si lo hace, peor para ella. Yo no tengo la culpa de nada. Yo no he hecho nada. ¡No he hecho nada!», pretendía tranquilizarse. Pero no logró recuperar el sueño hasta que la primera luz de la amanecida irrumpió por las rendijos del balcón.

Al día siguiente le fue difícil contemplar a don Saturnino con los buenos ojos de siempre. Le veía airado, odioso con aquella risa sardónica y la promiente vena surcando su amplia frente. Parecía un San Ignacio vengador y cruel, un San Ignacio anterior a su conversión. Lo mismo le ocurrió con su madre y con la Orencia. Pero lo peor fue que a la noche siguiente se repitió la pesadilla con mordientes innovaciones. Era un proceso confuso y alborotado donde nada, ni personas ni cosas, guardaba la menor consecuencia. Las imágenes, encarnando ideas y conceptos, formaban un mundo caótico y desordenado, sin concatenación ni lógica en sus movimientos y reacciones. Mas todo giraba alrededor del maniquí suspenso de una viga, de la criaturita informe y amoratada, pendiente del cordón umbilical y de las botas de tacos golpeando brutalmente su vientre lacio y voluminoso. Sebastián se despertó de nuevo e intuyó que aquella pesadilla era como una advertencia. Había oído decir a Manolo que cuando se soñaba con muertos, a la mañana siguiente aparecía fatalmente un cadáver en la vecindad. Aquello le alarmó, acreciendo su desasosiego. Si los sueños eran avisos, Aurora terminaría sus días ahorcada como la Germana; todo por haberla abandonado él, cuando ella estaba persuadida de haber encontrado un padre para su hijo.

En las noches siguientes la pesadilla se repitió. Diríase que era el mismo terror de Sebastián al acostarse lo que implicaba su recalcitrante reiteración. Sebastián temía quedarse dormido, pues aborrecía aquel espectáculo viscoso y helado, que le sumergía en un clima espectral y ominoso donde sus nervios eran sacudidos por unos dedos invisibles, como las cuerdas de una guitarra y su alma se poblaba de lúgubres vibraciones. De esta manera su resistencia física iba enervándose, se doblegaba azuzada por las macilentas imágenes. De día deambulaba como una sombra, sus ojos ribeteados por oscuras ojeras y la faz pálida y consumida. Sus brazos entecos semejaban nerviosos tentáculos de pulpo que reaccionaban como sacudidos por corrientes eléctricas. Llegada la noche, Sebastián se aterrorizaba, todos sus nervios se crispaban ante la dura disyuntiva de renunciar a dormir o someterse a la tensión agobiante de la implacable pesadilla.

Una tarde ventosa, en los últimos días de febrero, al regresar a su casa procedente de los Almacenes, una ráfaga de música de órgano alcanzó sus oídos en el momento en que una viejecita enlutada empujaba la puerta del convento de los capuchinos. Sebastián se detuvo en medio de la calle y contempló con simpatía aquellos sólidos muros. De repente, sin vacilar, cruzó la carrera y se zambulló en el convento. Una vaharada de indecible paz le envolvió. Apenas cuatro viejecitas enlutadas se sentaban en los bancos y rezaban como si lanzasen al aire interminables rosarios de besitos. En el altar lucía la candelita azul como el aliento de un alma virgen. De cuando en cuando la insignificante lamparita arrancaba del soberbio retablo unos deslumbrantes reflejos de oro. En el coro sonaba modulada y hueca la música del órgano, ensayando la misa de once del próximo domingo. Todo emanaba una apacibilidad sedante, mansa y confortable.

Sebastián se santiguó con agua bendita y le pareció que sus nervios y músculos se relajaban con aquel húmedo y breve contacto. Sus pisadas resonaban en el pausado ambiente y terminó caminando de puntillas para evitar los dilatados ecos que rompían el estático reposo de los hombres y las cosas. De nuevo se le antojaba que se hallaba muy lejos de su barrio, a cientos de miles de kilómetros, al margen de sus vicios y pasiones. Se le hacía, de repente, que la Iglesia, el Cristianismo, todo cuanto en el mundo existía de religioso y espiritual, se recogía allí, en aquella gigantesca pausa circundada de piedra, en aquel quieto y tenebroso convento donde sólo trascendían los suspiritos de las cuatro malolientes viejas postradas ante la Divinidad.

Sebastián se arrodilló. Las miserias e iniquidades de su barrio, de la ciudad entera, su propia turbación, el recuerdo de la Germana y la hirviente pesadilla que le atormentaba aquellos días se desplazaban a un plano inasequible y lejano. Las moduladas inflexiones del órgano le entraban profundamente, ocasionándole la gran impresión de que le cepillaban por dentro con un cepillo de plumas. Había dejado caer la cabeza sobre los brazos y un sollozo le subió a la garganta. Entonces experimentó la imperiosa necesidad de ver y hablar a aquel cura de las barbas. Sintió dentro de sí un algo trascendente y vago, una especie de niebla viva y fugaz que aligeraba la pesadez de sus miembros. Y recordó de pronto la bocanada de aliento blanco que brotara de los labios cárdenos de la señora Zoa en el instante de expirar. Los insomnios de aquellas jornadas, los zumbantes dolores de cabeza, el torbellino espiritual en que se debatía, no existían ya en él, aparentaban disolverse caldeados por aquella brizna de luz azulada que brillaba en el altar.

Penosamente se incorporó Sebastián. Era muy rara la sensación que le acuciaba; era como la constancia de una realidad espiritual de que había dudado, que se había negado a admitir y que ahora, repentinamente, le conmovía con una ternura inexplicable. Anduvo vacilante hacia el lugar que ocupaba la vieja más próxima. Ya a su lado, la vio estremecerse al escuchar de sus labios el inesperado y tenue susurro:

—Todos los padres de aquí tienen barbas; si no me da usted otros detalles...

A la vieja le había disgustado la interrupción de sus oraciones y le respondió en tono desabrido, pero Sebastián no estaba dispuesto a dejar escapar la oportunidad:

—Sí, señora; le daré más detalles. Predicó aquí, desde ese púlpito, hace cuatro domingos. Hablaba del alma y del cuerpo, ¿comprende usted? Decía del alma que es un negocio importante... El negocio más importante...

—El padre Matías. ¿No tenía una verruga aquí, en la mejilla derecha? — atajó, rápida, la anciana.

Sebastián vaciló:

—No me fijé, no le puedo decir; está esto tan oscuro...

—El padre Matías es quien predica aquí los domingos por la tarde. Pregunte usted por él allí.

La vieja retornó a sus impacientes rezos, después de señalarle la misteriosa puertecilla de la derecha del altar. Sebastián caminó de puntillas hacia la puerta. Al aproximarse al altar aumentaban de tamaño las figuras del retablo y se oía crepitar a la candelita. Abrió la puerta y su cabeza rozó con una cuerda pendiente del techo. En un visible letrero, sobre el muro, decía lacónicamente: «Llamad». Sebastián tiró de la cuerda y la voz estridente y alegre de una campana le asustó. A poco surgió de las tinieblas del corredor un cura con unas barbas enmarañadas y unos ojos extraordinariamente móviles y vivarachos. Unas cejas como las cerdas de un escobón, negras y en punta, los protegían.

—¿Qué desea usted?

—El padre Matías, si me hace el favor... Querría... querría hablar con él.

—¿Confesarse?

El cura era de un laconismo tan acentuado como la advertencia del muro.

—No, no... hablar con él un momento... Nada más.

—Espere fuera, tenga la bondad.

Sebastián regresó al templo y se sentó allí, en uno de los largos bancos laterales. Sus piernecillas pendían en el vacío, pero por primera vez en la vida no experimentó vergüenza de su mezquina estatura. Sin embargo, advertía de pronto que no tenía nada que contarle al padre Matías; es decir, había mucho que confiarle, pero Sebastián sintió repentinamente una irreprimible avaricia de sus confidencias. Estuvo a punto de echar a correr y dejar plantado al padre, pero una inconcreta sensación de serle conveniente aquel paso le animó a perseverar en su espera.

A los diez minutos oyó pasos blandos en el corredor y los goznes de la puerta claveteada gimieron al abrirse ésta. Sí, era él. No había duda. La inconfundible silueta del muro estaba allí, ante él, hecha carne y vigor.

—¿Preguntaba por mí?

A Sebastián le parecía que el convento entero, en una lluvia mortal de pedruscos amorfos, se desplomaba sobre él. Se levantó.

—Sí... sí, padre... Era que... querría... es sólo un momento, ¿comprende?

Le hipnotizaba aquella verruga sobresaliendo de la pálida tez; redonda, húmeda y brillante como una diminuta boñiga; la verruga y las bocamangas enormemente abiertas de la sotana que, con sólo mirarlas, le hacían tiritar de frío:

—Deseaba... pero a lo mejor le he quitado a usted de sus ocupaciones, padre... y... y...

—No se preocupe, hijo. Quiere que charlemos un rato, ¿no es eso? Venga conmigo.

Tenía una mirada absoluta y firme el padre aquel. Sebastián comprendió que aunque hubiese conseguido ponerse frente a él, cuatro domingos atrás, no se hubiera atrevido a exponerle uno solo de los argumentos contrarios a sus afirmaciones. Atravesaron la amplia nave y el padre Matías se sentó en un rincón oscuro, en la parte posterior del templo.

—Venga, siéntese a mi lado y no tema nada.

(Le había cogido una de sus horribles manos, achatadas y deformes, y Sebastián experimentó el calor de su sangre a través de la piel. Le acuciaron unas invencibles ganas de llorar al sentirse protegido, envuelto en un desconocido hálito de afecto. Y lloró, al fin, lloró durante un rato, con unos sollozos densos y contenidos, apoyado contra el áspero hombro de aquel cura de las barbas contra el que, días atrás, le había empujado una rebeldía indómita. Según lloraba, conforme su frente golpeaba convulsivamente el hombro del fraile, se convencía de que el alma existía, de que era una verdad portentosa que la carne no era suficiente para ocultar. Al fin se serenó. La voz del cura a su lado le acariciaba interiormente.)

—Dime, hijo, ¿qué es lo que te ocurre?

Sebastián ignoraba cómo empezar. Balbució torpemente algunas palabras, y luego, casi sin darse cuenta, se encontró hablando y hablando, con una fluidez desusada, descongestionándose, sintiendo, por vez inicial en su vida, el desahogo de la confidencia:

—Yo le oí a usted un domingo, padre... decía... Hablaba del alma. El alma es lo primero para ustedes. Usted decía que el alma es lo fundamental, lo primero para un cristiano. Yo... a mí... hay cosas en la vida que no se explica uno, padre. Todos los que nos rodean son cristianos y, sin embargo, no se preocupan de cumplir como cristianos. Hay muchos pecados por ahí fuera, padre, muchos más pecados de los que usted se figura. Ninguno cumplimos como debemos. El alma es hoy un trasto y nadie se preocupa de ella mientras tiene salud. Luego sí, padre, por si acaso... Todo esto... esto es muy extraño, ¿sabe? Y...

—¿Dudabas del alma, hijo?

La verruga del padre Matías se dilataba al hablarle. Sebastián la contemplaba fascinado, agradeciendo a Dios aquel fenómeno epidérmico del fraile, ya que mirándole a los ojos profundos y graves no hubiera acertado a expresarse.

—Todo está lleno de miseria, padre. A la gente sólo la preocupa el dinero, la comodidad y... y... bueno, las diversiones.

Ahora el cura se golpeaba la palma de la mano izquierda con el índice de la derecha.

—¿Y vas a dudar, hijo, porque los buenos y los honrados sean pocos? Todo lo perfecto o casi perfecto escasea, pero no quiere eso decir que no exista. La belleza en los hombres y en las cosas, el equilibrio, es muy difícil de encontrar, ¿no es cierto?

Sebastián asentía con la cabeza. El fraile prosiguió:

—Los hombres se hostigan y se matan por el dinero, tienes razón. Se querellan, se insultan y se mofan unos de otros. Todo eso es verdad, pero no prueba nada. La honradez y la dignidad del mundo es como el agua en un colador. — Se quedó un momento pensativo, como si su imagen fuera excesiva. Mas al instante continuó, ratificando su aserto con un golpe propinado con el dedo índice en la palma de la otra mano: — Sí, seguramente es así. La honradez humana es como el agua en un colador — repitió —; se escapa a chorros. Cada hombre que nace abre en él un nuevo agujero. Todo eso es cierto, hijo, pero no debe llevarnos a desesperar. Cristo sólo encontró doce apóstoles y era Cristo. ¿Qué hay de extraño que nosotros no hallemos en derredor ni siquiera doce justos? — Hizo otra pausa y durante ella la verruga se redujo a sus límites primitivos. Al menos a Sebastián le hizo este efecto. Las palabras del fraile iban calando en él, despertando en su pecho una vaga ansiedad. Se figuraba Sebastián que la sensación que experimentaba debía ser análoga a la de la tierra sedienta cuando, al fin, se la otorga el privilegio de empapar el agua de una nube. — Eso no impide — añadió el fraile — que existan almas nobles y honestas, más estimables y meritorias por su escasez. Su misión es bien clara, hijo, tan clara como abnegada. Esas almas deben darse prisa a tapar los agujeros que otras almas perdidas abrieron. Sólo eso podrá evitar que la Humanidad pierda su dignidad íntegramente. ¿Me comprendes ahora?

Sebastián le miró a los ojos, dubitativamente:

—Creo que sí, padre. Pero entonces... entonces es necesario renunciar de antemano a la menor felicidad.

Sonrió el padre y la verruga tomó una forma ovalada:

—La felicidad no se encuentra donde tú crees. La felicidad está en la paz interior.

Sebastián estuvo a punto de dar un grito. Deducía, aplicando a su caso las palabras del cura, que logrando su paz interna, un sedante espiritual, terminarían para siempre sus congojas y pesadillas. Indagó tímidamente, con mal reprimida ansiedad:

—¿Y la paz interior, padre?

—La paz interior, en el orden de los instintos.

(Aquello no estaba tan claro para Sebastián. Quizá aquel hombre empleaba términos demasiado elevados para su rudimentaria formación intelectual. Intuyó, sin embargo, que sus devaneos con el maniquí de la trastienda, la borrachera del día de su ascenso, eran «instintos desordenados» e «instintos desordenados» eran también los que empujaban al señor Sixto a amasar ilegalmente una fortuna, al recluta a conducir a la marmota a las afueras, a la Germana a matar a su hijo, a Hugo a vivir con una furcia y a los mozalbetes del barrio a las escandalosas insinuaciones gráficas que decoraban las paredes de su portal.)

El padre Matías le miraba con sus ojos escrutadores, como si siguiera paso a paso, con todo detalle, la evolución de sus pensamientos. Sebastián se sentía, de improviso, trascendente, sujeto a una misión insospechada y de dilatadas perspectivas. El fraile se levantó y él se puso de pie a su lado.

—Se acerca la hora de nuestros rezos, hijo. Voy a dejarle. Acuda aquí cuando le venga en gana. Y no lo olvide: es el alma lo que merece toda nuestra atención. No le importe ser un incomprendido en este mundo de bajas pasiones. Las demás almas nobles le comprenderán a usted. Y eso es lo importante. Recuerde que la carne es sólo una pella de barro y el alma el soplo de Dios. Hasta otro día, hijo. («Una pella de barro y el alma el soplo de Dios», se repetía Sebastián. Y al pensar en sí mismo, en Hugo, en la Germana, en el señor Sixto y en los mozalbetes de su barrio, se figuró a un ejército de muñecos de arcilla, grotescos y amorfos, desafiando paladinamente la omnipotencia del Creador. Aquello era la ruin, la ciega, la impasible rebelión del barro.)

Sebastián se quedó paralizado mirando la candelita lejana que ardía en el Sagrario. Boquiabierto vio alejarse al fraile y, cuando le quiso decir «adiós», desaparecía ya por la puertecilla de la derecha del altar. Tuvo que sentarse, impelido por el reciente conocimiento de su propia trascendencia. Se miró las manos y sonrió: «¡Bah, bah, barro asqueroso!», se dijo con un hilo de voz. (Y deseó muy vivamente reír con todas sus fuerzas, como hacía mucho tiempo que no se había reído.)

Cuando abandonaba la iglesia volvió a tropezar con la devota de San Bruno. Se detuvo y la observó nuevamente.

Todo se repitió como cuatro domingos antes. La muchacha se arrodilló, abrió los brazos en cruz e inició su pedigüeña retahíla:

—¡Oh, San Bruno bendito, escucha a tu sierva Isabel!... Te ruego, San Bruno, por mi madre, por mi padre, por mis abuelos y por mis hermanos... Sobre todo por mi hermano Benjamín, santo bendito, que es un redomado sinvergüenza. Protégele, San Bruno, y haz que vuelva sus ciegos ojos a ti... También, San Bruno, te pido por mis tíos y por el novio de Estefanía... Haz, santo bendito, que ninguno se muera nunca... pero nunca, nunca, nunca, ¿oyes? Que todos nos conservemos siempre en la tierra para alabarte y bendecirte. Pero siempre, siempre, siempre, y todos, todos, todos, ¿oyes?... Te pido, San Bruno...

Sebastián salió a la calle. El viento impetuoso le despeinó y le pareció que arrancaba de cuajo de su cabeza todas sus congojas y pesadumbres.

CAPÍTULO XI

SEBASTIÁN apreciaba que aquel cambio que durante veinte años anhelase cada mañana al despertar se había producido en su interior casi sin darse cuenta. Al lado de esta honda transformación nada significaba su ingreso en los Almacenes, el rápido ascenso a dependiente, las fugaces relaciones con la Aurora... Esto no eran más que facetas de un mismo prisma que reverberaban la luz de un modo diverso sin que la génesis de esta luz se modificase por ello; los reflejos eran distintos, pero la luz era la misma. En cambio, ahora todo era diferente sin que, en apariencia, el curso de las cosas se hubiese alterado para nada. Comprendía Sebastián en estos días que el hombre porta dentro de sí el cromatismo de las cosas, que la trascendencia de un acto depende de nuestra conformación interior y no de las circunstancias superficiales que lo acompañan.

Por primera vez experimentaba la pujanza de un alma vitalizando su pobre carne; imprimiendo a su obtusa existencia un signo y dotándola de una concreta finalidad. Sus cavilaciones no concluyeron después de su entrevista con el cura de las barbas, pero sí sufrieron una absoluta metamorfosis y dejaron de ser las lancinantes pesadillas que le aguijoneasen hasta entonces. En los días y noches siguientes a su visita al convento, Sebastián reflexionaba en todo lugar y a cualquier hora. Para él significaba mucho saberse portador de un alma que era susceptible de pulirse y perfeccionarse. «El cuerpo no se elige, se decía, pero el alma sí; cada uno hacemos de nuestra alma lo que nos apetece que sea.» Y este convencimiento constituía el cimiento de un proceso cerebral que acababa llevándole a regiones absurdamente irreales, sin que su imaginación admitiese límites ni topes estranguladores que chafasen en flor sus anhelos de felicidad.

Para él suponía un deleite inconcreto cuidar del alma recién descubierta. Ponía en ello una meticulosidad inefable, como si en vez de vigilar el desarrollo de un alma se tratase de sacar adelante una docena de patitos recién empollados. Todos sus actos y proyectos convergían en esa escueta finalidad. Un afán concienzudo por extraer su espíritu de la atonía en que había estado sumido le espoleaba, le animaba a buscar obstáculos que salvar y contrariedades en que fortalecerle. Su propia imperfección corporal era un incentivo más en el camino propuesto... Él acostumbraba a decirse que su torpe y desairada constitución era un vicio de origen que se vería forzado a arrastrar aunque viviese mil años. El carácter ineluctable de su deformidad le deprimía, cuando pensaba en ello; pero de repente todo cambiaba por completo. La persuasión de que por debajo de su piel se escondía un algo intangible, mucho más valioso que el mismo cuerpo, le imbuía una suave emoción y una ternura infinita; era una emoción semejante a la que invade a los hombres al enterarse de la prolongación de su ser en un hijo recién nacido. Aquella alma, cuya presencia sentía dentro como un blando aleteo, podía ser como una nube de blanco algodón, un retazo de fina niebla que se adaptaba a las paredes internas de su cuerpo, o una llamita tenue, azul y crepitante como la candelita que ardía perennemente en el altar de los capuchinos. Su contextura no le desazonaba. A veces pensaba también que el alma era un globo muy blanco e inflado, sin contornos evidentes, al que los pecados, como saquillos macizos de lastre, encadenaban a la ruindad de la tierra; bastaría liberarse de ellos para que el alma, desgajada y libre, se remontase airosa y rauda hasta un reino lleno de luz donde no se conocían el odio, las bajas pasiones ni la miseria.

A Sebastián no se le había ocurrido dudar de la existencia del alma, aunque tampoco reparase nunca en su trascendencia. Acostumbraba a ver que el alma, para los hombres, no significa una rémora ni siquiera un motivo de preocupación. Los humanos vivían su vida sin darle excesiva beligerancia y esta postergación cundió a él, haciéndole pensar que el alma no debía ser, en verdad, demasiado importante. Al morir los hombres, sí. Entonces llamaban apresuradamente al cura para que pasase sobre la carroña acumulada en sus espíritus la húmeda esponja de la absolución que todo lo borraba. Lo hacían con un asomo de temor supersticioso, removidos interiormente por el vago recuerdo de los días infantiles, cuando sus madres y sus maestros les inoculaban la idea del odio al pecado mortal. Entre la infancia y la muerte los pecados se acumulaban en una gigantesca pira que no sacaba al hombre de su indiferencia. Algunos iban los domingos a misa. En realidad era un sacrificio que costaba bien poco. Otros ni eso. Eran coleccionistas de pecados de todos los colores y matices. Mas, cuando la oscuridad inviolable de la tumba amenazaba con zamparse bonitamente sus cuerpos, unos y otros se acordaban de improviso de la posibilidad de una vida posterrenal y llamaban al párroco a grandes gritos. Sebastián pensaba, cuando se enteraba de alguna de estas conversiones «in extremis», en un momento en que todos los hombres eran buenos, que mejor le hubiera ido a él viviendo siempre en un mundo de moribundos a no tener que convivir con seres ahitos de una atormentadora vitalidad.

Esta indiferencia de su barrio, de la ciudad entera, por todo lo que no fuese tangible y evidente, arrinconó en Sebastián toda inquietud espiritual. Él no era de los que dejaban hasta la misa, pero su alma le costaba bien pocas cavilaciones y no era, desde luego, de esos expertos catadores de la buena conciencia que se confesaban con frecuencia periódica, aunque en cada período volviesen a caer en unos mismos pecados. Sebastián advirtió desde niño que el alma, su integridad, no hacía vacilar a nadie a su alrededor, y creyó que cuando los hombres se comportaban así sería porque aquello no merecía la pena. Pero, de pronto, la muerte de la señora Zoa, primero, las palabras del cura de las barbas después, le despertaban a una idea nueva, mucho más humana y verosímil que la que hasta ahora había guiado sus pasos. El alma constituía una realidad simple, y del complejo humano era ella lo único fundamental. Él había visto en la vida muy pocos muertos. Apenas recordaba el cadáver de su padre yaciendo en un ataúd negro, del tamaño del de un niño, y últimamente el descarnado y enlutado de la señora Zoa. Pero al evocarlos ahora, experimentaba una sensación rotundamente clara de que allí no quedaba apenas nada de su padre o de la señora Zoa. Eran unos amorfos pedazos de materia, un cárdeno montón de pienso para los gusanos. Aquella rigidez amoratada de los miembros, aquella mueca póstuma dibujada en el rostro con el postrer rechinar de dientes y el último movimiento muscular voluntario daban idea de que allí se había consumado un desligamiento, una recentísima escisión. De un lado quedaba aquel cuerpo, tieso y frío como un garrote; al otro, en una región inaudita e inasequible para los vivos, permanecería el alma durante una era interminable. Aquello no era, pues, el sueño eterno, sino un eterno despertar.

Estos procesos mentales reavivaban en Sebastián la idea

de perfeccionar su alma. Habituado a considerarse como un desecho humano sin posibilidad de modificación, acogió la oportunidad de pulir su alma con una secreta alegría. No, no tenía por qué ser siempre como había sido. Cabía hacerse un hombre completamente diferente, con una misión y un objetivo definido y escueto. El alma era lo primero y era el alma precisamente lo que le brindaba la ocasión de transformarse. «En un caballo, se decía, puede ser su línea, la pureza de su sangre, lo primero; pero, en el hombre, lo esencial es el espíritu. Se es hermoso o feo involuntariamente; no se elige el cuerpo, como no se eligen los padres; pero para el alma, como para la esposa, siempre hay opción.» Y, al meditar en estas ideas, mil veces repetidas en su cerebro, le estimulaban unas ansias desconocidas.

A menudo rememoraba su entrevista con el padre Matías. En esos casos, si tenía ocasión, se contemplaba largo rato en un espejo. Elevaba las dos manos a la altura de la cabeza y, al verse reflejado en la pulida superficie, sonreía e inmediatamente su boca se fruncía en una mueca de repulsión. «Esto desaparecerá un día. Volverá a fundirse con el barro de donde ha salido. ¿Qué importa que sea imperfecto e inarmónico? Al fin y al cabo soy menos barro que los demás hombres. Pero el alma... —le vibraba dentro una sacudida que, por un instante, le nublaba la imagen repetida por el espejo—, el alma es el soplo de Dios.» Cerraba entonces los ojos y le parecía que un viento huracanado recorría todas sus vísceras; un viento huracanado y ululante que le hacía estremecerse al permitirle sopesar su propia trascendencia.

Como raras veces ocurría, aquella tarde abandonaron en bloque el establecimiento. Hacía ya dos semanas que se acusaba cierta paralización en las ventas y don Saturnino andaba un poco consternado temiendo la llegada de la crisis. Se hablaba en la ciudad de que América enviaba algodón a bajo precio y los tejidos se abaratarían. Esta dudosa perspectiva bastaba para que muchos insensatos se abstuvieran de comprar, pensando, ingenuamente, que ocho semanas de paz serían más que suficientes para que la vapuleada economía mundial encontrase su equilibrio. El rumor, sin un fundamento cierto, circulaba de grupo en grupo, de boca en boca, y la gente experimentaba un júbilo colectivo imposible de contrarrestar. Los numerosos desengaños sufridos en los últimos tiempos no enervaban el mantenimiento de esta esperanza. Se soñaba con una era fácil y barata donde nadie careciera de nada y se olvidaran definitivamente los odios y miserias desempolvados por la guerra. Surgían canciones ligeras, esperanzadoras, que anunciaban la inminencia de una etapa mejor en la que la vida tornaba a discurrir por los suaves raíles de la normalidad. Los mozalbetes y las modistillas entonaban a voz en grito estas canciones cuando, aprovechando alguna festividad soleada, se desplazaban a merendar al campo o regresaban de él despeinados, sudorosos y llenos de polvo:

El año cuarenta y pico,
según dicen los profetas,
será el año de la paz,
volverán las vacas gordas...

Pero las vacas gordas, pese a los pronósticos de los autores de las coplas, no acababan de llegar, aunque se las aguardaba con impaciencia creciente. La guerra había concluido hacía más de medio año y no era difícil prever que, dando la vuelta a todos aquellos artefactos y maquinarias empleados durante seis largos años para destruir y aplicando las energías de todos aquellos hombres que habían estado matándose en las trincheras a una finalidad constructiva, la abundancia en todas sus manifestaciones no tardaría en caer sobre los hombros como una nueva lluvia de codornices. Los hombres como el señor Sixto temieron al principio. El fin de la guerra podía significar el fin de la especulación ilícita y de las ganancias abusivas. Cabía esperar que las vacas gordas que la gente esperaba con ansias incontenibles se trocasen para ellos en vacas flacas. La peseta podría depreciarse, y en todo caso... los hombres como el señor Sixto se apresuraban a colocar sus fortunas en bienes tangibles, bienes raíces las más de las veces, con el afán desasosegado de no perder lo que con tanta facilidad habían amasado. Pero pasaron los primeros meses después de la lucha y los más avispados comenzaron a entrever que sostener la paz era aún más costoso que sostener la guerra. Los pueblos de Europa estaban hambrientos y depauperados y, mientras la reconstrucción del Continente no fuera un hecho, resultaba prematuro e insensato creer en las vacas gordas. Los hombres como el señor Sixto se tranquilizaron. De momento no había nada que temer. El grueso del rebaño no se avenía, en cambio, a hacerse a la idea de que la normalidad tardaría aún muchos años en volver a posarse sobre el mundo. Cada día se despertaba uno con una nueva ilusión y cada noche la ilusión se trocaba en un amargo desengaño. Pero el cúmulo de desilusiones y desengaños, de reveses y contrariedades, no conseguía matar del todo la esperanza general de que ya estaba al alcance de la mano la anhelada liberación de la implacable y mezquina tiranía de la cartilla de racionamiento. Unas veces era el rumor de la venta libre del pan, otras del aceite, otras de los garbanzos. Uno a uno estos rumores se extinguían sin haberse traducido en realidades prácticas. Mas pasadas unas semanas volvían a surgir aún más pujantes y vigorosos que antes, apoyados en las frases irrebatibles: «Ahora es seguro; lo sé de muy buena tinta...»; «Me lo ha dicho Fulano, que, como sabes, está en contacto directo con la Delegación de Abastecimientos y Transportes». A pesar de estas seguridades, los rumores se marchitaban sin ninguna consecuencia.

Ahora les había tocado el turno a los tejidos y la única novedad visible era aquel notorio detrimento de las ventas. El rumor pasaría y la crisis de venta con él; pero, mientras tanto, los que regentaban algún negocio de esta especie se sentían devorados por los nervios y la amenaza de que la paralización se convirtiera en un mal endémico y ruinoso. El señor Suárez no se sustraía a esta preocupación general. Pasaba el día recorriendo la tienda a grandes zancadas, con las manos en la espalda y la barbilla desplomada sobre el pecho. Nadie se atrevía a hablarle. La vena de la frente, hinchada y retorcida, era un símbolo elocuente de su peligroso estado de ánimo. Con él, don Arturo retrocedía un gran trecho en el camino de la emancipación total. Tendría que esperar a que las cosas se asentasen debidamente antes de alzar el vuelo definitivo. Obrar con precipitación siempre había sido contrario a su lema. Llevaba quince años sometido al negocio de otro, esperando, y nada le importaría avenirse a esperar quince años más. Lo primero era la seguridad del paso que acariciaba desde hacía tres lustros.

En los demás apenas repercutía el pesimismo de los dueños. Los hermanos rubios continuaban hablando de fútbol como si tal cosa; Martín, vanagloriándose de sus conquistas en el probador, y Emeterio punzando con sus sarcasmos a Sebastián en cuanto adivinaba el menor resquicio por donde poder introducir el aguijón. Sólo Manolo parecía percatarse de la gravedad del problema. Y un día, temblando, se lo había confiado a Sebastián: «La ruina de los Almacenes sería mi ruina y la de todos mis hijos.»

Y los ojos sanguinolentos y saltones le brillaban como si fuese a llorar.

El Almacén se veía menos concurrido, y a eso de las seis y media apenas si franqueaba el umbral algún cliente rezagado. Este descenso en las ventas implicaba una merma en el trabajo de la dependencia. Después de cuatro meses de dura brega Sebastián veía en este decrecimiento de la actividad una ocasión muy oportuna para reponerse de las noches insomnes pasadas a raíz del suicidio de la Germana. Al propio tiempo, los largos paréntesis de espera le permitían ahondar en su nuevo descubrimiento y dejar a su imaginación, tan encadenada hasta entonces, desbocarse y retozar por mundos ignotos y construidos de acuerdo con sus más audaces ilusiones.

Aquella tarde, tres días después de la entrevista con el cura de las barbas, salieron todos juntos de los Almacenes. Emeterio habia vuelto a tomarle como blanco de su burda ironía y este hecho fue la piedra de toque para que Sebastián constatase que en setenta y dos horas cabía la absoluta transformación de un hombre. Las cuchufletas de Emeterio no le ocasionaban ya dolor alguno; lejos de ello, Sebastián agradecía sus vejaciones con el convencimiento de que en ellas debía fraguarse la solidez de su alma. Se había persuadido, en tan poco tiempo, de que las almas se pulen y bruñen por percusión, como determinados metales. Por eso sonreía con los demás al oír las chuflas de Emeterio, que se desternillaba, como siempre, de sus fáciles agudezas, aun cuando el autodominio de Sebastián, por inusitado y completo, le desconcertaba:

—Ten cuidado no te pise la cabeza, Sebastián. A veces voy distraído y no sé ni dónde pongo los pies.

Martín reía y entre risa y risa piropeaba, poniéndose serio y arqueándose hacia atrás, doblando la cintura, a alguna muchacha que tenía la mala suerte de tener que cruzar frente a él; reían los dos hermanos rubios y deportivos mientras discutían los resultados de una quiniela, y, sobre todo, reía Emeterio hasta descoyuntarse, coreando sus carcajadas con contundentes patadones que imprimía sobre el asfalto, sin duda para facilitar su desahogo.

El paseo por la calle Principal se había iniciado ya. Discurrían grupos de muchachas y muchachos hacia un lado y hacia otro, comentando las incidencias del día y riendo sin ton ni son. Era aquél un río bullicioso y alegre, impelido por una corriente de irresponsabilidad y juventud. La tarde estaba apacible y, aunque lejana, se barruntaba ya, en la consistencia y los aromas del aire, la inmediata primavera.

—Bueno, yo me voy por aquí.

Sebastián se detuvo a diez metros del establecimiento, dispuesto a atravesar la calle.

—Vamos, no seas tonto y ven a dar una vuelta con nosotros. Ayer lo pasamos en grande todos juntos, ¿no es cierto, chicos?

Emeterio reclamaba su cooperación. Indudablemente le consideraba un magnífico elemento para «pasarlo en grande».

—No; hoy no puedo. Tengo que hacer.

—¡Déjale, que se le pasa el arroz! —intervino uno de los hermanos rubios, atiplando la voz.

—¿Qué tienes que hacer con tanta prisa? —Emeterio no renunciaba a su compañía así como así.

—Voy a confesarme.

Rieron todos como si Sebastián hubiese pronunciado un graciosísimo chiste. Aquella reacción le dejó un poco perplejo. ¿Sería posible que los hombres se desentendiesen de sus almas hasta este extremo? ¿Hasta el extremo de regocijarles así el ver que otro ser humano se preocupaba de ella? En aquellos tres días Sebastián había llegado a la conclusión de que el primer paso de su enmienda consistiría en una sincera confesión de sus culpas. Añoraba el momento de verse libre de aquellos pecados que le desgarraban por dentro. Sus suciedades con el polvoriento maniquí, el recuerdo infecto de su borrachera y de las groserías derivadas de ella, los sentimientos que abrigaba hacia su madre, su pesimista concepto del mundo y de los hombres... todo aquello necesitaba descargarlo cuanto antes, emancipar su pequeño globo interior, sin contornos evidentes, de aquellos fardos de pesado lastre.

—Anda, chato; te aseguro que al cura no le interesan tus horribles pecados en absoluto. Puedes decírmelos a mí y te juro que te escucharé con la boca abierta.

Emeterio se hurgaba en la nariz mientras hablaba, y luego, con el mayor impudor, amasaba con los dedos una pelotita oscura que lanzaba sobre la masa amorfa de paseantes. A Sebastián su perorata le había herido en lo más íntimo. Los compañeros reían a excepción de Manolo, que se mantenía sombrío y con una expresión ausente en la mirada.

—No debes hablar así, Emeterio. Lo que has dicho es casi una blasfemia. Por otro lado, no creo que ello te cause ningún provecho y menos que te divierta.

Emeterio trató aún de arrastrarlo. Se notaba que jamás se había sentido lastimado por una preocupación espiritual.

—No te esfuerces; he dicho que voy a confesarme y me voy a confesar. Aunque tú no lo quieras.

A Sebastián le animaba una energía desusada. Nunca en la vida se atrevió a mantener un punto de vista frente a la menor oposición. Mas, de súbito, notaba una oleada de vigor que hacía de él, por una vez, un ser autónomo e independiente.

Emeterio lanzó una nueva bolita oscura sobre un racimo

de muchachas e inmediatamente cogió a uno de los hermanos rubios por el brazo:

—Que te diviertas con tu cura y dile antes a gritos que estás allí, no sea que te pise sin darse cuenta. —Comenzaron a andar en dirección contraria a la seguida por Sebastián. Dos pasos más allá, se volvió Emeterio y gritó:

—¡Ah, adviértele también al cura ese que no tiene nada de particular que tengas la manga estrecha, porque todo tú eres un hombre muy pequeñito!

Oyó su risa Sebastián y las de varios grupos que discurrían en ese momento por las proximidades. No le importó. Él mismo se sorprendía de su indiferencia. Caminó de prisa y sin volver la cabeza. Cruzó la calle y tomó la transversal hacia la Plaza del Mercado. Repasaba su conciencia con minuciosidad. Por nada del mundo omitiría ante el padre Matías ninguna mala acción, ningún pensamiento torvo de aquellos cuyo recuerdo le punzaba ahora el corazón como un aguijón venenoso.

Cuando empujó el portón ribeteado de clavos y penetró en el templo volvió a experimentar la misma sensación apacible y sedante que en anteriores visitas. Todo cooperaba a estimular tan sosegada impresión. Una vaga penumbra envolvía a los seres y las cosas, y las oraciones de los escasos fieles, apenas musitadas, tenían un dejo pausado de mansa sumisión, de humildad remansada y sonora. Sebastián preguntó por el padre Matías.

—Haga el favor de esperar fuera.

De nuevo estaba allí, con los pies colgando, sentado en uno de los duros y largos bancos laterales. El cura de las barbas brotó de las espesas tinieblas del corredor.

—Ah, ¿eres tú, hijo? Dime, ¿qué se te ofrece?

—Quería confesarme, padre.

Otra vez le hipnotizaba la verruguita oscura, redonda, arrugada y húmeda como una diminuta boñiga.

—Está bien, hijo. ¿Estás preparado?

Sebastián asintió y con un inconcreto temor vio al cura separarse de su lado y zambullirse en uno de los oscuros confesonarios. Tenía la garganta reseca cuando comenzó su confesión; pero a medida que avanzaba, su voz, penosa al principio, iba fluyendo de sus labios fácil y rumorosa como una corriente de agua. Paulatinamente iba encontrándose más ágil y fuerte, liberado de una tremenda carga interior. El padre le facilitaba el desahogo con mesurada discreción.

Cuando le habló del maniquí, de que había tomado como amante un montón de serrín embutido en un pedazo de trapo, creyó entrever que el cura se estremecía. Mas ni esto le detuvo en su absoluta y franca confidencia. Sebastián no comprendía cómo cientos de hombres aborrecían el confesonario, cuando nada existe en el mundo tan consolador y reconfortante. El padre le comprendía; comprendía todas sus ruindades y muchas más que hubiera podido contarle. Su voz persuasiva y serena le producía el efecto de que le pasaban suavemente por los párpados blandos pedazos de algodón.

Después le habló de su madre. Encontraba un alivio muy grande en poder hablar de Aurelia con aquel cura. Él tenía solución para todo y para esto no podía faltarle. Le contó la tirantez de sus relaciones domésticas, le habló de su genio encrespado y arisco, de sus torpes aficiones, de la ruindad de su proceder en el asunto de la Aurora. Y el padre lo entendía todo; lo entendía casi antes de que él lo hubiera expuesto. ¡Daba gusto departir en voz baja con personas así! Se quedó un poco cortado cuando el cura de las barbas indagó, de improviso, si él, a lo largo de su vida, había hecho alguna cosa para que su madre fuese de otra manera. Se sintió culpable también de esto y confesó, avergonzado, que él creía que cada ser había de agenciárselas solo en la vida para ser de un modo u otro. Pero la indicación indirecta del padre le hizo reflexionar e inmediatamente se propuso modificar su conducta en este sentido. Sí, ¿por qué no? Aurelia era su madre y él reventaría de orgullo si un día conseguía arrancarle de sus vicios y hacer de ella una persona digna y respetable. Podría entrarla blandamente, con buenas palabras y razones evidentes. Su madre, en verdad, no tenía ningún motivo para ser mejor de lo que era. Se había formado sin educación y sin base, constreñida por la imperiosa necesidad de dinero. Sí, ya pensaría en esto después, con más calma. Y le hablaría a la Orencia. Quizá entre los dos...

El padre le absolvía y en ese instante Sebastián, con la cabeza rendida sobre el pecho, sintió una dureza extraña en la garganta que le imprimía deseos de llorar. (Era como si alguien le oprimiese la nuez con insistencia e incrementando paulatinamente la presión.) No obstante, se venció. Besó la mano del padre Matías y huyó acelerado a un rincón oscuro del templo, sujetándose el corazón con las manos crispadas. Se notaba organizado; minuciosa, cabalmente organizado. Ya no era un hombre roto, un despojo de la sociedad. La felicidad le ahogaba. Creía adivinar en el fondo de su pecho algo inusitado que fosforescía en las tinieblas. Se sentía transido de una rara y desacostumbrada emoción, algo así como si acabara de renacer con una contextura diferente.

A la mañana siguiente, al llegar a los Almacenes, Martín le salió al paso, demudado:

—¿Te enteraste de lo de Emeterio?

Había un tono trágico, desgarrado, en su voz.

—No, ¿qué?

—¿No lo sabes? Anoche le mató un autobús en la Plaza del Rey.

Las piernas le flaquearon a Sebastián por las rodillas y hubo de recostarse en el mostrador para permanecer de pie. Un escalofrío, acerado como un puñal, le atravesó el pecho de un modo fulminante.

—¿Qué...? ¿Qué estás diciendo?

—Lo que oyes; lo mató instantáneamente. Tenía la cochina manía de ir colgado de las cadenas y otro autobús que venía en dirección contraria le sacudió un cacharrazo en la cabeza y lo dejó en el sitio.

Sebastián se ahogaba. Su cabeza se representaba la escena de la tarde anterior, cuando Emeterio arremetía contra las cosas más santas e, impúdicamente, se relamía ya de su proyectada aventura con una marmota cualquiera. Como un relámpago pasó por su cerebro la idea de que Emeterio había muerto en pecado mortal y estaría condenado para siempre. Crispadamente se sujetó al mostrador. Los dos hermanos rubios y Manolo se aproximaban:

—Parece mentira, ¿no? Ayer lleno de vida, rebosando de vida, y ahora...

La desgracia creaba entre todos un punto de afinidad y coincidencia que daba mayor solidez que de ordinario al bloque. Sin embargo, sus compañeros sólo lamentaban que la vitalidad de Emeterio hubiese hecho crisis, les impresionaba el vértigo del tránsito repentino. Habló uno de los hermanos:

—Ha venido la madre. Está ahí, en el despacho, con el señor Suárez y don Arturo. Por lo visto es viuda y le quedan aún cuatro hijos más pequeños. Con lo de Emeterio vivían todos, y ahora...

Hasta este momento Sebastián no había reparado en los lamentos que, como maullidos de un gato escaldado, escapaban por debajo de la puerta del despacho. Pero tampoco esto le apartó del cuerpo central de su idea. Con esfuerzo iba rememorando cada una de las palabras de Emeterio en la víspera, y al evocarlas, una a una, su desazón aumentaba. Un sudor viscoso le empapaba la frente y los sobacos, resbalándole hasta los costados. ¡Oh, Dios, Dios! ¿Por qué no iría con él Emeterio la tarde anterior? ¿Por qué, al menos, no acallaría su salida irrespetuosa y blasfema? ¿Habría llegado a consumar su proyectado devaneo con la marmota en los jardines?

Maquinalmente, Sebastián daba vueltas y más vueltas al botón central de su americana. De repente, el botón se saltó y él lo contempló estúpidamente, posado sobre la palma de la mano, como si hubiera caído del cielo inesperadamente. Sin darse cuenta de lo que hacía lo guardó en el bolsillo de la chaqueta y comenzó a girar, igualmente, el botón de más abajo.

Anita hablaba ahora, dirigiéndose al grupo:

—¡Qué pena da!, ¿verdad? Era tan alegre y tan expansivo... Vamos a echarle mucho de menos.

Le retorcía a Sebastián que los demás sólo pensasen en el fin del cuerpo de Emeterio, como si nada de lo demás tuviese la menor importancia. Pensó que, siendo la gente así, nada tenía de extraño que los hombres se peleasen por un puñado de pesetas o se matasen en masa por tres palmos de tierra. Para ellos esto era el fin, y Emeterio dormía, desde la noche última, el sueño eterno. Se le erizó la carne al imaginar que el sueño eterno de Emeterio podría consistir en una eterna, incandescente, inacabable pesadilla. Pasarían mil años, millones de millones de años, y la pesadilla de Emeterio podría decirse que no había comenzado aún. «¡Oh, Dios del Cielo, eso no es posible! ¡No es posible, Señor!» Los pelos se le ponían de punta y la sangre le escapaba del corazón y la cabeza como si repentinamente se hubiera desfondado. Después de todo, a él podía haberle ocurrido lo mismo; podía haber tropezado con la muerte después de una de sus frecuentes visitas al maniquí. Y lo mismo podía acontecerles al señor Sixto y a su hijo; a los mozos que escribían impudicias en las paredes de su portal; al soldado que se solazaba en las afueras con una marmota, o a Hugo, que vivía maritalmente con una furcia. A todos podía ocurrirles lo mismo y, no obstante, en ninguno ocasionaba la repentina muerte de Emeterio una resonancia de contrición o un propósito de enmienda. (Un nuevo botón aparecía como una mancha gris en la palma de la mano de Sebastián. Lo había arrancado inadvertidamente e, inadvertidamente también, se lo guardó con el otro en el bolsillo.) Sus compañeros hablaban sin pausa; discutían sobre lo que era y lo que podría haber sido. Al fin y al cabo esta era la perpetua discusión entre los hombres, aunque casi ninguno advirtiese lo que en realidad «era», ni cuán diferente «lo que podría haber sido».

—¿Qué te pasa, Sebastián? ¿Te pones malo?

Martín lo sujetaba por un brazo. Agradeció esta ayuda porque, inopinadamente, todo había empezado a desvanecerse ante sus ojos y, por un momento, tuvo conciencia de que iba a desplomarse sin remedio, como un fardo sin apoyo.

—Le ha afectado mucho.

Sonaba la voz de Anita como un cascabel. Ahora le transportaban al fondo del establecimiento y le sentaban en una silla.

—Trae un vaso de agua. Anda.

Sebastián estaba pálido y con la mirada vidriosa. Mas ahora, sentado allí, después de beberse el vaso de agua, la sangre volvía a circular por sus venas, caldeándole. Acababan de entrar dos clientes y sus compañeros le dejaban solo. Lo prefirió así. Constató, de pronto, que algo se interrumpía, un rumor regular y continuo que, al detenerse, hacía más ostensible el silencio. Levantó los ojos y se dio cuenta de que eran los lamentos del despacho lo que había cesado. Un minuto después se abrió la puerta y Sebastián divisó a una mujeruca esmirriada, vestida de negro y con un pañuelo, negro también, anudado toscamente debajo de la barbilla. Sin conocer los motivos que la empujaban, Sebastián vio a la mujeruca abalanzarse sobre la mano derecha del señor Suárez y colmársela de besos y de lágrimas. Don Saturnino se mostraba violento:

—Nada, mujer; nada tiene usted que agradecernos. Después del entierro conoceré al chico, y desde mañana puede venir a sustituir a su hermano, anótelo bien...

A la mañana siguiente, Juan, el hermano de Emeterio, ingresó como mozo en los Almacenes. Tenía una innegable semejanza con él, aunque era más pálido y más enteco, o lo parecía debido al luto. En lo que resultaban idénticos era en aquella fea costumbre de andarse en las narices y elaborar luego, pacientemente, con la materia extraída una diminuta y oscura pelota.

Con la llegada de Juan el mecanismo de los Almacenes estuvo completo otra vez, y, encajada adecuadamente la nueva pieza, la máquina reanudó su funcionamiento y su producción. Nadie se acordaba, a la semana, del cuerpo ni del alma de Emeterio, y su madre, salvado airosamente el bache de lo económico, tampoco se sintió preocupada por las circunstancias de su muerte. Los ingresos seguían siendo los mismos y había una boca menos que alimentar. Cierto que perdía una cartilla de racionamiento, pero la cosa no era para llorarla demasiado. Al mes, nadie recordaba en el mundo a un ser que se había llamado Emeterio Ruiz, salvo

Sebastián, y cuando éste evocaba su vida, y sobre todo su muerte, experimentaba un convulsivo sobresalto.

Sebastián se cruzó con el idolillo de la cara de león y los pechos cónicos que remataba la barandilla de la escalera de su casa y le hizo un guiño de simulado entendimiento.

—Deséame suerte — musitó.

Ascendió las escaleras con paso lento. En el brazo derecho portaba un gran paquete envuelto con el papel de los Almacenes. El corazón le latía apresuradamente, y, como siempre que le sucedía esto, presumía que su redoble debía oírse a distancia. Cuando llamó a la puerta, la violencia de los latidos se agudizó.

—Hola, madre.

—¿Qué traes ahí?

Sebastián se azoró y el murmullo que salió de sus labios fue apenas perceptible:

—Un regalo para ti y para la niña.

Aurelia no añadió nada, pero frunció el ceño y cerró de un portazo. Al pasar frente a ella, le pareció a Sebastián que su inmunda cazadora apestaba a vinagre y a sudor. Reprimió una mueca de asco y, sin detenerse, penetró en la habitación de la camilla. Aurelia le seguía; al parecer, dispuesta a acoger con cuatro gritos destemplados la presunta dilapidación.

—¿Está la Orencia?

—Ha salido hace un rato por la ración. Volverá en seguida. Pero, vamos, ¿qué es eso?

No separaba la vista del enorme paquete, como si esperase ver salir de él un horrible dragón de siete cabezas. Sebastián, ante la ausencia de la niña, se encontró tan desamparado como un general a quien en el comienzo de una derrota anunciasen el retraso de unos refuerzos que esperaba ver llegar en ese instante.

—No... no... bueno, es bien poca cosa, desde luego. Pero... pero no quiero que te vayas a enfadar... En realidad... Después de todo, esto no significa nada...

Aurelia se impacientaba. Había adoptado la habitual postura en ella antes de lanzar algo desagradable: las manos hinchadas debajo de las axilas, y las piernas, blancas y salpicadas de varices amoratadas, abiertas en un ángulo muy amplio.

—Déjate de rodeos y habla de una vez. ¿Qué te ha costado todo esto?

Sebastián no respondió y comenzó a desenvolver el paquete con parsimonia, procurando dar tiempo a la niña para que subiese con la ración. Con todo, terminó de deshacer el gran envoltorio antes de que la Orencia apareciese.

—¿Qué es eso? ¿Estás loco?

—No... verás. Esto es un retal de franela muy buena y muy barata para que te hagas una bata para ti. Es... es... es muy barato y te hace tanta falta... Esa... esa cazadora está muy sucia y muy vieja y...

Aurelia no pestañeaba al escucharle, y Sebastián se aturullaba:

—Y... y... y esto es un poco de seda lavable para que te hagas una blusa. Y esto otro, un retal de semi-hilo para que hagas un vestido a la niña en primavera, y... y... bueno, como verás, ya no hay nada más... — terminó.

Aurelia continuaba mirándole con una fijeza turbadora.

—Todo eso está muy bien. Y ahora dime, ¿qué vamos a comer este mes?

Una losa de culpabilidad se desplomaba, de repente, sobre los pobres hombros de Sebastián. Al fin balbució:

—Bueno... en fin... esto no es obligatorio pagarlo en un mes... Lo amortizaremos en varios plazos... Si es preciso, estaremos un año amortizándolo...

Las manos de Aurelia seguían inmóviles en los sobacos y sus ojos en los de Sebastián.

—Envuélvelo con cuidado. Mañana vas a devolverlo, y en lo sucesivo no te ocupes para nada de mí ni de la niña. De eso ya me encargo yo. ¡Pues están buenos los tiempos para tirar el dinero! Lo primero de todo es comer, y dime, ¿qué sobra aquí después de comer?

Sin querer le vino a la boca a Sebastián decir «el beber», pero milagrosamente se contuvo. Luego murmuró:

—Después de todo, es una insignificancia y... y... este tono azul te iría tan bien... —Le venían de improviso a los labios los ardides del buen comerciante, esos incentivos irresistibles para cualquier mujer. Tomó el retazo de seda lavable por una punta y, con cierta repugnancia, lo sobrepuso a la cazadora. Aurelia miró la pieza de reojo, con oculta y ávida complacencia. —Estarías muy elegante con una blusa de este color, créeme. ¡Hace tanto tiempo que no puedes hacerte un vestido! Además, es una magnífica oportunidad, porque... porque en la tienda me lo sirven descontando el margen de beneficios y a precio de saldo. No hay... no hay muchas ocasiones como ésta... que digamos. Y la bata... la bata es una preciosidad. A fin de cuentas, pagando un poco hoy y mañana otro poco, es como si... como si nos lo regalaran. ¡Y qué diría la señora Luisa al verte tan elegante! Sin duda querría correr en seguida a hacerse una igual...

Los ojos de Aurelia iban redondeándose. La expresión de indiferencia desapareció de su rostro y su mano derecha abandonó lentamente el cálido hueco del sobaco y comenzó a palpar con sus bastos dedos el tejido suavísimo. Sebastián tuvo un conocimiento repentino de su primera victoria sobre su madre. No le faltaba, pues, razón al padre Matías. Cabía, en lo posible, domeñarla. Él lo conseguiría; conseguiría hacer de ella una mujer distinta. «¿Por qué, por qué — se preguntaba — no habré comenzado antes?»

—Sí que es bonito todo... Pero, la verdad, es mucho dinero. Sí, es mucho dinero para nosotros. — Y prosiguió atropellándose, como queriendo huir, de este modo, de la tremenda tentación: —Todos lo dicen y tienen razón. Ahora, con poder mal comer ya es suficiente. Pero... — De nuevo flaqueó la decisión de Aurelia —. Bueno, vamos a quedarnos con la blusa, y lo otro... lo otro vas a devolverlo en seguida...

Sus ojos caían ahora sobre la franela marrón. La tentación era tan fuerte que Aurelia casi temblaba al pensar en la renuncia, en desistir de ella, cuando la tenía allí, allí, al alcance de su mano. Olfateaba el tejido nuevo, el penetrante y agradable olor de las piezas sin mancillar, y suspiró:

—Sí, tienes que devolver lo otro; mañana lo devolverás — corroboró, desmayadamente.

Se oyó crujir una cerradura en el pasillo y después un portazo. Sebastián dio media vuelta y vio a la Orencia parada en el umbral, con una pequeña zafra de aceite en una mano y una cesta de mimbre sucia, ocupada por tres canteros de jabón y unos paquetitos envueltos con el basto y resistente papel de ultramarinos, en la otra.

—Hola — dijo.

—Deja todo eso en la cocina y ven — respondió Sebastián.

Aurelia continuaba inmóvil, con la mirada llena de la policromía turbadora de los tejidos. Cuando Orencia regresó se llevó instintivamente sus dos manos blancas y afiladas a la boca:

—¡Oh, qué bonitas son!

—¿Te gustan, mocosa? Pero no las toques; tendrás las manazas untadas de grasa.

Eran como un trío de salvajes congregado en derredor de un montón de abalorios multicolores. Aquellas tres piezas impolutas les sugestionaban hasta la fascinación. Hacía muchos años que en aquella casa no entraban unos tejidos nuevos, vivo todavía el olor de los tintes.

—¿Para quién son?

Había unas temblorosas inflexiones en la voz de la pequeña. Por primera vez en mucho tiempo la veía Sebastián interesada en algo y por algo, y comprendió que la indiferencia de la niña era simplemente una consecuencia de su vida rutinaria y gris.

—Ésta es para ti, para hacerte un vestido esta primavera. Las otras dos son para madre. ¿Verdad que madre estará muy distinguida con una bata de esta franela? Fíjate, no la quiere tomar porque dice que valdrá mucho dinero y... —Como sin hacer nada, Sebastián desplegó unos centímetros de la pieza y los dejó caer sobre los hombros de su madre. —¿Verdad que es una preciosidad?

—Es... parece... parece una reina. Claro que es preciosa la tela... y todo. ¿Por qué no nos vamos a quedar con ello?

Aurelia agradecía esta insistencia que justificaba, a fin de cuentas, su deseada rendición. Comprendía que sería superior a sus fuerzas abrir la puerta al día siguiente para que aquella pieza de franela partiese, en viaje de regreso, hacia los Almacenes. Ya era algo suya por la simple razón de haber descansado sobre la camilla de su casa. Sin embargo, habría de adoptar una postura de concesión a regañadientes, que era lo oportuno en este caso:

—Está bien; haremos como queráis. Pero yo insisto en que esto es un despilfarro que no podemos hacer... Aquí no hay de esto —con el pulgar y el índice hacía ademán de pasar billetes —, y sin esto — repetía el ademán — no se pueden hacer estos excesos...

Sebastián sonreía por dentro; aguardaba impaciente el desplome absoluto, total, de Aurelia. Su madre prosiguió:

—Esto... esto es muy bonito. Y será barato, yo no lo dudo... pero, pero... — Hizo una pausa y, al cabo, estalló: —Sí, tenéis razón, es muy bonito... Nos quedaremos con ello... Nos quedaremos con todo... — Sobaba los géneros con nerviosos movimientos de dedos, con una fruición de avaro que cuenta sus monedas. Extendió la franela y la superpuso a su indumenta de forma que el extremo de la pieza cayó hasta el suelo. —¿Creéis de veras... creéis de veras que me sentará bien? ¡Uy, Dios santo, qué dirá la Luisa cuando me vea!

CAPÍTULO XII

El repentino apagamiento de Emeterio reafirmó la convicción de Sebastián de que el instante de la muerte era el único trascendente en la vida de los hombres, y, en consecuencia, acrecieron sus anhelos de perfeccionamiento y superación. Todo lo enfocaba por el lado espiritual, y pronto se dio cuenta de que un alma bien templada irradia un halo de sosiego y bienestar que trasciende a cuanto constituye su reducido mundo circundante.

Su casa, sin transformarse en esencia, había experimentado una reacción apreciable. Aurelia, a pesar de seguir enfangada en sus turbios hábitos, dejaba entrever, de cuando en cuando, que su corazón no era impermeable a la ternura y al agradecimiento, lo que hizo presumir a Sebastián que su rudeza y tosquedad eran vicios de origen y no de formación. Esta advertencia le animó a perseverar en la tarea emprendida. Orencia, por otra parte, constituía un temperamento mollar que respondía admirablemente a sus celosos cuidados. Había sido una niña sin infancia, y la misión de Sebastián se centraba ahora en encajar el ánimo de la pequeña en la edad y el tiempo en que vivía. Cuando tenía oportunidad de ponerse el trajecito rosa de semi-hilo, la niña se acicalaba con escrupuloso esmero, asomando en ella los primeros síntomas de coquetería femenina. La indiferencia hacia todos y hacia todo no era más que una postura natural frente a la rutinaria y tediosa existencia que se le había forzado a llevar y que, ante los incentivos que Sebastián la brindaba ahora, iba desapareciendo pausadamente. La vida comenzaba a tentarla con sus claroscuros y sus contrastes y la niña reaccionaba como era lógico esperar.

Los sábados por la noche, Sebastián la sacaba al cine. Aurelia, en un principio, se negó a acompañarles, ya que los sábados eran los días escogidos por ella y la señora Luisa para prolongar sus reuniones hasta las primeras horas de la madrugada. A su regreso del cine, Sebastián y Orencia las encontraban desplomadas de bruces sobre la mesa de la cocina, completamente ebrias. Los naipes se hallaban desperdigados por el suelo, y los únicos indicios de vitalidad en aquella habitación, que apestaba a sudor y a vino tinto, eran los ronquidos feroces de su madre y los tres ratoncitos, vivos y nerviosos, que saltaban aceleradamente de la lata de la basura en cuanto les oían entrar. Otras veces, sorprendían a Aurelia y a la señora Luisa cantando con pésimo oído «La vaca lechera» o «El año cuarenta y pico». No había forma humana de hacerlas callar. La señora Luisa pasaba las horas muertas en su cuchitril de la esquina de la calle haciendo punto, y las tardes de los sábados deseaba olvidarse de su ingrata y monótona tarea. Era viuda de tres hombres y en el barrio la llamaban la «matamaridos». Todo ello cooperaba a formar en ella una bóveda interior sombría y pesimista que sólo se aligeraba un poco ante una jarra rebosante de espumoso tintorro.

En estos casos, Sebastián mandaba a la cama a la Orencia y durante más de una hora forcejeaba con su madre hasta que conseguía trasladarla a su habitación. Se presentaba, luego, la tarea más peliaguda de la noche, como era la de transportar a la tozuda y obstinada «matamaridos» hasta el inmundo chiribitil donde habitaba. Sebastián la agarraba por los sobacos y la arrastraba por las escaleras hasta el portal. Ella, insensible al dolor de los tumbos y batacazos, cantaba «El año cuarenta y pico» o farfullaba con recalcitrante monotonía: «Vivo en la calle Zapateros, número 46, sótano izquierda; llaves en el bolsillo derecho». Era su repugnante estribillo de borracha que iba repitiendo, como un disco rayado, a lo largo de toda la calle.

Pero Sebastián sabía que no mentía. La concisa manifestación era un hecho. En aquella calle — la central del barrio — vivía, y además portaba las llaves de su zaquizamí en el bolsillo derecho de la merdosa bata.

Los gritos de la señora Luisa hendían el silencio de la noche. Los escasos transeúntes miraban regocijados a la grotesca pareja y Sebastián experimentaba un poco de rubor que disipaba, no obstante, en cuanto recapacitaba que estaba llevando a cabo una buena acción que redundaría en provecho de su alma.

Fue el romper esta indigna costumbre sabatina de Aurelia el obstáculo más fuerte que surgió ante Sebastián en su proyectada rehabilitación de la familia. Aurelia no se avenía a prescindir de Luisa y afirmaba, muy seriamente, que la entristecía la penumbra acongojante de los cines. Se hizo necesario que la señora Luisa les acompañase un sábado para que Aurelia se decidiese a romper una costumbre que contaba con una respetable tradición de tres lustros. Una vez probado, el nuevo plan las sedujo y, en lo sucesivo, todos los sábados por la noche Aurelia, Luisa, la pequeña Orencia y Sebastián se desplazaban a un cine céntrico.

Sebastián se recreaba observando la meticulosidad que ponían su madre y su hermana en acicalarse. Por la tarde, Aurelia se planchaba con parsimonia la blusa azul, muy descotada, de seda lavable, y la Orencia su vestidito rosa de semi-hilo. Después de cenar, ambas se retiraban a sus habitaciones y, un cuarto de hora más tarde, emergían de ellas completamente transformadas. Sebastián notaba algo extraño e inusitado en sus cabezas, y poco tardó en constatar que se debía a unos peinados rimbombantes, completamente revolucionarios. El de su madre le sonaba a algo muy conocido, aunque ignoraba qué, hasta que un día, al entrar en la cocina a beber un vaso de agua, sus ojos tropezaron con un calendario, profuso en colorines, que anunciaba una marca de galletas. Una mujer exuberante y frescachona exhibía en él sus curvas opulentas, salpicadas de lunares de moscas. El peinado, con dos ondas relamidas adheridas a la frente, era el mismo que se hacía Aurelia los sábados antes de marchar al cine. Y Aurelia, sobre el traje vaporoso y blanco que en el original vestía la aldeana, había diseñado elementalmente su blusa azul con todos los detalles.

Estas muestras inefables del carácter de su madre le evidenciaron que en el interior de todos los seres existe un rescoldo adormecido, susceptible de metamorfosearse en una llamarada fulgurante. Y él vigilaba esta llamita que empezaba a avivarse con un celo excesivo, con un temor constante de que cualquier revés imprevisto pudiera matarla para siempre.

Los sábados por la tarde, al salir de los Almacenes, sacaba cuatro entradas de delantera de galería en algún cine de postín. Huía del teatrillo de su barrio, pues consideraba que en él había mucho más de pernicioso que de aleccionador. En un cine céntrico, la vaharada de distinción y buenos modales que gravitaba sobre el patio de butacas podía alcanzar incluso a las alturas.

Una vez acomodados en sus localidades, Orencia se abstraía en la proyección, mientras a Sebastián le distraía el ruido reiterativo y crepitante que ocasionaban Aurelia y la señora Luisa mondando cacahuetes. Sebastián no se atrevía, de momento, a censurar a su madre aquel goloso esparcimiento, medroso de que sus consejos la animasen de nuevo a trocar los cacahuetes por el vino. Mas una noche, en plena representación, se oyó elevarse del patio de butacas una voz airada:

—¡A ver quién es el guarro que ha tomado mi butaca por un recipiente de basuras!

La gente, conmocionada por la sorpresa, rompió en una risotada, mientras Sebastián, colorado hasta las orejas, propinaba a su madre contundentes codazos de advertencia. Sebastián se dio cuenta, ese día, de que la vaharada de distinción y buenos modales que imaginaba gravitando sobre el patio de butacas era, también, algo muy discutible y relativo. No obstante, a partir de aquella noche hizo llevar a su madre una bolsita de papel donde ella y la señora Luisa iban depositando cuidadosamente los desperdicios de su manjar.

Poco a poco, la vida íntima de Sebastián iba modificándose merced a sus desvelos. Ni Aurelia ni Orencia podría afirmarse que hubieran cambiado por completo, pero su comportamiento daba pie para barruntar un más lisonjero amanecer. Era una costra de muchos años la que había de hendirse, y ello no se conseguía en cuatro semanas. Sin embargo, la cosa marchaba hacia adelante y Sebastián se sentía satisfecho de sí mismo y de las reacciones de sus sujetos experimentales.

También Sebastián se preocupaba de su persona. La idea motriz que le impulsaba era la del perfeccionamiento para el que desde muchos años atrás se había juzgado desahuciado. Al saber que no, que también él podía mejorar y en lo que de más valioso y estimable encerraba su ser, toda su vitalidad se concretaba en una sola aspiración, determinada y concisa: engrandecer su alma, hacerla más digna y excelsa. Para ello trabajaba noche y día y se creaba dificultades que, al ser salvadas, le producían un secreto deleite. Frecuentemente prescindía de su ración de pan y la entregaba al primer pobre con quien tropezaba en la calle, o introducía guijas en sus zapatos para que le mortificasen la carne o recibía con una sonrisa de sumisión las pullas de los mozalbetes cuando la operación de correr las cortinas de los escaparates al mediodía sufría algún entorpecimiento. A veces llegaba a nimiedades ingenuas, sugeridas por las lecturas de libros de santos adaptados a mentes infantiles. Él, en realidad, había vivido poco y apenas sabía nada fuera de lo que se encerraba en aquellos libros, los primeros que empezaron a fertilizar su inteligencia.

Mas él, a su modo, se encontraba feliz, más feliz y tranquilo, más conforme de sí mismo, que lo había estado en momento alguno de su vida. Por las noches repasaba sus actos y palabras, sus sacrificios y privaciones, y casi se daba cuenta de que su globo interior, el halo de niebla que lo ribeteaba por dentro, crecía y crecía hasta extremos insospechados. Ahora le gustaba reflexionar sobre sus actuaciones y movimientos cuando caía por la noche en la cama. Entonces se confesaba a sí mismo que las cosas marchaban por las sendas más risueñas y optimistas que cupiese imaginar. Aurelia era mejor. Orencia se encajaba en la vida poco a poco, y la señora Luisa, de rechazo de todo esto, casi había dejado el vino. (Sebastián presentía que de haber varios hombres, estratégicamente distribuidos por el barrio, encargados de atajar el vicio y divulgar la virtud, sin más armas que la persuasión mesurada y el buen ejemplo, el barrio sería diferente de lo que era: las parejas no bautizarían sus hijos al tiempo que se casaban, los hombres no se emborracharían hasta la incoherencia los sábados, ni los maridos apalearían, los domingos, a sus mujeres cuando el equipo representativo de la ciudad salía del estadio con dos «puntos negativos».)

Una noche en que Sebastián meditaba sobre estas cosas tuvo una idea repentina. (No sabía por qué, pero sus buenas, sus geniales ideas, brotaban siempre del contacto de su cráneo con la almohada.) Se incorporó en la cama y dio la luz. Afortunadamente aquella noche no había restricciones. Saltó del lecho tan precipitadamente que introdujo su pie derecho en el desconchado orinal, volcándole. El líquido se derramó por el suelo y a Sebastián le asaltó la angustiosa sospecha de que Aurelia se hubiese despertado. Aguardó un momento con todos los nervios en tensión, a la expectativa, pero el uniforme ronquido de su madre en la adyacente alcoba le sosegó. Colocó, entonces, los codos sobre los muslos y sujetó la cabeza entre las manos. ¡Sí; la cosa estaba igualmente clara con luz e incorporado! (En ocasiones, ideas que en la penumbra de la duermevela se le antojaban lúcidas y geniales, con la claridad del día y el pleno raciocinio de su cerebro se tornaban estúpidas e irrealizables. Pero ésta no, bien seguro estaba de ello.)

Durante muchas noches y días Sebastián había pensado en Irene. Su mente reproducía su imagen con frecuencia, mas siempre para considerarla como un sueño abstracto, como una ilusión inasequible y absurda. Ella era la perfección y él un ser grotesco y risible; ella la luz y él las tinieblas. Mas, de repente, aquella noche había visto mucho más claro. Él, su alma, lo más valioso de su ser, avanzaba por el camino del perfeccionamiento; día a día se pulía, se redondeaba, en un deseo ardiente de superación. Y era el alma lo único trascendente de la persona, lo único libre y eterno, lo único inmarchitable porque era el soplo de Dios. Como el resplandor de una luz vivísima brotó la ambiciosa idea en su cerebro: ¿Por qué, Señor, no poder aspirar a Irene cuando su alma había alcanzado un notorio grado de elevación? ¿Qué importaba el cuerpo? ¿No era éste una masa amorfa de barro sin valor alguno? ¿No decía el padre Matías que es el alma lo que da la medida y el valor de un hombre? Pues bien, ahí estaba la suya. No era aún buena, no era grande, no era digna; pero lo sería, ¿por qué no podía serlo? ¿Es que existía algún tope establecido para el desarrollo espiritual de un hombre físicamente defectuoso? Él había encontrado a Dios en los ojos de Irene. Esto no tenía nada de extraordinario, ya que otros hombres le encontraron en una piedra, una catástrofe o en el filo de una espada. Irene no despertaba su carne como la de otros hombres. Él veía en ella un trasunto de la perfección de Dios. Sí, ¿por qué no? ¿Por qué había de ser una aspiración irracional, monstruosa, pensar en una unión suya con Irene?

Sebastián temblaba. Tenía una actitud fachosa, sentado en la cama excesivamente grande para él, con los pies de dedos deformes y achatados oscilando en el vacío y embutido en un pijama lleno de cosidos y remiendos, a través de cuyo tejido desgastado se traslucía su espalda encorvada. La idea era audaz y desmesurada, incompatible, en apariencia, con el temperamento reposado y chato de Sebastián, pero surgió loca, avasalladora, en su cerebro, y de buena gana se hubiese puesto a trabajar allí, si un trabajo físico de cualquier especie hubiera devengado un mejoramiento espiritual.

Sus ojos se posaron, de pronto, en el charco de orines que dibujaba una mancha oscura y caprichosa sobre la tarima, y esta visión le sugirió un nuevo proyecto que le hizo abrir desmesuradamente los ojos, ilusionado. De un salto se arrojó al suelo y corrió a la cocina con los pies descalzos. Al dar la luz, los tres familiares ratoncitos brincaron de la lata de la basura sobre el pavimento y corrieron desalados a ocultarse en el compartimiento de la leña. Sebastián no hizo caso de ellos. Tenía una idea fija en la mente y cualquiera otra imagen externa no menoscababa su resolución. Tomó de un rincón la viscosa aljofifa y regresó presuroso a su habitación. Una vez allí, se arremangó los pantalones del pijama hasta los muslos, se arrodilló y comenzó a enjugar el líquido derramado, con el lampazo, y a escurrirle luego sobre la bacinilla. Un incontenible júbilo interior le rebosaba por los ojos. (Gustaba de humillarse, de rebajarse hasta la insignificancia, de aniquilarse físicamente, si con ello se enriquecía, en una mínima proporción, su alma. Comprendía que la hermosura deslumbrante de Irene exigía una equitativa contraprestación, y él estaba dispuesto a nivelar, con su exuberancia espiritual, la mezquindad de su cuerpo.)

En los días siguientes continuó imponiéndose renunciaciones y sacrificios, acometiendo toda clase de buenas acciones. Le interesaba, ahora, un perfeccionamiento acelerado, una rápida, vertiginosa, dignificación. Y cada noche, en la soledad de su alcoba, reconocía humildemente sus progresos, se achacaba inexistentes defectos y se marcaba nuevas tareas que acometer a la mañana siguiente. Vivía en una exaltada fiebre de actividad, muchas veces pueril, pero ardorosa y vibrante. No se daba sosiego. Estimaba el descanso como un freno en la consecución de su objetivo y apenas si se concedía cuatro horas para el sueño. Había mucho que hacer, existían mil posibilidades y matices para mortificarse, innumerables ocasiones de practicar el bien. Y él debería aprovecharlas. Veinte años de su vida había malgastado estérilmente, y ahora era preciso recuperar cuanto antes el terreno perdido, volver a amontonar el tesoro dilapidado.

Una noche se preguntó cómo habría de hacer para que Irene se percatase del valor de su alma, para que no le pasase inadvertido su fulgor. Y, como siempre, en aquellos días, tropezó con la solución casi sin buscarla. Una solución inefable y pueril, inocente, pero que a él, en aquellas jornadas de místico estupor, se le antojó inmejorable: «Los ojos; los ojos son el espejo del alma», se dijo, esperanzado. Sebastián había oído decir esto con tanta frecuencia, que había llegado a identificar el alma con los ojos, les encadenaba por algo más que por un eslabón de simple afinidad. Hasta podían ser, a su juicio, una misma cosa. Él, realmente, no era capaz de discernirlo, pero entendía que en ese dicho se ocultaba algo más que la liviana filosofía de todo aforismo. Así, los ojos verdes de Irene reflejaban su pureza de intención; los pequeños e incisivos de Emeterio, envidia y maldad; sensualidad y bajos apetitos, los desafiadores y brillantes del Sixto; avaricia, los azules y oblicuos de su padre; los sanguinolentos y saltones de Manolo, un alma atormentada...

Sí, a través de los ojos de los hombres se traslucía siempre la tonalidad y las inclinaciones de sus almas. Irene podría ver en los suyos con la misma precisión y claridad que él veía las almas en el fondo de los ojos de los demás.

Cuando meditaba sobre esta posibilidad sentía unos escalofríos febriles. La ansiedad le devoraba y suspiraba por el instante en que su alma fuese tan grande que rebasase los contornos de su cuerpecillo. A ratos pensaba, puerilmente, que en fuerza de laborar por el espíritu, podría éste llegar a trascender, a desvanecer los límites físicos de la carne, a venirle grande, produciendo el efecto desequilibrado de un niño encerrado prematuramente en la chaqueta usada, sin adaptar, del padre.

Pasada una temporada, Sebastián se consideró apto para la prueba. Tenía fe en sus privaciones y desvelos; fe en que Irene fuese uno de aquellos seres que otorgan amplia preferencia al espíritu sobre la materia.

Un día tropezó con ella, como casi siempre, en los Almacenes. La crisis de ventas no rezaba para Irene, y el presunto algodón americano no disminuyó sus visitas al establecimiento. Ante ella, el corazón de Sebastián redoblaba como los cascos de un caballo en pleno galope. Estaba bella como siempre, erguida y perfecta, con una sonrisa distendida iluminando su faz. Hablaba con el señor Suárez, quien, en su honor, había cesado en sus monótonas zancadas a lo largo de la tienda y hasta había permitido decrecer el relieve de la vena de la frente.

Sebastián observaba a Irene fijamente, con los ojos muy abiertos, casi desorbitados, empujado por un ansia pueril de que no le pasase inadvertido el menor detalle de su espíritu. Mas ella no parecía darse cuenta de su presencia. Hablaba y reía despreocupadamente con el señor Suárez, le embromaba constantemente con su voz cantarina y cabrilleante, sin llegar a ofenderle nunca. De repente, por encima del hombro de don Saturnino vio la expresión asustada de Sebastián del otro lado del mostrador, y cedió instantáneamente en su risa. Miraba, ahora, al muchacho con palmaria curiosidad, como si se tratase de un fenómeno raro. (Y, efectivamente, Sebastián, con sus ojos redondos y grandes como platos, en su actitud de impaciente expectativa, ofrecía unos pormenores dignos de ser tomados en consideración por cualquier curiosidad medianamente despierta.) A pesar de que la muchacha le sostenía la mirada, Sebastián no cerraba, ni entornaba siquiera, los párpados. Tenía una seguridad grande en su alma y en su sistema de traducción. Al fin, Irene hizo un gracioso mohín, como diciendo: «Decididamente, este chico está loco», desvió la mirada y prosiguió departiendo alegremente con don Saturnino como si nada hubiera ocurrido.

Cuando, cinco minutos más tarde, intrigada por la sorprendente conducta de Sebastián, volvió de nuevo la vista a él, tropezó otra vez con sus ojazos desmesuradamente abiertos, implacables en su estúpida fijeza. «Bueno», se dijo Irene, y comenzó a sentirse violenta bajo la vigilancia inquisidora de aquellos dos ojos, agudos y convergentes como dos potentes focos de luz centrando un mismo barco en la noche.

Sebastián traducía su embarazo como un indicio favorable para sus apetencias. Irene, sin duda, aquilataba a través de sus ojos su agitación espiritual y las buenas prendas que empezaban a adornarle. De aquí, imaginaba, aquella actitud forzada de la muchacha, que acusaba de esta manera el impacto de los ojos de Sebastián exhibiendo las cualidades de su alma.

En los días que siguieron Sebastián no dio paz ni reposo a la muchacha. Entendía que era preciso un tratamiento iterativo y obstinado si quería que fuese eficaz. La buscaba en la calle, a través de las vitrinas del Casino, a la puerta de su casa, en el Almacén... A todas horas Irene se daba de bruces con los ojos dilatados, espantosamente abiertos, de Sebastián. Su insistencia concluyó por turbarla, por hacerle sentir un temor inconcreto y vago hacia aquel muchachito de inocua apariencia, pero tan tozudo en la observación de su persona.

Sebastián la veía salir con un hombre apuesto, bien trajeado, siempre el mismo; pero, en su ceguera, no concedía al síntoma la menor importancia. Tampoco el hombre parecía reparar en su irritante presencia. Al lado de Irene, caldeado por la tibieza de su proximidad, semejaba un ser en perpetuo éxtasis. Sebastián los seguía por calles y plazas, se hacía el encontradizo o se detenía a su lado ante algún escaparate. La mirada de Irene, al verle allí, rozando su brazo, con los ojos horriblemente dilatados, encerraba una buena dosis de espanto. (Sebastián podía haber advertido, de concederse unos instantes de reposo, que la expresión de aquellas pupilas verdes era idéntica a la que iluminó los ojos de Orencia una tarde, hacía muchos años, en que él la enseñó de repente un engañapastor vivo atrapado en una carretera. Los ojos de la niña ante el pájaro eran los mismos que los de Irene al contemplarle a él. Pero Sebastián carecía de tiempo para buscar analogías o establecer paralelismos. Atribuía la confusión de Irene al poder fascinador de su mirada, y todas las tardes, al regresar a su casa, solo, después de una de sus correrías en pos de la muchacha, se confesaba, con un íntimo y desbordante júbilo, que estaba llegando el momento de dirigirle la palabra.)

La duda le asaltó un día en los Almacenes, mientras despachaba unos metros de crespón de seda rojo. El tono de la pieza, tan vivo y chillón, le recordó la muerte de la Germana y de su hijo, y entonces se preguntó lo que sería de la Aurora. Dos meses habían transcurrido sin la menor noticia suya, sin verla en la calle y sin echarla de menos. Inmotivadamente, hoy evocaba su persona con un dejo de compasión. La silenciosa persecución de Irene le había hecho olvidar todo lo demás e, incluso, sus proyectos de reivindicación espiritual intensiva. Y he aquí que, de pronto, la imagen de la Aurora, con su embarazo a cuestas, se interponía en su mente para echarle en cara que su conducta de los últimos días rezumaba egoísmo por los cuatro costados. En tanto él acariciaba la esperanza de ser correspondido por Irene, su antigua novia rumiaría a solas, en su alcoba, su desgracia, y quién sabe si proyectaría la recuperación del honor perdido apelando a los mismos violentos procedimientos que la Germana.

Sebastián cerró los ojos un instante. Verdaderamente su alma no podría remontarse en tanto el peliagudo problema de la Aurora permaneciese sin resolver. Bien estaba que Aurelia hubiese sustituido su odiosa cazadora militar por una bata de franela marrón y que la Orencia pudiese acudir al cine las noches de los sábados ataviada con su trajecito rosa de semi-hilo. Bien estaba que, de rechazo, la señora Luisa hubiese abandonado casi enteramente su vicio y que en vez de beber vino se dedicase ahora a comer cacahuetes con voraz glotonería. Todo eso estaba muy bien y le honraba. Pero, ¿qué había hecho para solventar el asunto de la Aurora? ¿No era esta cuestión más grave y compleja que otras muchas de las que voluntariamente había volcado sobre sus hombros y no le afectaba más directamente que cualquiera de ellas?

Con la clarividencia y decisión que en estos días caracterizaban a Sebastián, tomó en su fuero interno una resolución urgente. Había cambiado mucho. En momentos como éste era cuando verdaderamente se percataba de ello. Ahora, al menos «in mente», nada le importaba imaginar una entrevista con Benjamín Conde, el joven del traje marrón y la bufanda amarilla, y rogarle que enmendara sus malos pasos y fuese un buen padre para su hijo. Seguramente no sería tan desalmado como para negarse a atenuar los efectos de su desafuero, y más a la vista del trágico fin de la Germana y su hijo, que Sebastián se encargaría de restregarle ante los ojos acentuando los tonos lúgubres y sombríos.

Sebastián ya sabía dónde encontrarle. Según sus noticias, apenas abandonaba una mesa del Bar Arribas, en la Plaza del Mercado, donde jugaba al tute y se atizaba al coleto campano sobre campano. Sí, iría a verle allí. Le parecía, ahora, que mientras no diese este paso no tendría ningún derecho a importunar a Irene, husmeando su propia felicidad. Sebastián nunca fue, y menos ahora, de esos hombres que van derechos hacia un punto de luz sin reparar en los desaguisados que origina su trayecto rectilíneo. Desde el despido de Hugo se había convencido de que, casi siempre, el encumbramiento de un ser depende del aniquilamiento de otro, y esto, en adelante, por lo que a él se refería, deseaba evitarlo. Él quería llegar, pero sin frenar a los demás, sin permitir que nadie resultase postergado por imprimir a su marcha un mayor apresuramiento.

Al domingo siguiente, después de comer, Sebastián se encaminó al Bar Arribas. El día lucía plácido, contraviniendo las especiales características de marzo. Era un día más de invierno, aunque con un sol antes alto y brillante que estimulaba sin llegar a molestar.

Sebastián marchaba despacio, súbitamente atemorizado. Su resolución de tres días atrás había sido muy decidida y valiente, pero, llegado el momento, su osada determinación languidecía. (Era lo mismo que cuando un hombre resuelve operarse con la sonrisa en los labios, pero su sonrisa se trueca en una amarga mueca al avanzar desolado camino del quirófano.) Sebastián no sabía cómo empezar. En la cabeza se arrinconaban multitud de proyectos previamente desechados como un informe montón de papeles arrugados e inservibles. «No, así no; dirá que soy un idiota», se decía, espantando una nueva idea con un reiterado movimiento de cabeza.

Ante la puerta de cristales esmerilados del bar se detuvo un momento. En el escaparate, sobre una fuente blanca, se recostaba un tostón tentador, churruscante y grasiento. Debajo, dos soberanas langostas, y, a los lados, una profusa decoración de botellas de vinos de marca. Sobre el cristal, en letras blancas y desiguales, decía: «Almejas, gambas, cigalas», y, en letras más grandes y encima: «Comidas económicas». La visión de tanta esplendidez distrajo momentáneamente a Sebastián de sus lucubraciones. Sin expresa voluntad empujó la puerta de cristal esmerilado y entró.

Una atmósfera densa de tabaco barato, de vapores de mal café y de gritos estentóreos le envolvió, aturdiéndole. Tintineaban, por todas partes, las cucharillas al chocar contra la loza o el cristal. Los hombres conversaban a gritos, insultándose cordialmente, hablando de fútbol, de la próxima temporada de toros o del racionamiento. Los oídos de Sebastián recogían fragmentos de conversaciones distintas que, al empalmarse en el aire, originaban absurdos y contradictorios despropósitos. El local se veía lleno hasta los topes, y Sebastián pensó con alivio, justificándose su cortedad, que no era éste el lugar más adecuado para sostener una conversación confidencial. Sin embargo, consecuente con su decisión, se adelantó hasta el fondo del mostrador. Allí la fiebre de concurrentes remitía un poco y podía observar sin llamar demasiado la atención. Pidió un café con leche, y, mientras le servían, examinó de reojo las mesas próximas, donde se jugaba al julepe, a la garrafina o al tute. Los jugadores no se intimidaban ni enfurecían por el infernal barullo que les rodeaba. Ellos estaban a lo que estaban y los accidentes externos no influían para nada en su actividad. (Luego sí, llegarían a casa malhumorados, conscientes de que el domingo tocaba a su fin, y cualquier grito destemplado de la mujer reconviniendo a los niños les sacaría de su quicio y les haría jurar entre dientes contra aquel «caos» doméstico.)

En el momento en que le servían el oscuro brebaje, Sebastián divisó, en la más próxima mesa de juego, a Benjamín Conde. Aunque no le había visto más que una vez en la vida, le resultó inconfundible, con su terno marrón muy ceñido y el mondadientes emergiendo de la boca, enhiesto, sujeto por un colmillo. Sus compañeros de mesa eran tres y le llamaban el «Moreno» sin que él se diese por ofendido. Jugaban al tute subastado y a Benjamín aparentaba abstraerle el empeño. (Sebastián se preguntó cómo podría estar allí, tan sereno, con las finas manos, firmes y tranquilas, aprehendiendo las cartas, cuando un hijo ilegal, fruto de un pecado, bullía ya en las entrañas de una mujer.) Le observó con minuciosidad, estimulado por un mórbido y desconocido placer de ver tan de cerca «un hombre malo». Tenía las cejas muy tupidas y negras, protegiendo sus ojos descarados y penetrantes. Era moreno de tez, enjuto y fino de miembros. Hablaba con un matiz imperativo de superioridad y no admitía que en el juego nadie se desmandase lo más minímo. A la legua se advertía que le molestaba la presencia de un jovencito imberbe que hacía chacota de la seriedad de la partida. Éste, siempre que intervenía, lo hacía amasando previamente una aleluya que luego, después de lanzada, reía con un enojoso descoyuntamiento de miembros:

—No dejéis, por comentarios, de pagar a los contrarios.

Era la segunda vez que repetía la misma frase. Recordó Sebastián a Emeterio, su obsesión por hallar la gracia burda de las cosas. Benjamín torcía el gesto en silencio y pagaba o cobraba sin inmutarse.

Sebastián volvió el rostro hacia el mostrador y, pensativo, bebió un sorbo de café. Sería difícil, sin duda, abordar a Benjamín Conde en estas circunstancias. Y, por otro lado, no era cosa de aguardar hasta que levantasen la partida. Bebió de nuevo. Oyó abrir la puerta de un empellón y giró la cabeza. El Sixto acababa de entrar en el local, fumando un rimbombante habano. A Sebastián le recorrió una sensación abstrusa de incomodidad, de nerviosa precaución, como cuando veía dos hilos de la luz descarnados, a punto de juntarse y producir un estallido. ¿Qué venía a hacer el Sixto aquí? Le vio avanzar por entre las mesas, casi perdido en la atmósfera fumosa, palmoteando de vez en cuando los hombros de algún amigo ocasional.

Ya ante el mostrador, pidió un doble de coñac. Lo bebió de un trago y exigió otro. Sebastián agradeció que un nutrido grupo de personas se interpusiese entre él y el Sixto. No había hablado con él desde la muerte de la señora Zoa, y no experimentaba ningún deseo de volver a hacerlo. Sin embargo, la sensación de incomodidad, de estar en el centro de un círculo electrizado, persistía en él, atemorizándolo. Aun bebió el Sixto otra copa antes de pasear detenidamente la mirada por las mesas. Sebastián vigilaba la dirección de sus ojos sin pestañear, con una expresión análoga a la que adoptaba en su empeño de transmitir a Irene la calidad de su alma. Como esperaba, aun sin confesárselo, la ojeada del Sixto se posó en la mesa donde jugaba Benjamín Conde. En las comisuras de sus labios se esbozó, entonces, una sonrisa tenue que ni siquiera llegó a florecer. Mordió el puro con dureza y se adelantó hacia el fondo del local.

Sebastián intentó pasar inadvertido, hacerse invisible, mas el Sixto le vio y alteró momentáneamente el curso de sus pasos dirigiéndose hacia él. Su rostro, pigre y congestivo, estaba cruzado por una expresión impenetrable.

—Hola, chico — lo zarandeó por un brazo —. No irás a decirme que algún mal amigo te ha pervertido y te ha traído a este antro de perdición.

Sebastián reaccionó dócilmente. Temía que aquella expresión indescifrable que bailaba en los ojos del Sixto pudiera recrudecerse si no se sometía a sus impertinencias.

—No... no... Sólo he venido a tomar un café.

El Sixto adelantó la barbilla en un ademán pugnaz y agresivo.

—Me alegro, ¿sabes? No sé decirte otra cosa. Pero prefiero que seas testigo y juzgues de lo que va a pasar.

Con desenvoltura arrojó un billete sobre el mostrador:

—Cobra tres dobles y el café de este amigo.

En las puntas de los dedos de Sebastián se iniciaba un convulso temblor. Sixto no apartaba los ojos del espejo donde figuraba la lista de equipos que se enfrentaban aquella tarde y donde, al anochecer, se estamparían los resultados de los encuentros. Pero no miraba esto. La mesa de Benjamín Conde se reflejaba en el espejo, y esto era lo que llamaba la atención del Sixto. «Prefiero que seas testigo y juzgues de lo que va a pasar.» Sebastián experimentó un miedo creciente. La sensación de que dos cables despellejados estaban a punto de tomar contacto se incrementaba. Sixto dio otra absorbente chupada a su puro y se enderezó.

—Guarda la vuelta.

El camarero miró la calderilla amontonada en el plato y cantó a gritos su entusiasmo:

—¡Cincuenta y cinco regalan!

Como un eco le respondieron cinco voces desde distintos lugares del establecimiento:

—¡Eh, graciaaaaaas...!

Un temblor nervioso sacudía las manos de Sebastián. Las piernas se le flexionaban por las rodillas y apenas tenía ojos y oídos para abarcar lo que le rodeaba. Pero aún pretendió detener al Sixto...

—No irás... no irás a...

El Sixto se alejó de él sin hacerle caso, se aproximó a la mesa de Benjamín Conde y se situó detrás de la silla que ocupaba éste. Dio una profunda fumada a su cigarro y, seguidamente, despidió el humo en una serie de aros simétricos, alucinantes. Su barbilla tornaba a adelantarse pugnaz y pendenciera.

—Yo, en tu pellejo, no jugaría eso.

La voz brotó en un susurro, regular y amable, como

si en realidad se tratase de un consejo desinteresado.

Benjamín apenas levantó la cabeza.

—Ha sido una mala jugada, lo reconozco — asintió.

El Sixto prosiguió en su actitud indiferente:

—Las malas jugadas deben enmendarse.

Los compañeros de mesa del «Moreno» observaban al intruso sin acertar a desentrañar sus frases reticentes. Se acentuaba el temblor de manos de Sebastián, que presentía algo catastrófico en el ambiente sobrecargado y enrarecido del cafetín.

—Yo prefiero sostener lo que juego. No me gustan las enmiendas. Además, por sobre todas las cosas, detesto los mirones.

Conde hablaba tranquilamente, sin interrumpir la partida. El Sixto añadió con su tonillo displicente:

—Siendo parientes...

Benjamín atendía a las dos jugadas sin esfuerzo aparente. Sabía, indudablemente, quién era el Sixto y lo que había ido a buscar allí. Sebastián se dijo que, efectivamente, resultaba improbable que los dos perros más feroces del barrio se desconocieran mutuamente. Y barruntó que en aquella escena que se desarrollaba ante sus ojos había tanto de defensa de una honra como un prurito de hegemonía.

—¿Parientes?

—¿No vas a ser tú el padre del hijo de mi hermana?

Sonrió Conde imperceptiblemente al tiempo que se desprendía de una carta.

—Ah, ya... No te habrá dicho que la he engañado, ¿verdad? Es un truco ese demasiado viejo.

Benjamín hablaba sin mirarle, atendiendo al movimiento de los naipes sobre el tapete.

—Pudiera ocurrir, pero de todas las maneras esta va a ser tu última inversión. Ya estás gastado.

Conde reprimió una carcajada. Sixto observó las cartas por encima de su hombro y añadió:

—¡Vaya!

—Yo tampoco jugaría así. Van a comerte ese tres. Es una necedad.

Sebastián sospechaba que cuanto más se prolongase esta amenaza latente, esta contención de la mutua animosidad, más sordo y enconado sería el desenlace.

—Gracias. Pero creo haber dicho antes que detesto a los mirones.

—¿Vas a enmendar la jugada?

Volvió a sonreír Benjamín y denegó con la cabeza.

El ademán indiferente de Conde acabó por sacar al Sixto de sus casillas:

—¿Por qué no juegas conmigo, entonces?

Sebastián no podría decir si gritó en ese momento. Todo fue tan rápido que, en un abrir y cerrar de ojos, las mesas y las sillas se separaron con estrépito y en el fondo del cafetín surgió un espacio libre en el que dos hombres, navaja en mano, se observaban enconados, sin fingimientos, al fin.

—Voy a rajarte, hijo, ¿no lo sabías? —El Sixto ahora arrastraba las palabras, gozándose en ellas.

Las tertulias, las canciones, las partidas se habían interrumpido, y los clientes del Bar Arribas formaban un apretado racimo en torno a los contendientes. Nadie, sin embargo, intentó interponerse. El que los dos camorristas fuesen a parar a la cárcel sin un rasguño y el intercesor al hospital o al cementerio, era un hecho excesivamente frecuente en el barrio para que nadie osara meter su humanidad entre las dos navajas afiladas.

Fue el Sixto quien primero saltó y simultáneamente su brazo derecho se adelantó con violencia hasta topar con su adversario. Conde no emitió un gemido; se desplomó blandamente sobre sus propios intestinos y quedó allí inmóvil, bañándose en un gran charco de sangre.

—A ver qué creías. ¿Qué otra cosa esperabas conseguir? Ese muchacho al camposanto y el Sixto ocho años a chirona. Todo esto podrías haberlo evitado sin tus escrúpulos y tus majaderías.

Aurelia hablaba y, de cuando en cuando, oteaba por el balcón, a través de los churretosos cristales, la efervescencia de la calle. Habían matado a un hombre y el barrio reaccionaba con todos los tentáculos de la curiosidad desplegados a los cuatro vientos. Un hombre había muerto en una pendenica y alrededor del suceso se acumulaban ya toda clase de detalles, veraces unos, falsos los más, incomprobables todos. Con el acontecimiento, Aurora y Sebastián volvían a primer plano de la actualidad. El rumor popular los zarandeaba, los traía y llevaba de aquí para allá, se disparaban sus nombres de balcón a balcón, se les acusaba, se les disculpaba, se les hacía cómplices o se les absolvía incondicionalmente.

Sebastián estaba fatigado, física y moralmente fatigado. Un laxo decaimiento se había adueñado de él después del suceso. La idea de que también Conde, como Emeterio, había muerto en pecado mortal le atribulaba hasta hacerle soltar lágrimas. Parecía ser éste su amargo y cruel destino: enfrentar a los hombres con la muerte cuando más emponzoñadas se hallaban sus almas. Aurelia, su madre, lejos de consolarle, le perseguía por todas partes, haciéndole blanco de crueles acusaciones que le rebotaban dentro como la voz de la conciencia. Sí; él podría haber evitado todo aquello. Si se hubiera casado con la Aurora, nada de esto hubiera sucedido. «Pero, ¿por qué, por qué — se preguntaba — había yo de pagar las culpas de otro?» Y, como si oyese la respuesta, rememoró inmediatamente las palabras del cura de las barbas: «La dignidad humana es como el agua en un colador... Cada hombre que nace abre en él un nuevo agujero... Las almas nobles deben darse prisa en tapar los agujeros que otras almas perdidas abrieron...» Movía la cabeza, constreñido por la necesidad de emanciparse cuanto antes de la diabólica pesadilla. El hecho de conocer que su buena disposición hubiese evitado la tragedia le sumía en un absoluto, impenetrable abismo de arrepentimiento.

—¿Ves lo que has hecho? ¿Ves lo que has conseguido, haragán?...

Pero, ¿por qué, al menos, Aurelia no le dejaba en paz? La metamorfosis de su madre, contra lo que él imaginara, no se había iniciado siquiera; continuaba siendo la misma, con su lengua incisiva, mordiente, de dolorosa violencia. El flébil acaecimiento la había retrasado en la evolución que tan concienzudamente controlara Sebastián; había reculado, quedando tan elemental y hosca, tan ruda, como en los primeros tiempos. En cualquier momento la vería surgir con la cochambrosa cazadora militar, ocultando sus manos amorcilladas bajo los sobacos y atravesando los intersticios dentales con fugaces y silbantes corrientes de aire.

A su depresión moral se unía un absoluto cansancio físico. Los nervios le habían sostenido en las últimas semanas, mas ahora la tensión se relajaba y quedaba roto, desmarrido, convertido en un guiñapo, desmoronado y sin voluntad. El mundo y la vida estaban impregnados de violencia y de miseria. Ofuscado por el dolor, censuró a Dios la ocurrencia de haber animado el barro con su soplo. El barro era barro e implicaba una absurdidad pretender trasmudarlo en algo trascendente y vital. «Estoy blasfemando, Dios mío, estoy blasfemando. Estoy exigiendo cuentas a Dios...» Hincaba los codos en los muslos y se cubría la cara con las manos chatas y deformadas. Consideraba que si llorase se desahogaría, pero no sentía ya el menor deseo de hacerlo. La miseria de su alrededor, la ruindad de los hombres, le secaba con su soplo árido y caliginoso. E intuía, en el seno de su desconcierto, que únicamente recostando blandamente su cabeza en el hombro de Irene y escuchando sus palabras tenues y afectuosas podría encontrar consuelo.

Aquella noche durmió mal, y con las primeras luces de la amanecida se arrojó de la cama. Le zumbaban los oídos y le dolía a trechos la cabeza, como si tuviese desparramado por ella un archipiélago de punzantes islillas. Contra toda costumbre, introdujo la cabeza entera en un recipiente de agua helada, pero el remedio no le mejoró. Era como si llevase dentro, entre los sesos, el batacazo que ocasionó la muerte de Emeterio y la navajada de Benjamín Conde.

Sin desayunarse salió hacia los Almacenes. Era muy temprano cuando llegó, y don Saturnino, al parecer más tranquilo que en días anteriores, departía en un rincón con don Arturo y los dos hermanos rubios.

—Ayer hubo un muerto en tu barrio, ¿no? — interrogó Luis, el mayor de los hermanos.

Asintió Sebastián y se alegró interiormente de que los pormenores de la noticia no trascendieran al centro de la ciudad. Su barrio era matón y pendenciero, y pinchazo más, pinchazo menos, la ciudad no se lo tomaba en cuenta.

—Salís a muerto por mes.

—Aproximadamente.

Sonrió don Saturnino, empalmando la conversación, donde, sin duda, la había interrumpido al entrar Sebastián:

—Pues, como les decía, de París ya vienen figurines con la falda notablemente más larga. Será cuestión de meses verla arraigar aquí.

Uno de los hermanos pareció muy satisfecho:

—Entonces el corte de vestido aumentará y así venderemos más.

Don Saturnino hizo un gesto de desaprobación:

—¡Quiá! El corte de vestido de una mujer será siempre inalterable. Si se alargan dos dedos por debajo restarán los dos dedos de otro sitio. No le quepa a usted duda, Urbón: el día que bajen la falda hasta los tobillos se descubrirán los pechos.

Luis se relamió:

—No caerá esa breva, señor Suárez.

Rieron todos. Sebastián tuvo una idea muy clara en ese momento de que no eran la ambición y el odio los peores enemigos de la Humanidad. Constató que lo que amenazaba la colectiva existencia, abrazándola en un cerco asfixiante, era la más brutal, ruin y descarnada sensualidad. Una concupiscencia irreprimible, libre, que se expandía por todos los estratos sociales, enervándoles. Intervino don Arturo, un poco cohibido, ante el freno echado por la crisis de ventas a su proyectada emancipación:

—Aquí todo será cuestión de que Irene se haga la ropa larga para que tengamos ropa larga hasta en los orfelinatos.

Sebastián prestó oído a la conversación.

—El equipo ha de hacérsele así.

—¿Cuándo se casa?

—En mayo, creo...

Las vísceras se le revolucionaron a Sebastián. No podía haber entendido bien:

—¿Se casa...? ¿Que se casa quién? — indagó obviamente.

Uno de los hermanos rubios censuró su deficiente información.

—Irene, claro. ¿En qué país vives?

Sebastián, de buena gana, se hubiese tumbado en el

suelo para sentirse más seguro. Todo le daba vueltas con una celeridad inexplicable.

—Se casa... ¿Con quién se casa, si puede saberse?

—Con López López, ese dentista rubio y bonito de la Plaza Mayor.

Le miraban a Sebastián y éste no sabía por dónde salir:

—Es extraño...

—¿Qué es lo que es extraño? ¿Tú has visto alguna vez un filón de oro que no tenga dueño?

El mundo se le venía abajo. Era como si penosamente hubiese logrado levantar un edificio con las propias manos y le dijesen de súbito: «Es inútil; todo eso hay que tirarlo; aquí no se puede edificar». ¡Cuánta privación y cuántos desvelos para nada! Sus sueños absurdos se diluían como por ensalmo; el cuadro se ilusión que poco a poco había ido diseñando se lo emborronaban de pronto con cuatro violentos brochazos. Pero Luis tenía toda la razón: ¿dónde había visto él un filón de oro sin dueño? Siempre había sido así y era zafio y tonto creer que las cosas pueden cambiar o alterar su curso para satisfacer la propia conveniencia. Los hombres guapos, o ricos, o inteligentes, se casaban siempre con las mujeres más hermosas. Los feos, pobres y hueros no tenían mucho donde escoger. Por más que ahora las estadísticas... Pero él no era guapo, ni rico, ni inteligente... ni podía poner su esperanza en las estadísticas. Las mujeres preferirían siempre quedarse solteras a casarse con él. Contra todas las estadísticas...

Se alejó Sebastián del grupo maquinalmente. Un vacío mareante le ahuecaba, le debilitaba hasta extremos inverosímiles. A su inquietud inicial se unía ahora este vacío angustioso, opaco, aniquilador. Era aquel, el suyo, un naufragio completo, irremisible. De nuevo se encontraba solo, desasido, traído y llevado, zarandeado por un mundo hostil.

En el ropero hizo como si buscase algo en el bolsillo de

su gabán, pero lo que hizo fue sujetarse a una percha, fuerte, crispadamente, con todos los músculos y los nervios en tensión.

—Buenos días, don Sebastián.

Era Juan, el hermano de Emeterio, que llegaba a colgar su abrigo en la percha. Hubo un día en que él neciamente deseó que lo llamaran así, «don Sebastián», como ahora lo hacía Juan, el respetuoso hermano de Emeterio. No obstante, al oír en boca ajena este tratamiento, Sebastián experimentó vergüenza, como si ello se debiera a una equivocación pretendida y buscada por él. Sintió deseos de golpearse violentamente la cabeza. Sin embargo, se conformó con sisear al mozo, que se volvió extrañado:

—¿Qué quería, don Sebastián?

Aquel muchacho no podía llevar en las venas la misma sangre que Emeterio. Empero eran hermanos. Sebastián carraspeó:

—Mira —y se azoró al decirlo—, no me llames don Sebastián. Llámame en lo sucesivo Sebastián simplemente. Ese tratamiento es absurdo, ¿sabes?

Y se le antojó que gran parte de sus pesares se disipaban con esta nimia declaración.

CAPÍTULO XIII

ERA la víspera de San Bienvenido, una de las dos fiestas más importantes del barrio. Al atardecer se iniciaría en la esquina sur de la calle de Zapateros, junto al teatrillo del barrio, una pintoresca verbena que se correría luego a lo largo de la estrecha calle para desembocar, explosiva e incontenible, en la Plaza del Mercado. En ambas plazas extremas y en la calle principal, el bullicio, la alegría y la jarana no se amortiguarían durante toda la noche, y la mayoría de los vecinos, principalmente los jóvenes, verían amanecer la festividad de San Bienvenido sin haber pegado un ojo.

La víspera era día laborable, pero el incentivo de la fiesta inminente ponía en los talleres y establecimientos del barrio una impaciente y excepcional alegría. Olía ya a churros y a pólvora de cohetes, aun antes de haberse empezado a freír aquéllos y a quemarse éstos. Pero el ambiente era festivo y festivos eran los rostros y las expresiones que se topaba uno por las calles.

Para Sebastián nunca fue la verbena de San Bienvenido — bajo cuya advocación estaba el barrio — un acicate en su vida uniforme y gris. Le molestaban aquellos hedores a frituras, los gritos desgañitados de la juventud y aquel frenético deseo de vivir mucho en una noche activado por la música incansable, los estridentes silbidos de los chiflos y las salvas aturdidoras de los cohetes y las bombas.

Este año la festividad de San Bienvenido no podía presentarse en momento más aciago para él, aunque admitía que, como mal menor, la perspectiva de las fiestas y del bailoteo había echado mucha tierra sobre la reyerta del Bar Arribas y el barrio casi había olvidado ya el incidente con aquella su peculiar manera de desentenderse de todo cuando así convenía al mayor disfrute de la colectividad.

Eran las nueve menos cuarto y Sebastián avanzaba poco a poco por el centro de la angosta calle. El día estaba tibio y primaveral y todo hacía presagiar que la víspera y la festividad del santo patrón del barrio serían preservadas por un tiempo grato y bonancible. A los lados de la carrera se elevaban ya los tenderetes, las churrerías portátiles y, atravesando la calle, cientos y cientos de farolillos multicolores, distribuidos en filas cuyos extremos se anudaban en los balcones intermedios de las dos aceras. Tenía todo un peculiar sello de adormecimiento previo, de laxitud preventiva, como si cada tenderete, cada churrería y cada farolillo barruntase las dos noches de ininterrumpida actividad a que se verían sometidas en breve.

La cantina de Ernesto tenía ya gente a esta hora. Eran los pocos vecinos del barrio que habían emigrado a los pueblos colindantes, pero que periódicamente, cada año, respondiendo a una cita tácita, se congregaban de nuevo en el local de Ernesto por la festividad de San Bienvenido. No creían, la mayoría, en San Bienvenido, pero creían en su conmemoración y la respetaban emborrachándose como cubas y blasfemando contra el santo patrón si se terciaba.

Sebastián cruzó ante la puerta de la cantina y una vaharada de vino de Rueda le alcanzó la nariz. Venteó distendiendo las aletas como un perro ventea un tufillo familiar. En ese momento percibió el tránsito de un olor a otro y se dio cuenta de que había penetrado en el radio de acción de la droguería de Pérez. Poco más allá, el señor Santiago distribuía kilos de fruta con su característica jovialidad. Las clientes le embromaban y alguna que otra, aprovechando la buena fe del comerciante, distraía un par de naranjas de una canasta o arramblaba con un plátano del racimo que pendía de la puerta. El señor Santiago le divisó como cada mañana:

—A trabajar, ¿eh? No te canses demasiado; esta noche tendrás que bailar hasta despanzurrarte.

Sebastián le sonrió y le dijo adiós con la mano. Los aromas familiares del mercado gravitaban en el aire, disueltos e imprecisos. Era una mezcla inextricable, muy difícil de precisar. Predominaba el jugoso olor de la fruta sazonada, pero detrás de este aroma, más intenso que los demás, se aquilataba el desagradable hedor a vaca descuartizada, a conejos caseros y a aves de corral.

También en la Plaza del Mercado se palpaba la proximidad de la fiesta. Los tenderetes eran más abundantes y variados que de ordinario, y las casetas de churros y de venta de refrescos se esparcían buscando los cruces estratégicos. Al igual que en la calle de Zapateros, los farolillos abigarrados se cernían sobre las cabezas, balanceados por el suave viento. En el centro de la plaza, el «doctor cubano» había comenzado la jornada. Sería aquel un día de prueba, de trabajo intenso; pero, a vueltas de todo, lucrativo y remunerador. La gente del barrio perdía un poco esos dos días el minucioso control de la peseta y los paquetes de pomada para cicatrizar heridas no faltarían seguramente en ningún hogar al día siguiente de San Bienvenido.

—Yo soy el «doctor cubano» y les juro a ustedes que siempre...

Sebastián le lanzó una mirada de desprecio. Inconscientemente unía al «doctor cubano» con su desdicha y, por hábito inmotivado, le achacaba la mayor parte de sus desventuras.

A los Almacenes, por el contrario, no llegaba el eco de los preparativos del barrio. El barrio y el resto de la ciudad constituían dos mundos distintos, a pesar de estar enquistado, encajonado, el uno en la otra. Los hermanos charlaban con Martín, por primera vez en el año alejados del radiador. Juan barría apresuradamente los despachos y Manolo y los demás no habían llegado aún. Un cuarto de hora después se presentaron éstos y al poco rato se inició la actividad del establecimiento.

La crisis de ventas, aunque en modo alguno total, seguía apreciándose en los Almacenes. Y, como consecuencia inevitable, el señor Suárez continuaba midiendo el local a grandes zancadas, con las manos en la espalda y la vena de la frente cada vez más relevante. Por el contrario, y aun cuando la crisis de ventas no significaba tampoco para don Arturo un grano de anís, éste proseguía dando un ejemplo de serenidad y erigiéndose en prototipo del buen comerciante; sesudo, lamigoso y cabal.

Las clientes, aunque reducidas a la mitad, esperaban pacientemente a que don Arturo estuviese libre para verse atendidas por él. Sus manos firmes, finas, sugeridoras, embaucaban tanto como sus frases moduladas y oportunistas, rotundamente sagaces:

—¡Oh, por Dios, esto no es para usted! Para usted tengo algo magnífico que acabo de recibir.

La sonrisa de la cliente manifestaba un crédulo papanatismo, su fe ciega en las decisiones del apoderado. En realidad era don Arturo quien compraba y vendía, quien se lo decía todo, dejando únicamente a la cliente el leve desahogo de pagarlo. Sebastián pensaba que era éste el secreto del experto comerciante; pero, contra lo que soñara cinco meses atrás, ahora no cifraba sus aspiraciones en llegar a ser como don Arturo. En cinco meses tan sólo se había cansado de luchar; se había percatado de que no vale la pena colocar en la vida un excesivo interés. Por lo demás, todo ahora, observando a un lado y a otro, semejaba ser igual a entonces. Las manos finas y dúctiles de don Arturo, arrobando a la clientela; las espaciadas visitas de Martín al probador; la automática diligencia de Manolo, mientras su cerebro indagaba soluciones para sus mil y uno problemas domésticos; la deportiva desenvoltura de los dos hermanos altos y rubios... Prescindiendo, pues, de la actitud satisfecha de don Saturnino cuando vigilaba el preciso movimiento de su máquina poderosa con los pulgares escondidos en el chaleco, todo parecía ser igual a cinco meses antes. Y, sin embargo, ¡qué convulsión tan tremenda se había operado en tan breve tiempo en el alma de Sebastián! ¡A qué violentos bandazos se había visto sometido! ¡Cuánto había aprendido de la vida en tan poco tiempo...!

En un claro de la actividad de la mañana, don Saturnino, enarbolando un papel blanco en una mano y un sobre azul en la otra, se encaró con la dependencia:

—Sólo esto me faltaba... ¡Este maldito se ha propuesto darme guerra, pero si quiere guerra la tendrá! ¡Vaya que sí!

—¿Qué es ello, don Saturnino? —Luis, el mayor de los hermanos rubios, más audaz que los demás, se aproximó a él. Sebastián tuvo miedo de que la vena de la frente del jefe reventase con una explosión mortífera.

—¿Qué ha de ser? ¿Qué ha de ser? Este bribón de Hugo, que es un sinvergüenza de siete suelas. Pero ya le voy a dar yo citaciones, ya... —Esgrimía de nuevo el papelito blanco, sin el sobre ahora. —Me ha llevado el muy pillo a la Magistratura... ¡Excuso decirles a ustedes! Yo un escándalo en la Magistratura del Trabajo, cuando soy un padre para mis subordinados, cuando...

Don Arturo intentó aplacarlo.

—¡No hace falta que me calme nadie, anótelo bien! Yo sólo quiero saber quién, además de usted, está dispuesto a acompañarme pasado mañana a la Magistratura a atestiguar la verdad... Quién...

La fría acogida de su solicitud le dejó un poco perplejo. Sebastián iba a decir: «Yo, desde luego»; pero al observar la glacial indiferencia de los compañeros cerró la boca.

—¡Ah!...

A don Saturnino no le salía la voz del cuerpo, tal era su pasmo. Sebastián miró a Martín; pero éste se hacía el desentendido y arañaba con aire distraído una manchita del mostrador. Los demás tenían los ojos bajos y no hablaban.

—¡Ah! —repitió don Saturnino, cada vez más perplejo—. ¿Pero es esto posible? ¿Es que ninguno de ustedes «recuerda» ya el escándalo de hace unos meses? ¿Tampoco usted, Ferrón? Es extraño. ¿Tampoco recuerdan que ese maldito mequetrefe me llamó con la mayor frescura «viejo chocho»?

Sebastián se ruborizó y sintió un calor absurdo por todo el cuerpo. Él sería el último que hablaría. Él, que debía su puesto al desplazamiento de Hugo, no podía, moralmente, declarar contra él. ¿Pero por qué los demás guardaban este silencio?

Luis, el mayor de los hermanos, tomó la palabra; una palabra vacilante, indecisa, impropia de él, que siempre iba recto hacia el fin:

—No lo tome a mal, señor Suárez; comprenderá... en fin... la solidaridad entre compañeros... nos obliga...

La vena del señor Suárez se puso amoratada, retorcida y sinuosa como un relámpago:

—No me «regatee» usted, Urbón; no me «regatee»...

— Evidentemente empleaba adrede un término deportivo—. Dígame las cosas claras. ¡«Chute» usted de una vez! Pero para hablarme de la solidaridad de los subalternos es mejor que se calle. No soy partidario de esa solidaridad, anótelo bien. Esas solidaridades y esas pamplinas nos trajeron una guerra desastrosa y de seguir así acabarán con todo. Prefiero las relaciones abiertas y francas de hombre a hombre que esos bloques de mal entendido compañerismo, recelosos y prestos a saltar sobre uno al más leve roce. Pero está bien, allá ustedes con su solidaridad; con su pan se lo coman. Hugo pide guerra y tendrá guerra, aunque ustedes y su solidaridad se empeñen en lo contrario...

Se encerró en su despacho con un portazo. Sobre el establecimiento se cernía aún la vibración de sus últimas palabras, cuando de nuevo comenzaron a llegar clientes y la sombra de la filípica del jefe se disipó. Sebastián intuyó entonces que se había portado desconsideradamente con don Saturnino y estuvo a punto de correr a su despacho para desagraviarle, pero la conciencia de que debía su puesto al despido de Hugo y que se haría sospechosa toda declaración de su parte contra él, reprimió otra vez sus buenos deseos.

Los compañeros atendían a varios clientes cuando se abrió la puerta de cristales y penetró Irene con su gracioso y fascinante taconeo, sonriendo por doquier. Sebastián presintió que algo tremendo, inconmensurable, se le venía encima sin poder hacer nada por evitarlo. En ese instante era el único dependiente libre, e Irene, sin vacilar, se dirigió hacia él. Toda la fuerza cósmica del Universo pareció desplomarse sobre la cabeza de Sebastián en ese momento; la vista se le nubló y notó palpablemente cómo sus vísceras se le contraían, angustiadas, en el interior del cuerpo y las piernas se le doblaban por las rodillas. Los músculos de la garganta se le agarrotaron y respondió con un idiota movimiento de cabeza cuando Irene, sonriente, le saludó con un afabilísimo «Buenos días». Su torpe conducta de días anteriores se le representó con fastidiosa sinceridad. Se avergonzaba ahora de las silenciosas persecuciones por las calles, de haber buscado la mirada de Irene a través de las ingentes lunas del Casino, por encima del mostrador de los Almacenes, en todas partes. ¡Cuánto se habría reído ella de su recalcitrante actitud! Ella, que era amada por un hombre apuesto, inteligente, de risueño porvenir, soportando el mudo cortejo de un pobre hombre, zafio, ordinario y contrahecho que no sabía hacer otra cosa que mirarla y mirarla como un bobo, como un perro excesivamente pegajoso y fiel!

Los ojos de Irene, verdes, brillantes, indagaban en su rostro confuso y aturdido. No se explicaba Sebastián cómo había tenido nunca valor para sostener aquella mirada, directa, vital, llena de una variedad inagotable de matices expresivos. Sebastián creía entrever, en lo más profundo de ellos, un suave toque de burla, como de terciopelo rojo. Y la sonrisa... ¡aquella sonrisa sin reconditeces, fresca y exultante!

—Le agradecería que me enseñase las cretonas que vi el otro día. Pero pronto, por favor, tengo un poco de prisa.

Sebastián se quedó tan desorientado como si le hubiesen pedido una lata de sardinas. Permaneció un rato inmóvil sin decir palabra y, cuando reaccionó, fue para encaminarse tontamente hacia la Caja.

Anita le sonrió y al verse emparedado entre aquellas dos sonrisas de mujer creyó volverse loco de aturdimiento. Le pareció oír algo relativo a «Arturo», aunque ignoraba de dónde había arrancado la insinuación. Y, sin tener conciencia de que se movía, se descubrió al lado de don Arturo en el otro extremo de la tienda y oyó que éste le decía:

—Éstas son las cretonas de la señorita Irene.

No veía las cretonas por ninguna parte, pero oyó nuevamente la voz de don Arturo dirigiéndose a Irene:

—¡Ahora mismito soy con usted!

Alguien le colocó tres piezas de cretona entre los brazos y de nuevo se vio ante la sonrisa jugosa, fascinante, de Irene.

—Y bien, ¿qué le ocurría a usted en los ojos estos días atrás?

Se escondía una ironía sutil en el doble fondo de la pregunta, pero el ánimo de Sebastián no estaba para interpretar sutilezas.

—Nnnnada... nada... nunca he tenido los ojos malos. Muchas gracias.

Irene reía francamente mientras desplegaba las piezas y las comparaba mentalmente, calibrando las ventajas y defectos de cada una.

—Como los tenía usted tan inmóviles y tan... tan dilatados, llegué a pensar si... si...

Sebastián caló, de improviso, en el sentido de la pregunta. Su rostro palideció, pero se sintió algo más desembarazado:

—Tendrá... tendrá que perdonarme usted... Ha sido todo... He cometido... Ha sido todo una gran tontería... Era como... Me parecía... En fin, ha sido todo una gran tontería — repitió, después de innumerables tentativas por encontrar alguna respuesta adecuada que explicase razonablemente lo sucedido.

Hablaban bajo, casi en un cuchicheo; pero a ratos Irene quebraba esta intimidad con su risa cantarina .

—Me alegra eso. Me alegra mucho lo que me dice. Llegó usted a preocuparme, de verdad. Nunca ningún hombre me había mirado como usted... — Irene ponía en estas palabras una insinuante coquetería—, se lo aseguro. Era algo así como... vamos, como si desnudase usted con el mayor descoco, ante mis ojos inocentes, las más atroces intimidades de su alma. Algo horrible, se lo aseguro.

Rió despreocupada al notar el embarazo de Sebastián, quien se confesó, avergonzado, que eso y no otra cosa era lo que había pretendido. Irene dejó de bromear y comparó las piezas una vez más. Ante la innocua proximidad de Sebastián había perdido todos sus antiguos temores:

—Bueno — dijo al cabo de un rato, sin dejar de sonreír —, envíenme las tres a casa. Si duda uno entre varias cosas, lo mejor es quedarse con todas. ¿No le parece razonable mi actitud?

Sebastián no pensó en responderle. Se daba cuenta de que ésta podía ser la primera y la última oportunidad de hablar con Irene, de tenerla tan cerca de sí. Experimentó como un tirón imperioso que coaccionaba a su voluntad a retenerla, a impedir que se marchase de su lado sin más ni más. Irene le miraba ahora fijamente con sus pupilas verdes, sombreadas por los medios arcos de sus larguísimas pestañas. «¡Oh, Dios, me está midiendo; me está midiendo», se dijo Sebastián, aturullándose. Impelido por su embarazo, recogió la mirada y la dejó resbalar por la superficie del mostrador. Entonces vio allí mismo, a medio metro de él, la mano cuidada, atildada, bellísima de la mujer. No pudo reprimir el impulso que le agitaba: comenzó a enrollar una de las piezas de cretona e, intencionadamente, buscó el contacto. Éste, a pesar de su brevedad, fue para Sebastián como una sacudida eléctrica. Notó la sangre cálida de ella a través de la piel, activando su propia circulación. El roce de aquella piel tersa, fresca, suavísima, terminó de desconcertarle. Imaginó que nunca en la vida, por ocasiones que se le presentaran, podría volver a ser tan feliz como en ese momento, y cerró los ojos, dejándose mecer por un extraño y loco desvarío.

La mano enjoyada no se apartaba del mostrador; tamborileaba ahora con la punta de las uñas sobre el tablero y su tecleo tenía un no sé qué indefinible de ponderada armonía. Sebastián levantó la mirada, turbia, húmeda, como la de un buey cansino, y acogió la sonrisa de la mujer con una mueca resignada, mezcla de culpabilidad e impotencia.

—Entonces me lo mandarán, ¿verdad? Muchas gracias...

Salía del establecimiento diciendo adiós a don Arturo con la mano, con aquella mano que, a juicio de Sebastián, podría, de proponérselo, cambiar el curso del Universo. La contempló extasiado, sin mover un solo músculo de su cuerpo y con la boca abierta y reseca.

Transcurridos unos segundos, se dio cuenta de dónde estaba. La sensación arrobadora de encontrarse suspendido en el espacio desapareció. Y en el primer instante de su regreso a la tierra divisó sobre el mostrador, entre las desordenadas piezas de cretona, el guante de crochet olvidado por Irene. Era un guantecito minúsculo, de tono crudo, que emanaba unos efluvios discretos a perfume fresco y confortante. Lo tomó entre sus manos deformadas y aspiró su aroma golosamente una y otra vez, tratando de reproducir el pasado embelesamiento. De pronto, le asaltó el deseo repentino de conservar aquel guante durante toda la vida como recuerdo de la mujer a quien con tanto ardor había amado en silencio. Furtivamente, para evitar llamar la atención de nadie, lo dejó resbalar hasta el bolsillo de su americana.

Apenas había concluido de ocultarlo, cuando oyó a su lado, de nuevo, el inconfundible taconeo de Irene. Alzó la vista y la contempló atolondrado:

—Perdone, pero creo que he olvidado un guante.

Sebastián se arreboló. Por un segundo vaciló entre devolver la prenda o mentir con todo descaro. Fue la facilidad con que podía negarlo lo que le animó a mentir:

—¿Un guante? —dijo, simulando sorpresa—. Es raro que no lo haga visto por aquí. ¿Está usted segura de que lo traía? —y mudó de sitio las piezas de cretona, haciendo un mohín cariacontecido.

—Tiene que estar forzosamente. Lo he echado de menos antes de llegar a la esquina y he entrado aquí con ellos puestos; tengo absoluta seguridad.

Se acercó don Arturo:

—¿Un guante dice?

Sebastián simulaba una activa busca.

—Es raro... es raro... —murmuraba, mientras hacía esfuerzos porque el galope de su corazón no le delatase.

Al cabo de unos minutos, durante los cuales don Arturo cooperó en la minuciosa investigación, Irene se impacientó:

—Bueno, mandaré esta tarde a preguntar. Dispénsenme, pero ahora tengo un poco de prisa.

Don Arturo no podía consentir esto.

—De ninguna manera. En cuanto aparezca se lo enviaremos a usted, Irene. ¡No faltaba más! Por favor, no mande a buscarlo. Nos daría usted un disgusto. Antes de comer lo tendrá usted en su casa.

Marchó Irene. A la una, en cuanto el establecimiento se cerró, el pequeño ejército de la dependencia, capitaneado por don Saturnino —cuya furia aumentó con este nuevo contratiempo—, inició una detenida inspección del local, que resultó completamente infructuosa. Se indagó hasta en las estanterías y el ropero, en los despachos del contable y del señor Suárez, debajo de los mostradores, pero la pequeña prenda, naturalmente, no apareció.

El corazón de Sebastián latía frenético; su ilusión inicial había sido reemplazada por un temor creciente de que aquello que tomase por inocente trastada pudiese degenerar en un irremediable desastre. Al contemplar a toda la dependencia y al propio don Saturnino andando a cuatro patas por debajo de los mostradores sentía un miedo invencible de que el guante abultase demasiado el bolsillo de su americana o de que algún compañero hubiese sido testigo de su original rapacería. Con gusto hubiese vuelto Sebastián a poner las cosas como estaban.

—El guante tiene que estar en casa; forzosamente tiene que estar en casa...

El señor Suárez se animaba, cantando a gritos su seguridad, aunque en el fondo, él, como todos, dudase mucho de la confirmación real de sus palabras. Sólo faltó levantar el piso, tirar los tabiques y remover los cimientos del edificio. Decepcionado, al fin, don Saturnino, y con un humor de todos los diablos, los despachó a casa a comer.

Sebastián echó a correr en cuanto se vio libre. Corría como con miedo de que alguien le persiguiese o vigilase desde algún punto sus movimientos. En su cabeza bullía una idea que, en principio, juzgó genial, pero que iba perdiendo grandeza a medida que pasaba el tiempo; no obstante, era la solución más viable y oportuna para aquel conflicto. Como una exhalación atravesó la Plaza del Mercado, bajo los farolillos verbeneros, sorteando con agilidad la multitud de tenderetes y casetuchas que se elevaban por todas partes. Al llegar frente al cuchitril de la señora Luisa se detuvo jadeante y suspiró hondo por tres veces. Estaba sudando y tenía el rostro congestionado. Cuando se adentró en el chiribitil, la señora Luisa le miró por encima de las gafas, sin levantar la cabeza. Estaba allí casi perdida entre una baraúnda de madejas, restos de lana de diferentes colores, chalecos, calcetines, botas de niño de teta y un sin fin de agujas de diversos grosores y tamaños.

—¿Qué se te ocurre con esta prisa, hijo? No estará mala la madre, ¿verdad?

Denegó Sebastián y apresuradamente extrajo el guante del bolsillo:

—Señora Luisa... es preciso... —dijo vacilante, y tras una breve pausa continuó—: Querría que... en fin, le agradecería que de esto no dijese una palabra a nadie, ¿sabe? Ni a mi madre. Se trata... ¿sabe? En una palabra, querría... a ver si usted puede hacerme un guante... Bueno, un guante igual a éste, ¿sabe? Pero para esta tarde, compréndame; me urge mucho.

La señora Luisa se había encariñado con Sebastián. Al fin y a la postre, reconocía que gracias a él podía permitirse el lujo de lanzar, cada sábado, una inocente canita al aire. Su fondo era más tierno y femenino que el de Aurelia, aunque ambas coincidieran en sus instintos y sus vicios. Le guiñó picarescamente un ojo:

—¿Es para un regalo?

Sebastián no vio motivo para desilusionarla.

—Sí, es para un regalo. Es bonito, ¿verdad?

Sonrió la señora Luisa, sacando los labios como una mulata.

—Qué hacer; y finos.

Tanteó el guante con dedos profesionales y expertos.

—Para las seis le tendrás hecho —añadió luego.

—¿Y me lo podrá mandar al Almacén?

—¿Tanta prisa te corre?

—Mucha; es cuestión de... Bueno, es una cuestión muy importante.

—¡Sebastián!

Él sonrió, complacido en el fondo.

—Por el momento no puedo decirle nada.

Volvió la señora Luisa a guiñarle un ojo.

—Pero, hijo, ¿de cuándo acá...? Bueno, bueno... yo misma te lo llevaré. A las seis, ¿eh? —Iba a retornar a su labor cuando se le ocurrió una nueva pregunta: —Dime, ¿qué se sabe del Sixto? ¿Cuándo le juzgan?

—Aún no hay nada, que yo sepa.

—¿Y de la Aurora? ¿Ha dado a luz?

—Todavía debe faltarle tiempo.

—¡Pobre muchacha! — Sin hacer pausa cambió de conversación con la mayor facilidad: —Oye, dime, ¿qué películas hay para el sábado?

—Mañana miraré las carteleras; aún es temprano.

Bajó la voz como si le manifestase algún anhelo inconfesable:

—Oye, hijo, a ver cuándo nos llevas a otra de Jorge Negrete.

—Está bien, señora Luisa, pero no se le olvide lo que le he dicho. Ni una palabra a nadie. A las seis yo estaré al quite. Tampoco quiero que la vean dármelo, ¿entiende? Yo saldré un momento a la calle y lo recogeré. No lo olvide. Hasta luego.

—Bueno, bueno; está bien, hijo. Vete con Dios.

Sebastián empujó el portón claveteado del convento de los capuchinos, que gimió como un viejo gato apaleado, y se adentró en la penumbra de la gran nave. Hacía fresco en el interior en relación con la temperatura de la calle, y la primera impresión, agobiada la retina por la luminosidad del día, en su apogeo, era de vacío absoluto. Al cabo de un rato los ojos de Sebastián, habituados al ambiente sombrío del templo, comenzaron a descubrir los perfiles y contornos de las cosas y vislumbraron la primaria imagen de San Bruno, a la derecha, y a sus pies una muchacha pálida y enlutada que comenzaba su angustiada súplica:

—¡Oh, San Bruno bendito, escucha a tu sierva Isabel!... Te ruego, San Bruno, por mi hermano Benjamín... Intercede por él, santo bendito, ante el trono de Dios, pues en la tierra fue siempre un redomado sinvergüenza... Vivió como un bribón y murió como un bribón; pero te ruego, San Bruno, que no le dejes ahora de la mano. Te pido también, santo bendito, por mi madre, por mi padre, por mis abuelos y por mis hermanos... También, San Bruno, por mis tíos y por el novio de Estefanía... Haz, santo bendito, que ninguno de los que quedan se muera nunca... Pero nunca, nunca, nunca, ¿oyes? Que todos nos conservemos siempre en la Tierra para alabarte y bendecirte... Pero siempre, siempre, siempre, y todos, todos, ¿oyes? Que mi hermano Benjamín sea el único...

Sebastián parpadeó un momento y tornó a mirar el perfil de la muchacha. Un perfil enjuto y oscuro de rasgos finos, al que sólo faltaba el bigote, espeso y moreno, y el palillo de dientes emergiendo de un colmillo para completar la faz de Benjamín Conde. Se estremeció. También la voz se le hacía conocida y familiar y el tono impetrante de la plegaria le recordaba la advertencia reticente, implacablemente mordaz: «Por sobre todas las cosas, detesto los mirones». O la expresión airada y furibunda: «Me amuela que sólo a las más pendones les salga un defensor de su honra». La hermana, zumbona y pedigüeña, llevaba razón. Benjamín vivió como un bribón y murió como un bribón... Y ahora era posible que ni la intercesión de San Bruno...

Sebastián había pasado unos días, a raíz de la sangrienta pendencia del Bar Arribas, como adormecido, poseído de un aturdimiento que le privaba de discernir lo pasado, su posible intervención en ello, la calidad y sentido de sus consecuencias. La muerte de Emeterio y después la de Benjamín Conde habían obrado sobre él los efectos de dos mazazos consecutivos y contundentes. No supo ver más allá del tremendo presentimiento de una eternidad sujeta a castigos. Le rasparon tanto ambos hechos su sensibilidad excitada, que quedó como embotado y neutro, transitoriamente insensibilizado. Después tuvo unos momentos de lucidez que le empujaron a una sorda rebeldía. Se encontraba disconforme y descontento, y cualquier roce, hasta el más minúsculo, le erizaba los nervios, que amagaban con estallar de la tensión. Fueron unas horas borrascosas y, al fin, se propuso no pensar más en aquellas dos desgracias irremediables que posiblemente arrastrasen unas consecuencias nefastas y eternas. Pero la creencia de que Emeterio y Benjamín Conde se habían condenado eternamente, de que a estas horas se debatirían impotentes contra las torturas del infierno, le ocasionaban una caótica lucha cerebral que le enloquecía.

Sólo después de la impensada entrevista con Irene y del episodio del guante, aparentó olvidarse de aquellos hechos. Pero no se había olvidado. Lo que ocurría era que Sebastián acababa de descubrir el cauce por donde lanzar y ordenar el impetuoso caudal de sus sentimientos encontrados. Pensó en el convento de los capuchinos como otros hombres desesperados o deprimidos piensan en la bebida: como en un sedante posible, como en un medio eficaz y expeditivo de huir de las tinieblas, de las aprensiones y de la incertidumbre.

Y ahora estaba allí ya. En el altar lucía la llamita azulada y crepitante de la palmatoria, como un alma cruzando indemne a través de un inextricable bosque de asechanzas y pasiones. El cuchicheo de la hermana de Benjamín Conde, postrada ante la tosca imagen de San Bruno, le llevó a pensar en Emeterio y Juan. E imaginó que unos mismos moldes no bastan para limitar dos distintos temperamentos. El libre albedrío humano se mostraba pujante y descarnano, brutalmente cierto, en aquellos dos pares de hermanos vivificados por la misma masa de sangre, pero diametralmente opuestos en el enfoque de sus destinos. Ello probaba, una vez más, la autonomía espiritual de cada ser, el espontáneo e incoercible poder de determinación del hombre. La belleza del cuerpo era un fenómeno exclusivamente connatural, pero no la conformación del alma, sujeta siempre a las disponibilidades de la voluntad.

El silencio manso y reposado del templo repasaba la piel de Sebastián como si se filtrase a través de una membrana porosa. De nuevo pensaba en Emeterio y Juan y los dos hermanos Conde, tan distintos. Y otra vez se sintió empapado por el convencimiento de que sólo allí, dentro de él, en lo más oscuro y recóndito de su cuerpo, se encerraba la suprema verdad, la única, escueta y trascendental verdad. Los nervios, tensos y crispados, iban relajándose, produciéndole una calmante sensación de plácida laxitud. Conociendo la verdad, no tenía por qué temer nada. A fin de cuentas él no había matado a Emeterio, ni había provocado sus pecados; ni tampoco la muerte ni los pecados de Benjamín Conde. ¿Por qué, entonces, no enderezarse de nuevo? Él sabía que el alma, la parte intangible, más íntima y vaporosa del ser, era lo primordial del complejo humano, aunque los hombres en general no lo advirtiesen y vivieran y se mataran como si el dinero o el poderío fuesen los supremos estímulos sociales, lo único que implicaba, en el mundo, una razón de lucha y emulación.

Él había sido egoísta, postergando esta alma cuya existencia constataba otra vez en el pulso de su sangre, en el latido apresurado y sordo de su corazón. Le costaba renunciar, desasirse de toda ligazón terrena, y había aspirado incluso a dar satisfacción a su pobre cuerpo exhibiendo como un producto de esmerada elaboración el secreto de su alma. Recordó a Irene e inmediatamente desechó este pensamiento. La felicidad podía estar ahí como podía estar en otros mil sitios diferentes. Era un error imaginar que el propio acomodo sólo se encuentra en una línea de conducta rígida e inflexible, que todo lo que suponga desviarse de esa línea ha de ser el caos, el desquiciamiento y la perdición. Los caminos del alma eran dúctiles y variados, enmarañados o abiertos, rectos o sinuosos, pero eran, a no dudar, infinitos y eternos. «La felicidad está en el orden de los instintos... —se repitió Sebastián—. Y los instintos —se dijo— son susceptibles de un orden y una organización con Irene y sin Irene, con sinsabores y desengaños.»

Una tierna y dulce congoja le subía del pecho y le oprimía suavemente la garganta. Entonces comenzó a llorar con un ritmo pausado, desalojando su cerebro de lúgubres presunciones y reconditeces sombrías. Apoyaba la frente en la madera del banco y mansamente se desahogaba, no intentaba cortar el curso fluente de las lágrimas.

Entonces pensó que él podría ser feliz encerrado para siempre entre aquellos densos muros, bajo la mirada paternal y vigilante del padre Matías. Pero ahuyentó este pensamiento como ahuyentase poco antes el recuerdo de Irene, como si se tratase de un algo vagamente pecaminoso. No quería ser egoísta otra vez. Comprendía que fuera de allí le esperaba una tarea ardua e intransferible, una misión exclusivamente personal. No podía abandonar ahora a Aurelia ni a la Orencia, ni podía... «La dignidad humana es como el agua en un colador.» Evocó a la Aurora, desquiciada, rumiando a solas, noche y día, su abultada deshonra. Y la monstruosa decisión de la Germana siguió a esta evocación como dos piezas íntimamente concatenadas.

Los sollozos de Sebastián se hicieron más profundos; resonaban ahora acongojados en la vasta quietud del templo en reposo. Le costaba enfrentarse, dar cara a una posibilidad recién descubierta, pero intuía que era la mano de Dios la que le dirigía y controlaba, que era Dios mismo quien le exigía la reparación de un acto de otro. Emitió un ronco sollozo y transigió. ¿Por qué no? «Las almas nobles deben taponar los agujeros que otras almas perdidas abrieron.» (Y Sebastián se imaginó a un Benjamín Conde grotesco y apayasado, como el Benjamín Conde de sus pesadillas, haciendo agujeros apresuradamente en un colador con la afilada punta de un mondadientes.)

Comprobó, en un segundo, que era esta la misión para que había sido creado, que él — ¡qué sarcasmo, Dios mío, para el barrio! — acabaría cerrando el agujero que la Aurora y Benjamín Conde abrieron a medias. Sintió una instintiva repugnancia, pero al pensar en el desgraciado niño por nacer sonrió dolorosamente entre sus lágrimas. «Sí, me casaré con la Aurora», dijo con voz ronca, en un susurro apenas perceptible. Y añadió para sí: «Seremos como dos hermanos, nos respetaremos mutuamente y... y educaremos a ese niño que ninguno de los dos hemos querido».

Su llanto se acentuó, pero una serenidad desconocida se apoderó de él. Al ceder, se dio cuenta de que había sido la lucha interna, áspera y velada, que sostuvo con la conciencia la que le produjo sus amarguras y quebrantos. La rígida resistencia para admitir aquella solución le desazonaba, y ahora, de pronto, al hundirse hasta el cuello en la inmensidad de su sacrificio, sometiéndose a los postulados de una difusa voluntad superior, experimentaba unos anhelos locos de reírse a gritos de su cobardía y de abrazar estrechamente a todo el mundo.

Oyó chirriar el portón claveteado y una sombra se deslizó hasta el banco que él ocupaba. Entre las lágrimas divisó la silueta del señor Cleto a su lado. Andaba casi a ciegas, tanteando, deslumbrado aún por los destellos del sol. Sebastián, en un impulso espontáneo, le sujetó de la mano y se la oprimió con calor.

—Soy yo, Sebastián, señor Cleto. — Y lloraba a raudales. —¿Cómo... cómo usted por aquí?

El señor Cleto se repuso en seguida de la sorpresa:

—Hola, hijo. Hoy es el patrono del barrio. ¿No lo

sabías? ¿O es que eres tú también de los que creen que sólo deben rezar los niños, las viejas, los tontos y los enfermos?

Serían aproximadamente las seis y media cuando Martín se le acercó por detrás y le dijo, frunciendo levemente su bigotillo:

—Esa pelmaza del chal pregunta por ti. Lleva un cuarto de hora esperando a la puerta y haciéndote señas. Dice que quiere comunicarte algo importante, pero que no quiere pasar. Ya le he dicho que aquí no nos comemos crudos a nadie, pero insiste en que no le da la gana de entrar y que salgas tú.

¡Dios mío, la señora Luisa! Sebastián se había olvidado por completo de su negocio del guante. Habían ocurrido demasiadas cosas en las últimas cuatro horas para acordarse de aquella pequeñez. Después de todo Irene no significaba ya nada en su vida, y cuanto antes se olvidase de ella, de todo lo relacionado con ella, sería mucho mejor. Las margaritas no eran para los puercos y el puerco nada conseguiría más que evocar a todas horas su empeño frustrado y su impotencia evidente guardando un pétalo como si fuese un tesoro.

Salió Sebastián, y la señora Luisa le regañó impaciente:

—Vamos, hijo; llevo aquí casi una hora plantada como un espantapájaros. ¿No te corría tanta prisa el guante? Desenvolvió un pequeño paquete que llevaba bajo el brazo y añadió:

—Aquí los tienes. Éste es el tuyo y este otro el que te he hecho. Yo creo que ni en fotografía te los sacarían más parecidos.

Sebastián guardó uno en cada bolsillo.

—Muchas gracias, señora Luisa, y no arrugue la cara;

el sábado estrenan una película de Jorge Negrete en el Ideal. Allá iremos.

Suspiró, resarcida en su espera, la señora Luisa y entornó los ojos. Con facilidad se adivinaba que haría con gusto de Jorge Negrete su cuarto marido si el astro se aviniera a apencar con sus aprovechados cincuenta años, su inmundo cuchitril y su agria afición al vino.

—¿Cómo se llama?

Sebastián reflexionó un momento.

—«Los hombres de Jalisco», «Las mujeres de Jalisco» o algo por el estilo; pero, desde luego, se relaciona con Jalisco. Bueno, ¿y el precio?

—¿Qué precio?

—El del guante.

—¡Bah, quinientas pesetas! —y la señora Luisa se reía de su botaratada.

—¿No será un poco mucho?

—Haga cuenta el señor del trabajo que eso encierra y de la calidad de la prenda.

Sebastián le seguía la broma:

—El trabajo y la calidad son excelentes. Pero podríamos dejarlo en cuatrocientas noventa y cinco.

La esperanza de volver a ver a Jorge Negrete disipó por completo el mal humor acumulado en la espera por la señora Luisa.

—Si el señor lo considera bien pagado, vale.

—Luego le enviaré un cheque a su casa. Muchas gracias.

—Adiós, hijo; que te diviertas y gastes poco.

Sebastián volvió a entrar en el Almacén. La sensación de los guantes en los bolsillos y el temor de que alguien los descubriese le distrajo de sus reflexiones. Aquella tarde la crisis fue más patente y agudizada que en días anteriores. Apenas siete clientes franquearon la puerta del establecimiento, y, de ellos, cuatro o cinco se marcharon sin comprar, por encima del acento persuasivo de don Arturo y de los movimientos de sus dedos finos, acuciantes y sugeridores. Aparentemente aquello se agravaba. Las clientes iban echando costra y, sobre ser menos, las que llegaban parecían puestas en guardia de antemano para evitar ser llevadas por donde no les apetecía ir. Es decir, compraban o no compraban por propia voluntad, indómitas a la menor influencia externa.

A las siete se cerró la puerta y Juan, el mozo, volvió el cartelito de «Cerrado». Don Saturnino salía de su despacho con cara de pocos amigos. Sebastián, en este instante, casi sin pensarlo, se precipitó hacia él:

—El guante, don Saturnino. ¡Ha aparecido el guante! —y tremolaba entre sus dedos achaparrados, ante el asombro de todos, la pequeña prenda.

Pero si esperaba ver cambiar el semblante de don Saturnino se equivocó. El señor Suárez tomó el guante en la mano y le espetó a boca de jarro:

—¿Dónde estaba?

Toda la dependencia se concentró en torno, intrigada. Sebastián se aturdió. No había pensado en esta indagación tan enojosa.

—Ahí... ahí... —balbució, sin convicción alguna—. Al pie del mostrador.

—¿En qué parte?

El tono de don Saturnino manifestaba que no se conformaba con ambigüedades.

—Ahí, en la esquina esa...

—No puede ser —intervino, tajante, don Arturo—. Es una necedad querer hacernos creer que el guante ha estado ahí, a la vista de todo el mundo, y nadie ha reparado en él hasta ahora.

¡Oh, qué difíciles se le ponían siempre las cosas a Sebastián! Se diría que un ente diabólico se divertía enredando y enmarañando el sencillo ovillo de su vida.

—Era... Ha sido más atrás...

—¿Debajo?

—Sí, eso... por debajo.

—¿No he estado yo debajo dos horas andando a cuatro patas como un burro? ¿Eh? ¡Dígame!

—Sí, sí, pero era más... más hacia... hacia la esquina esa...

Martín hacía sonar también sus méritos:

—Ahí he mirado yo cinco veces, y como no lo hayan puesto luego, el guante no estaba ahí; bien seguro estoy de ello.

Sebastián se veía cercado, acosado por cien bocas implacables, por mil ojos que leían en su rostro el inefable embuste.

—Es que... es que...

—¡Que lo había guardado usted! ¿No es eso?

¡Cómo giraba todo, describiendo círculos alucinantes, por encima de su cabeza! La contundencia de los argumentos esgrimidos contra él le anonadaba, le ofuscaba, impidiéndole servirse de la clara luz de la razón. Veía las caras de sus compañeros, multiplicadas por diez, censurando su palmaria falta de sinceridad.

—¡Eso es imposible!

—Ahí he estado yo media hora; en cualquier otro sitio podría estar, pero ahí no; estoy convencido de ello.

—¡Pero, hombre, si por ese rincón he mirado yo más de cien veces!

—¡No diga usted tonterías!

—Lo había guardado usted, ¿no es cierto?

—¿Y qué ha sacado usted en limpio con guardarse ese guante?

Se le hacía a Sebastián que todos leían en sus ojos la grotesca verdad. Adivinaban que estaba enamorado de Irene, que el barro ruin aspiraba a remontarse hasta el pájaro alacre, de una vistosa policromía. Le vinieron ganas de taparse el rostro con las manos y escabullirse, esconderse debajo del mostrador, cobijarse de aquellas miradas directas que le desnudaban el alma en su prolija manía de investigar hasta el fondo de las cosas.

Pero aún insistió torpemente:

—Más allá... más allá... donde ninguno...

No le dejaron terminar. Ignoraba si aquella baraúnda que se elevaba en su derredor era cierta o una mala jugada de sus nervios hipersensibles. Pero no, no. Allí estaban las cabezas de todos, muy unidas, muy estrechamente unidas, formando un cerco ceñido e invulnerable, negándole toda posibilidad.

—¡No es cierto!

—¡No puede ser verdad!

—¡No es usted sincero!

—¡Miente!

—¿Dónde estaba el guante?

—¡...Anótelo bien!

—Por última vez...

—¡No, no y no!

Y todo giraba en derredor. Giraban los rostros y las piezas multicolores de las estanterías; giraban las arañas gigantescas que pendían del techo; giraba la vena relevante de la frente de don Saturnino; giraba el recortado bigotito de Martín, las manos finas y afiladas de don Arturo, los ojos sanguinolentos y saltones de Manolo; giraban las letras, las palabras y las frases. Giraban, sobre todo, aquellos «noes» ominosos y rotundos, las crueles negativas de sus compañeros a admitir como verosímiles sus razones. Y detrás de aquel constante y absoluto girar le pareció recoger una helada carcajada y el sonido mollar y crujiente como de un saco de virutas al ser trasladado. Sebastián no pudo resistir aquella risa viva del maniquí abandonado. Porque la risa provenía de él, a no dudar. Nadie más que él podía reírse con aquellas carcajadas de trapo, frías y cavernosas, que llenaban con sus ecos todos los rincones del establecimiento.

Se tapó los oídos con las manos deformadas y echó a correr enloquecido hacia la puerta. Los denuestos y las negativas de sus compañeros le perseguían como sabuesos ávidos de sangre. Y, de entre ellos, extrajo, distinta y rotunda, la enfurecida voz de don Saturnino, irritado con la persistente crisis de ventas y la reciente citación de Hugo:

—¡Eso! ¡Márchese y no vuelva más! ¡Anótelo bien, Ferrón! ¡No vuelva a poner los pies en esta casa!

Pero él seguía corriendo y corriendo, sin dar importancia a nada que no fuese huir de prisa de aquella guirnalda de cabezas acusándolo, de la lúgubre carcajada del maniquí de serrín...

Volaba atravesando las calles, sin cuidarse de que la gente le mirara o hiciese comentarios irónicos de su marcha precipitada. De repente, sin detenerse, se dio cuenta de la tremenda verdad. ¡Estaba despedido! ¡Despedido! Y como si de su sueldo sólo dependiera el esparcimiento de los sábados, pensó en la señora Luisa, en cómo le costaría renunciar a volver a ver a Jorge Negrete. Las lágrimas se le acumulaban en los ángulos internos de los ojos, le rebosaban ya y comenzaron a rodar presurosas hasta empaparle las solapas de la chaqueta. Pero él seguía corriendo, mientras el leve viento, intensificado por la rauda carrera, le irritaba la húmeda piel de las mejillas.

«¿Y Aurora? —se preguntó súbitamente—. ¿Cómo podré casarme ahora con la Aurora? La gente dirá que busco su dinero, que sólo al quedarme en la calle, indigente y desamparado, acudo a ella como un perro vagabundo a una lata de basuras. —Sin cesar de correr movió la cabeza con violencia. — ¿Qué me importa? ¿Qué puede importarme eso? Yo me casaré con ella piense la gente lo que quiera. — Y presentía que era éste el verdadero, auténtico, incontaminado sacrificio; que sólo los actos consumados así, en el secreto de la propia conciencia, son actos meritorios y trascendentes, acreedores, un día, a una eterna contraprestación. — No tocaré su dinero; no necesito su dinero para nada; yo trabajaré hasta que reviente en cualquier parte. ¿Por qué no he de encontrar trabajo?»

Y, de improviso, al pensar en esto, se sentía más ágil y libre, más dueño de sí que nunca.

Corría como un desesperado, moviendo impulsivamente las cortas piernas y notando que su vientre, lacio y abultado, trepidaba dolorosamente por debajo de la faja de franela. Al sentir despeñarse por las mejillas un nuevo torrente de lágrimas, buscó el pañuelo tanteando sus bolsillos. La mano derecha topó con el guante de Irene e, impensadamente, lo extrajo apuñado en sus dedos cortos y nudosos. Lo contempló a través de la lente de lágrimas y, luego, lo levantó hasta la nariz aspirando con fruición su fresco perfume. Desposeído de todo respeto humano, comenzó a besarle atropelladamente, enjugando con él sus lágrimas, cada vez más abundantes.

Ya entraba en la Plaza del Mercado, y los gritos estentóreos de la multitud, el estampido de los cohetes y las bombas y los silbidos de los chicos le aturdieron. El barrio conmemoraba con una exuberancia vital la festividad de San Bienvenido. Todo el mundo se había lanzado a la calle y, bajo el resplandor incierto de los farolillos verbeneros, teñidos los rostros por mil contrastes de luz, parecían fantasmas pugnando con las torturas del infierno. Pensó en Emeterio y Benjamín Conde; pensó en la Germana y se estremeció. Mujeres regordetas y congestionadas extraían de ingentes sartenes roscas interminables de churros, inmensos rosetones de patatas fritas, bolas fritas de San Bienvenido. Y en su derredor una turba de mujeres y chiquillos disputándose a gritos y a empellones los puestos de preferencia. Los hombres se aglomeraban en las tascas ambulantes y bebían vino y limonada insaciablemente. Los muy entonados cantaban «La vaca lechera» o «El año cuarenta y pico» con sus voces roncas y aguardentosas. Los menos ebrios buscaban anhelosamente la manera de igualar su entusiasmo con el de aquéllos. El «doctor cubano» vendía tubos de pomada como si fuesen caramelos. La mujer, encaramada sobre dos cajones, estaba pálida por el infrecuente esfuerzo, y la serpiente sacaba la lengua enloquecida por tanto grito y tanta pasión.

El pavimento de la plaza se hallaba alfombrado por cáscaras de avellanas y cacahuetes, papeles grasientos, restos de farolillos y mondas de girasol. La multitud, al fluctuar y pisar aquellos restos, producía un rumor crujiente, como el que invadía a las horas de función el teatro del barrio.

Sebastián reía y lloraba interiormente de la miopía de los hombres. Se imaginaban felices en el seno efervescente de aquella babel y lo que estaban era desconcertados, enloquecidos por los gritos, el estallido ininterrumpido de los cohetes y las bombas, los compases agudos y estridentes de la charanga y los trajes vivos y chillones, mareantes, de las mujeres. «La felicidad está en el orden de los instintos.» Y allí predominaba un caótico e irresponsable desorden.

Sebastián avanzaba ahora despacio, recibiendo empujones y achuchones por todas partes. En la mano derecha oprimía el leve guante de crochet de Irene con una ternura infinita y se hacía la ilusión de que portaba a la bella mujer de la mano. Así atravesó la Plaza del Mercado y se adentró en su calle, en donde la aglomeración tomaba increíbles proporciones. Los gritos y las canciones se hacían aquí ensordecedores y la gente llevaba en la cabeza gorros de papel de ofensivos colorines.

Ante la puerta de su casa, un grupo de chiquillos armaba un escándalo mayúsculo con sus flautas y silbatos, agudos e incoherentes. Los tenderetes se alineaban a ambos lados de la carrera y las mujeres que los regentaban pregonaban a gritos la calidad y suculencia de los artículos cuando no la asequibilidad de los precios.

Un mozalbete grandullón arrojaba garbanzos detonantes a los pies de las muchachas que corrían en desbandada, empujándose y gritando. Desde un balcón alto, un hombre en mangas de camisa, con los brazos llenos de vello, lanzaba cohetes al espacio oscuro que se abría en una estela de luz vivísima y efímera para, después de la explosión, sumirse en una tenebrosidad aún más espesa y maciza que antes.

Olía fuerte a frituras, a pólvora, a emanaciones humanas y a vino tinto en porrón. Era una mezcla penetrante y desagradable, pero que incitaba a la locura y al frenesí. Sebastián se abrió camino a codazos entre eructos vinosos, voces destempladas y los crujidos de las cáscaras, hacinadas en el suelo, al ser holladas. Era tedioso bracear contra corriente, y Sebastián se veía obligado a desarrollar un violento esfuerzo físico para conseguirlo.

Ya en el portal de su casa, hubo de apoyarse en el muro para no caer. Dirigió una mirada desmayada al idolillo de la cara de león y los pechos cónicos y le sonrió con languidez, con una acentuada expresión de cansancio en los ojos enrojecidos.

—Hoy no ha habido suerte, ¿sabes? Otro día será.— Y ascendió penosamente las escaleras.

Sin detenerse llegó hasta su alcoba, se quitó los zapatos pisándose los contrafuertes y se derrumbó sobre la cama. No había nadie en la casa. De la calle ascendían mil ruidos diversos, amortiguados por el balcón cerrado. Sobre el fondo de aquella algarabía apenas si se oyó el desgarrado sollozo de Sebastián. En la mano derecha apretaba el guante de crochet de la bella Irene. Por su cerebro, rendido sobre la almohada, desfilaban las palabras del cura de las barbas, imbuyéndole una pausada serenidad: «La dignidad y la honradez humana son como el agua en un colador.» Y, una vez más, Sebastián se representó a Benjamín Conde, al absurdo y grotesco Benjamín Conde de sus pesadillas, dando estocadas furiosas a un colador con la afilada punta de un mondadientes.

ESTE LIBRO FUE IMPRESO POR AGUSTÍN NÚÑEZ,
PARÍS, 208, BARCELONA, EN DICIEMBRE DE 1962